AIはすべてを変える

RULE OF THE ROBOTS: HOW ARTIFICIAL INTELLIGENCE WILL TRANSFORM EVERYTHING

マーティン・フォード 著
Martin Ford

松本剛史 訳

日本経済新聞出版

RULE OF THE ROBOTS

How Artificial Intelligence Will Transform Everything

by Martin Ford

This edition published by arrangement with Basic Books,
an imprint of Perseus Books, LLC, a subsidiary of Hachette Book Group, Inc.,
New York, New York, USA
through Tuttle-Mori Agency, Inc., Tokyo.

私の母、シーラに

目次

第3章　「誇張」されるＡＩ――リアルな現状　47

第4章　インテリジェントマシン構築の試み　119

第5章 ディープラーニングとＡＩの未来 139

第6章 消えゆく雇用とＡＩが経済にもたらすもの 203

第1章　迫りくる創造的破壊（ディスラプション）

二〇二〇年一一月三〇日、グーグルの親会社アルファベットが所有する人工知能企業ディープマインド（本社はロンドン）が、歴史的ともいえる驚くべき発表を行った。現在の科学・医療を一変させてもおかしくない、計算生物学におけるブレイクスルーだ。タンパク質の分子は細胞内で作られ、その際の遺伝子コードに基づいて最終的な形状をとる。ディープマインドはディープニューラルネットワークを用いて、その分子の形状がどうなるかを予測することに成功したのだ。これは五〇年にわたる科学的探求が実を結んだ、まさに生命の仕組みそのものの解明につながる新技術の出現を告げるというばかりか、医学と薬学の新しい時代を切り開く画期的な出来事でもあった。[1]

タンパク質分子は長い鎖の形をしていて、二〇種類あるアミノ酸が何かしらの順番でつながっている。DNAにエンコードされた遺伝子情報は、タンパク質分子を構成するアミノ酸の正確な配列、つまりレシピを示している。ところがこの遺伝子情報のレシピは、タンパク質の機能を左右する分子の形状については、特に何も指定しない。そしてタンパク質分子は細胞内で作られる際、わずか数ミリ秒で自動的に折りたたまれ、きわめて複雑な三次元構造をとるようになる。その結果によって分子の形状が決まるのだ。[2]

タンパク質分子が折りたたまれてどんな形状をとるのか。これを正確に予測するのは、現代科学の難問中の難問だ。可能な形状は事実上無限にある。研究者たちは学者人生をかけてこの問題に取り組んできたが、総じてごくわずかな成果しか上げられずにいた。ディープマインドのシステムは、同社が〈アルファ碁〉や〈アルファゼロ〉で開発したＡＩ技術を使用している。こうしたシステムは囲碁やチェスといったボードゲームで世界最高の人間のプレーヤーを打ち破り、一躍有名になった。

しかし、ＡＩといえばゲームに強い、と連想されるような時代はまちがいなく終わりつつある。〈アルファフォールド〉がタンパク質分子の形状を予測する精度は、Ｘ線結晶構造解析のような費用も時間もかかる実験室での測定にも匹敵するものだ。もう反論の余地はない。人工知能の最前線での研究は、世界を変える可能性を秘めた実用的かつ不可欠な科学的ツールを生み出しつつあるのだ。

そしてつい最近、世界中のほとんどすべての人間が、タンパク質分子の三次元形状がどんなふうにその機能を定義するかを示す、最も有名な実例に遭遇することになった。新型コロナウイルスのスパイクタンパク質だ。この分子レベルの連結メカニズムによって、ウイルスが宿主に付着し感染させることが可能になる。今回のブレイクスルーのおかげで、つぎのパンデミックのときにははるかに良い準備ができる望みが生まれた。

ディープマインドのシステムの重要な用途には、既存の薬を迅速にスクリーニングし、新たに出現したウイルスに最も効果的なものを見つけ出すことも含まれるかもしれない。この技術はそれにとどまらず、たとえばまったく新しい薬の開発や、糖尿病やアルツハイマー病、パーキンソン病などの病気に関連するタンパク質のミスフォールディング（誤った折りたたみ）についての理解を深めるなど、さまざまな進歩につながるだろう。またいずれは、医療以外のさまざまな用途に、たとえばプラスティックや油などの廃棄物を分解できるタンパク質を分泌する微生物を作り出す、といったことにも用いられるかもしれない。[3] つまり、生化学や医学のほぼすべての領域で進歩を加速させる可能性を秘めたイノベーションなのだ。

この一〇年ほどで、人工知能の分野は革命的ともいえる進歩を遂げた。ＡＩを活用した実用的アプリケーションは増加の一途をたどり、すでに私たちの住む世界を変えはじめている。なかでもひときわこの進歩を加速させているのが「ディープラーニング（深層学習）」だ。ディープマインドなどが使用している、多層構造の人工ニューラルネットワークを用いた機械学習の技術である。ディープニューラルネットワークの基本原理は何十年も前から知られていたが、ここ最近の劇的な進歩は、情報技術における二つの絶え間ない傾向が組み合わさったことで可能になった。その一つめの傾向とは、格段に高性能なコンピュータの登場のおかげで、ニューラルネットワークが初めて本当に実用的なツールとなったこと。二つめは、現在の情報経済から生み出されては収集される膨大な量のデータが、こうしたニューラルネットワークを訓練して有用なタスクを実行させるのに不可欠なリソースになっていることだ。

たしかに、かつては想像もできなかった規模のデータが利用可能になったことが、これまでの目覚ましい進歩を支えている最大の要因といっていい。巨大なシロナガスクジラは、一つ一つはちっぽけな生き物であるオキアミを数限りなくかき集めて食べ、まとまったエネルギーにすることで、あれだけの巨体と力を養っている。まったく同じようにディープニューラルネットワークは、膨大なデータをがつがつ貪って活用するのだ。

人工知能が適用される分野は増加の一途をたどり、特別かつ重要なテクノロジーへと進化しつつあることはまちがいない。たとえばある医療分野では、ＡＩによる診断アプリケーションがすでに、最高の医師たちの働きに勝るとも劣らない成果を上げはじめている。こうしたイノベーションの持つ力の本質は、世界一とされる一人の医師を上回る可能性があるといったことではない。むしろこの技術のなかに包み込まれたインテリジェンスを簡単にスケーリング（拡張）していけるという点にあるのだ。いずれ近いうちに、最上級の診断技術が世界中に手頃な料金で配信され、住民が世界最高レベルの医療専門家どころか普通の医師や看護師にもまずかかれないような地域でも、診断を受けられるようになるだろう。

ある一つのきわめて限定的なイノベーション、たとえばＡＩによる診断ツールや、ディープマインドのタンパク質分子関連のブレイクスルーを考えてみよう。それを医学、科学、産業、交通、エネルギー、政府など、人間が関わる他のあらゆる分野の事実上無限にある可能性と掛け合わせてみる。その結果、何が生まれるか。新たな、他に類を見ない強力な公益サービスだ。「電気としてのインテリジェンス」とでも言おうか。すばらしく柔軟な、いずれはただスイッチをぱちりとやるだけで、目の前のほぼすべての問題に優れた認知能力を適用してくれるリソースである。最終的にこの新たな公益サービスは、分析や意思決定の能力だけでなく、複雑な問題を解決したり、創造性を発揮したりする能力までもたらすようになるだろう。

本書の目的は、人工知能を単なる特殊なイノベーションではなく、他には見られないスケーラビリティ（拡張性）を備え、創造的破壊（ディスラプション）をもたらす可能性のある技術として――そしていつか電気のそれにも比肩するような変革をもたらす新しく強力な公益サービスとして捉えることで、AIが未来に及ぼす影響を探っていくことだ。これから本書で示していく議論や説明は、私自身が仕事をするなかで得た三つの経験に大きく依拠している。

まず一つめに、私は二〇一五年に *Rise of the Robots: Technology and the Threat of a Jobless Future*（邦題『ロボットの脅威――人の仕事のなくなる日』）という本を出して以来、何十もの技術会議や地域サミット、企業や大学のイベントに招かれ、人工知能とロボットがもたらす影響について話してきた。三〇カ国以上を旅して各地の研究所を訪問し、最先端技術の実演を見せてもらった。また、さまざまな技術の専門家、エコノミスト、企業経営者、投資家、政治家に加え、自分の周囲で起きている変化を見て不安に思いはじめている一般の人たちとも、いま起こりつつあるAI革命の持つ意味について議論し合う機会を得てきた。

二つめに、二〇一七年からソシエテ・ジェネラル銀行のチームと協力して、人工知能とロボティクス革命から利益を引き出す方法を投資家に提供する独自の株式市場インデックスの作成を始めた。私は専門的なコンサルタントとして、ＡＩは新しい強力な公益サービスとなりつつある、これから広範囲にわたる産業で価値を生み出しビジネスを変革していくだろうとの見解を伝えつつ、戦略の策定を手伝った。その結果生まれたのが、ソシエテ・ジェネラルの「ライズ・オブ・ロボッツ」インデックスと、このインデックスをもとにしたリクソー・ロボティクス&ＡＩ ＥＴＦ（上場投資信託）[4]だった。

三つめに、私は二〇一八年の一年間で、世界最高の人工知能研究専門の科学者および起業家二三名に会い、幅広いテーマで議論をする機会を得た。どの人物もこの分野における真の「アインシュタイン」で、実際に話をうかがったうちの四名が、ノーベル賞のコンピュータ科学版ともいうべきチューリング賞の受賞者だ。そうした方がたと人工知能の未来や、その進歩がもたらすリスクと機会について語り合った成果は、二〇一八年の拙著 *Architects of Intelligence: The Truth about AI from the People Building It*（邦題『人工知能のアーキテクトたち――ＡＩを築き上げた人々が語るその真実』）に収録した。ＡＩの分野で働く最高の知性の内面に迫るという得がたい体験は、この本でも広く引用しているし、彼らの知見と予測はここで触れている内容と直に関連するものだ。

人工知能が「第二の電気」であるという視点は、このテクノロジーがどういった進化を遂げ、最終的に経済、社会、文化のほぼすべての領域に影響を与えるかを考えるうえで有用なモデルとなるだろう。だが一つ、大事な注意点がある。電気は世界のどこででもあきらかにポジティブな力だと考えられている。よほどひたむきな隠遁者でもないかぎり、先進国の居住者で電化を憂えているような人間はまずいないだろう。だがＡＩはちがう。ＡＩには陰の側面があり、個人にとっても社会全体にとってもまぎれもないリスクと隣り合わせでやってくる。

人工知能が進歩しつづければ、雇用市場と経済全体がともに、かつてなかったほどの大きな変化を遂げるかもしれない。基本的にルーティンかつ予測可能な仕事、つまり、働き手が同じような作業に繰り返し向き合うような仕事は、その全部または一部が自動化される可能性がある。研究によると、アメリカの労働力の半分がこうした予測可能な仕事に就いているため、アメリカ一国で最終的に数千万の雇用が消滅するだろうという。[5] またその影響は、低賃金、低スキルの労働者には限定されない。ホワイトカラーや専門職の人たちもやはり、多くが比較的ルーティンな作業を行っている。予測可能な知的作業はソフトウェアにもこなせるので、とりわけ自動化のリスクは高くなる。逆に手作業の場合は、高価なロボットが必要だ。

自動化は将来の労働力にどのような影響を及ぼすか？　これについては激しい議論が戦わされている。自動化が及ばない仕事が新たにたくさん創出されて、ルーティンな仕事を失った労働者がそこに吸収されるのだろうか？　もしそうなるとして、この労働者たちは、新たに作り出された役割にうまく適応できるだけのスキルや能力、性格傾向を備えているだろうか？　元トラック運転手やファストフード店員がそろってロボット工学のエンジニアになる、というのはさすがに無理があるだろうし、その点でいえば、高齢者の介護補助者でも同じことだ。

私の考えでは、『ロボットの脅威』にも書いたように、ＡＩとロボット工学がこのまま進歩しつづければ、いずれ労働力のかなりの部分が取り残される恐れがある。また、これはあとの章で見ていくことだが、新型コロナウイルスの感染拡大とそれに伴う景気の悪化は人工知能が雇用市場に及ぼす影響を加速させるだろう。そう考えられる理由はいくらでもある。

自動化のせいで仕事が完全になくなる、という可能性はさておいても、技術革新はすでにいろいろな形で雇用市場に影響を及ぼしているし、私たちにとってそれは大いに懸念すべき問題だ。ホワイトカラー職は非熟練化の危険にさらされ、ほとんど訓練を受けていない低賃金労働者でも技術の力を借りて、以前はずっと賃金の高かった職に就けるようになっている。また人間がアルゴリズムの管理下に置かれ、仕事ぶりを監視されたりペースを決められたりと、まるで仮想ロボットのように扱われながら働くようになりつつある。そして新たな仕事が生まれるのは「ギグ」エコノミーと呼ばれる不定期の、基本的に労働時間や収入が予測できない分野ばかりだ。こうした事態が示しているのは格差の拡大と、この国の大半の労働者にとっての労働条件が非人間的なものになっていく可能性である。

人工知能が台頭しつづければ、雇用や経済への影響はもちろんのこと、他にもさまざまな危険が伴ってくる。特に直接的な脅威といえば、私たちのセキュリティ全般に関わるものだろう。たとえばＡＩによるサイバー攻撃だ。次第に相互接続が進み、アルゴリズムに管理されつつある物理的インフラや重要なシステムへの攻撃は、民主主義のプロセスや社会構造に対する脅威にもなりうるだろう。二〇一六年のアメリカ大統領選挙へのロシアの介入は、やがて起こってもおかしくない事態の控えめな予告編といってもいい。人工知能はいずれ、現実とほとんど見分けがつかないような写真や音声、映像の捏造も可能にすることで、「フェイクニュース」を量産しかねない。あるいは進化したボットの群がいつかソーシャルメディアに侵入しては混乱を引き起こし、恐ろしいほど効率的に世論を誘導するようになるかもしれない。

さらに世界中で、顔認識などのＡＩ技術を駆使した監視システムが導入され、特に中国では、権威主義的政府の権力と勢力を格段に強め、個人のプライバシーを蝕むような形での使用が行われている。アメリカではいくつかのケースで顔認識システムに人種や性別のバイアスがあることが判明したほか、アルゴリズムが履歴書のスクリーニング（ふるい分け）をしたり、刑事司法システム内で裁判官にアドバイスを与えるのにも使われている。

近々に迫った脅威のなかで特に恐ろしいのは、人間から直接なんらかの許可を受けなくても相手を殺傷できる、完全自律型兵器の開発だろう。こうした兵器の群が地域の住民全体をターゲットにして使用されることも考えられ、そうなると防衛はきわめて難しい。もしテロリストの手に渡ろうものなら最悪だ。だからＡＩ研究のコミュニティ内でも多くの人たちがその開発を熱心に阻止しようとしているし、国連でもこうした兵器を禁止する取り組みが進められている。

またさらに遠い将来には、はるかに大きな危険に遭遇する可能性もある。人工知能が人類の存亡を脅かすということはありえないのか？　私たちはいつか「スーパーインテリジェントな」機械を作り出し、それが人間をはるかに超える能力を持って、故意であろうとなかろうと、私たちに害をなすような行動をとるのではないか？　まあこれはほとんど仮定に近い不安であって、いつか本物の「知的な機械」を作り出すことができたときの話だ。ＳＦの領域から踏み出すようなものではない。とはいえ、本当の意味で人間レベルの人工知能を作り出すことは、この分野の最終的な目標でもあるし、並外れた知性を持つ多くの人たちもこの問題をごく深刻に受けとめている。故スティーヴン・ホーキング博士、イーロン・マスクなど傑出した人物が、制御不能なＡＩという脅威への警告を発してきた。特にマスクは、人工知能の研究は「悪魔を召喚している」「ＡＩは核兵器よりも危険だ」と明言してメディアを騒がせている。[6]

そこまでの状況を踏まえて、こう考える方もいるかもしれない。なぜわざわざパンドラの箱を開けるようなまねをするのか？　答えは、人類にはもう人工知能を放置しておく余裕がないからだ。ＡＩは人間の知能と創造性を向上させることで、人間が取り組むほぼすべての分野でイノベーションを起こす推進力となってくれるだろう。新しい医薬品や治療法、より効率的なクリーンエネルギー源など、数々の重要なブレイクスルーも期待できる。ＡＩによる雇用破壊が起きるのは確実とはいえ、経済から生み出される製品やサービスをより安く、より簡単に手に入るようにしてもくれるだろう。

コンサルティング会社ＰｗＣの分析では、二〇三〇年までにＡＩは約一五兆七〇〇〇億ドルの経済効果を世界にもたらすと予測されている。新型コロナウイルスの感染拡大で引き起こされた大規模な経済危機からの回復を考えると、その意味の大きさは格段に増す。[7]そして何より重要なのは、いずれ人工知能が人類にとってかけがえのないツールへと進化し、気候変動や環境悪化、必ず来るつぎのパンデミック、エネルギー不足や水不足、貧困、教育機会の欠如など、私たちが直面する最大の難題に取り組むうえで不可欠な存在になっていくということだろう。

前へ向かって進んでいくには、人工知能の可能性を全面的に受け入れつつも、つねに目を見開いていなくてはならない。取り組むべきたくさんのリスクがあるだろう。ＡＩを特定の分野に使うことを規制し、場合によっては禁止する必要も出てくる。こうした取り組みはいまから始めなくてはならない。未来は私たちが準備を整えるよりずっと早くやってくるのだ。

本書が人工知能の未来を示す「ロードマップ」になる、などと言えば大言壮語に過ぎるだろう。今後ＡＩがどのぐらいの速さで進化するのか、具体的にどのように活用されていくのか、どんな新しい企業や産業が生まれてくるのか、やがて立ちはだかる最大の危険とは何なのか？　誰にも確かなことは言えない。人工知能の未来は破壊的（ディスラプティブ）な、また予測不可能なものになるだろう。ロードマップはどこにも存在しない。だから私たちはそのつど判断を下していかなくてはならない。私の願いは、本書のなかでできたるべき未来に備えるための方法を提示していくことだ。起ころうとする革命に考えをめぐらし、誇大広告やセンセーショナルな表現を現実から切り離して、個人と社会全体が創造する未来で成功するための最善の方法を見極めるガイドとなることなのだ。

第2章　ＡＩは第二の電気となる

かつて電気といえば、見物人を喜ばせる手品や実験のタネになるという程度の価値しかなかったが、その後はまぎれもなく現代文明を形づくり、実現するための原動力となった。いまでは世界中で、電力供給網を安定して利用できることが当たり前のようになっているので、電気がここまでの存在になるまでどれほど長い、困難な道のりがあったかを忘れてしまいがちだ。アメリカでベンジャミン・フランクリンが有名な凧の実験を行った一七五二年から、じつに一二七年たった一八七九年、ようやくトーマス・エジソンが白熱電球を完成させた。そこから流れは一気に早まった。同じ年にイギリスで、リバプール電気照明法が制定され、この国で初めてガス灯に代わる電気の街路灯が設置される下地が整った。そのわずか三年後には、ニューヨークのパール・ストリート発電所とロンドンのエジソン電灯用発電所がともに稼動を始めた。それでも一九二五年の時点では、アメリカで電気を利用できる家庭はまだ半分程度だった。それからさらに数十年後、フランクリン・ルーズベルトにより農村電化法が制定され、ようやく電気は今日見られるとおりの「ユビキタスな」、つまりあまねく存在する公益サービスにまで発展したのだ。

先進国に暮らす私たちは、ほぼあらゆるものが電気に関係しているか、電気が使えることを前提にしている。電気は汎用技術としてはおそらく最良の、またまちがいなく最も永続的なものだ。経済・社会のあらゆる側面に行き渡って変化させるイノベーションともいえる。それ以外の汎用技術となると、たとえば蒸気がそうだ。蒸気は産業革命の原動力となったが、現在では火力や原子力などで作られる電気に置き換わってしまった。内燃機関はたしかに変革をもたらしたが、いまとなってはガソリンエンジン、ディーゼルエンジンがほぼ完全に別のもの、たとえば電気モーターに取って代わられる未来が容易に想像できる。よほどディストピア的な大災害のシナリオでもないかぎり、電気のない未来を想像するのはまず不可能だ。

だからこそ、人工知能がいずれ電気と比較できるほどの規模と力を持った汎用技術に進化するというのは、おそろしく大胆な主張ではあるだろう。だがそれでも、世界がその方向へ向かっていると考えられる理由は大いにある。ＡＩは電気と同じように、ほぼあらゆるものに触れ、そして変えていくだろう。

人工知能はすでに、農業、製造業、医療、金融、小売などの全産業を含めた、すべての経済分野に影響を及ぼしている。そしてさらに、最も人間的と見なされるような分野さえ侵略しはじめているのだ。すでにＡＩを用いたチャットボットを通じて、メンタルヘルスのカウンセリングが二四時間いつでも受けられるようになっている。斬新な形のグラフィックアートや音楽もディープラーニング技術で作り出されつつある。実のところ、こうした事態も驚くには当たらない。なんといっても人間が生み出してきた価値あるものは、ほぼすべて私たちの知能、すなわち学習能力、イノベーション能力、創造力の直接的な産物なのだから。ＡＩは私たち自身の知能を増幅し、補強し、あるいは取って代わるうちに、かつてないほど強力で広く応用可能なテクノロジーへと否応なく進化していくだろう。また、私たちが新型コロナ禍からの回復を目ざそうとする現在、いずれは人工知能がその最も効果的なツールの一つになるかもしれない。

さらに言うなら、人工知能はほぼまちがいなく、電気のときよりずっと速いペースで絶対的優位を占めるようになるだろう。なぜかといえば、ＡＩを展開するのに必要なインフラ、たとえばコンピュータやインターネット、モバイルデータサービス、とりわけアマゾンやマイクロソフトやグーグルといった企業が保持する巨大なクラウドコンピューティング施設がすでにほぼ配備済みだからだ。エジソンが電球を発明したときに、もし発電所や送電線の大半がすでにできあがっていたとしたら、電化がどこまで早く進んでいたか想像してほしい。人工知能はたしかに私たちの世界を変えようとしている――そしてそれは予想よりずっと早く起こるかもしれないのだ。

電気としての知能

人工知能を電気にたとえるのは、ＡＩが誰でもどこででも利用できるものになり、いずれ人間文明のほぼあらゆる面に及んで変化させていく、という意味合いにおいては適切だろう。といっても、この二つのテクノロジーには決定的な違いもある。電気は時と場所を問わない、代替可能なコモディティだ。どこにいて、どの電力会社を使おうとも、電力網を通じて利用できる資源は基本的には同じである。たとえば、今の時代に供給されている電気は、一九五〇年に使われていたものとほとんど変わらない。それに対して人工知能は、均質というにはほど遠く、はるかに動的なものだ。ＡＩがもたらす機能やアプリケーションは無数にあってたえず変化するし、実際に誰がその技術を提供するかに応じておそろしくさまざまな形をとってもおかしくない。そしてこのことは第5章でも説明するが、人工知能はひたすら進化を続け、能力を獲得して人間レベルの知能に限りなく近づき、いつか超えていくかもしれない。

電気が提供するのは、それ以外のイノベーションを機能させられる原動力である。しかしＡＩがもたらすのは知性そのものだ。そこには問題を解決する力、判断を下す力、そしておそらくは推論を行い、革新し、新たなアイデアを作り出す能力も含まれる。電気は省力化のための機械を動かすものだが、ＡＩはそれ自体が省力化技術なのだ。だからＡＩが次第に私たちの経済に行き渡れば、人間の労働力や企業および組織の構造に計り知れない影響をもたらすだろう。

人工知能が進化を続けてユニバーサルな公益サービスになれば、電気が現代文明の基礎を作ったのと同じように、ＡＩに形づくられる未来がやってくるだろう。いまの建物やインフラが既存の電力網を活用できるように設計・建築されているのと同じように、未来のインフラはＡＩの力を活かせるように一から再設計されるだろう。この思想は物理的な構造を超えて、私たちの経済・社会のほぼあらゆる面をデザインごと変えてしまうだろう。初めからＡＩの活用を目的にした新しい企業や団体が立ち上げられるだろう。ＡＩはあらゆる未来のビジネスモデルに不可欠な要素となる。私たちの政治・社会の制度も、このユビキタスな新しい公益サービスを取り入れ、依存しながら進化していくことになるだろう。

以上の話をまとめるなら、ＡＩは最終的に電気と同じ範囲にまで広がるだろうが、電気と同じ安定性、予測可能性は持たないだろうということだ。ＡＩははるかに動的でディスラプティブな、触れるものを片端からひっくり返しかねない力でありつづけるだろう。なんといっても知能とは究極のリソースであり、人類が創造したすべての根底にある究極の能力なのだ。そんなリソースを変化させて誰もが手軽に利用できる公益サービスにする——これほど意義のある進歩がどこに存在するだろうか。

ＡＩ専用のハードウェアとソフトウェアの出現

あらゆる公益サービスと同じく、人工知能にもそのためのインフラ、つまり技術をあまねく届けるための経路のネットワークが必要になる。その手始めとなるのがすでに存在している膨大なコンピューティングインフラで、これには何億台というノートパソコンやデスクトップパソコンのほか、巨大なデータセンター内のサーバー、そして急速に拡大する高性能モバイルデバイスの広大なネットワークまでが含まれる。ＡＩの力が届けられる経路となるこの分散コンピューティングプラットフォームは、ディープニューラルネットワークの最適化のために作られたさまざまなハードウェアやソフトウェアの導入によって、飛躍的に改善されつつある。

この進化が始まったのは、ある発見がきっかけだった。主として高速で動くビデオゲームに用いられていた特殊なグラフィックマイクロプロセッサが、ディープラーニングアプリケーションの強力な推進力となることがわかったのだ。GPU（グラフィックスプロセッシングユニット）はもともと、高解像度グラフィックスをほぼ瞬時に描画するのに必要な計算を高速化するために開発された。一九九〇年代初めにこの特殊なコンピュータチップは、ソニーのプレイステーション（PlayStation）やマイクロソフトのエックスボックス（Xbox）などのハイエンドゲーム機では特に重要な存在となった。

GPUは膨大な量の計算を迅速に並行処理できるように最適化されている。一般的なノートパソコンのCPU（中央演算処理装置）には演算を行う「コア」が二つ、もしくは四つあるが、現在のハイエンドGPUは数千数万の特殊なコアを持っていて、そのすべてが同時に高速で数値計算をすることが可能だ。ディープラーニングアプリケーションに求められる計算が、グラフィックスの描画に必要な計算におおよそ等しいということが判明すると、研究者たちはGPUに大量の資金を投入するようになり、GPUは人工知能の主要なハードウェアプラットフォームへと急速に発展していった。

実のところ、主としてこの移行によってディープラーニング革命は可能になり、二〇一二年初めには確立を見たのだった。この年の九月、マシンビジョンに特化した毎年恒例の重要なイベント「イメージネット・チャレンジ」で、トロント大学のＡＩ研究者チームが優勝し、ディープラーニングはテック業界の注目を集めるようになった。もしこのチームがディープニューラルネットワークの高速化のためにGPUチップを使用していなかったら、コンテストに優勝できる力を発揮できたかどうかは疑わしい。ディープラーニングの歴史については、また第4章でくわしく説明しよう。

トロント大学のチームが用いたのは、エヌビディア製のGPUだった。エヌビディアは一九九三年創業の、最先端グラフィックチップの設計・製造を専門とする会社だ。二〇一二年のイメージネット・チャレンジを、またその結果としてディープラーニングとGPUの強力な相乗作用が広く認識されたのをきっかけに、エヌビディアの業績は劇的に向上し、人工知能の台頭とともに世界有数のテック企業の仲間入りを果たすことになった。ディープラーニング革命の証がこの会社の市場価値の変化にはっきりと窺える。二〇一二年一月から二〇二〇年一月にかけて、エヌビディアのシェアは一五〇〇パーセント以上も跳ね上がったのだ。

ディープラーニングのプロジェクトがGPUへ移行していくと、大手テック企業のAI研究者たちは、ディープニューラルネットワークの実装をいち早く行うためのソフトウェアツール開発にとりかかった。グーグル、フェイスブック（現・メタ）、バイドゥ（百度）はそろって、ディープラーニングに合わせて開発したオープンソースソフトウェアを公開し、誰でも自由にダウンロードや使用、アップデートができるようにした。なかでもよく知られ、広く利用されているプラットフォームは、二〇一五年に公開されたグーグルの「テンソルフロー（TensorFlow）」だ。

テンソルフローはディープラーニングのための包括的なソフトウェアプラットフォームで、ディープラーニングの実用化に取り組む研究者とエンジニアに、ディープニューラルネットワークの実装に最適化されたコードのほか、アプリケーション開発を効率化するさまざまなツールを提供している。テンソルフローや、競合するフェイスブックの開発プラットフォーム「パイトーチ(PyTorch)」といったパッケージのおかげで、研究者は難解な細部に対処するソフトウェアコードを書いたりテストしたりせずにすみ、より高レベルの視点からシステムを構築できるようになる。

ディープラーニング革命が進行するにつれ、エヌビディアやその競合企業の多くは、ディープラーニングに特化した、はるかに強力なマイクロプロセッサチップの開発に動き出した。インテル、IBM、アップル、そしてテスラも、ディープニューラルネットワークに必要な計算を高速化するための回路を備えたコンピュータチップを設計しているところだ。ディープラーニングチップは、スマートフォンや自動運転車、ロボットのほか、ハイエンドのコンピュータサーバーなど数えきれないほどのアプリケーションに使われはじめた。その結果、人工知能を届けるために一から設計されたデバイスのネットワークは拡大の一途をたどっている。

グーグルは二〇一六年、テンソル・プロセッシング・ユニット(TPU)という独自開発のカスタムチップを発表した。TPUは同社のソフトウェアプラットフォームのテンソルフローで構築されたディープラーニングアプリケーションを最適化するために特別に設計されたものだ。グーグルは当初、この新製品のチップを自社のデータセンターに使っていたが、二〇一八年初めにはグーグルのクラウドコンピューティング施設を動かすサーバーにTPUが組み込まれ、クラウドコンピューティングサービスの利用客が最先端のディープラーニング機能に触れられるようになった。この成果は、人工知能の能力を広く行き渡らせるための最も重要な経路となったものがさらに優位性を高めるのに役立つだろう。

急成長する人工知能市場のシェアをめぐっては、マイクロプロセッサチップの老舗メーカー同士の競争に、新たに生まれたスタートアップ企業群も加わり、いま業界はイノベーションとエネルギーの波に沸き返っている。研究者たちはまったく新たな方向でのチップの設計を推し進めているところだ。ＧＰＵから進化したディープラーニング専用のチップは、ディープニューラルネットワークを実装したソフトウェアが行う骨の折れる計算をスピードアップするよう最適化されている。

また一方で新たに、人間の脳をほぼ完全に模したようなチップも出てきている。これならリソースを大量に食うソフトウェアの層も、ハードウェアにニューラルシステムを実装する必要もほとんどない。こうした「ニューロモーフィック」チップは、脳のニューロンを直接シリコンに写したような設計だ。ＩＢＭとインテルはともにニューロモーフィック・コンピューティングの研究に多額の投資を行っている。たとえばインテルの実験的なチップ「ロイヒ」は一三万個のハードウェアニューロンを実装し、その一つひとつが数千個のニューロンに接続できる。[1]

大きなスケールでのソフトウェア計算が必要なくなるとして、その最も重要な利点といえるのは電力効率だ。人間の脳は、既存のコンピュータをはるかにしのぐ能力を備えていながら、消費電力はわずか二〇ワット程度と、一般的な白熱電球よりずっと小さい。それに対し、ＧＰＵ上で動くディープラーニングシステムは、膨大な電力が必要になる。くわしくは第5章で見ていくが、こうしたシステムをスケーリングしてリソースをどんどん多く消費していくのでは先がもたないだろう。対してニューロモーフィックチップは、脳のニューラルネットワークから直接ヒントを得た設計なので、電力消費が圧倒的に小さい。インテルによれば、ロイヒのアーキテクチャは一部のアプリケーションでは、従来のマイクロプロセッサチップと比べてエネルギー効率が最大で一万倍も優れているということだ。

ロイヒのようなチップが商業生産されるようになれば、電力効率が最も重視されるモバイルデバイスや他のアプリケーションにたちまち組み込まれるだろう。AI専門家からはさらに先読みをして、ニューロモーフィックチップは人工知能の未来を担うと予測する声も出ている。たとえば調査会社ガートナーの分析では、ニューロモーフィックデザインは二〇二五年までに、AIの主要なハードウェアプラットフォームとしてGPUに大きく取って代わるだろうと予想されている。[2]

AIの主要インフラ＝クラウドコンピューティング

いまあるクラウドコンピューティング業界は、二〇〇六年のアマゾンウェブサービス（AWS）の登場から始まった。アマゾンはもともと、同社のオンラインショッピングサービスを提供する巨大データセンターを構築・管理していた。その専門知識を活用し、同じような施設にホストされた計算リソースへの柔軟なアクセスを幅広い顧客に販売することがＡＷＳの戦略だったのだ。二〇一八年の時点でＡＷＳは、世界九カ国に及ぶ一〇〇カ所超のデータセンターを運営していた。[3]

アマゾンやその競合企業が提供するクラウドサービスの成長ぶりは驚くべきものだ。最近の調査によると、いまや多国籍企業から中小企業にいたるまで、じつに九四パーセントの組織がクラウドコンピューティングを利用している。[4] ＡＷＳは二〇一六年までに急成長を遂げ、アマゾンが新たにシステムへ追加しなければならない一日あたりの計算リソースは、二〇〇五年末の時点で同社が配備していたリソース全体とほぼ同量になった。[5]

クラウド事業者が登場する以前は、どの企業や団体も自前のコンピュータサーバーやソフトウェアを買い入れ、高給取りの技術者チームを雇ってシステムの維持やアップグレードに当たらせる必要があった。クラウドコンピューティングの出現でそうした手間の大半は、アマゾンのように規模の経済を利して徹底した効率性を実現できる事業者に外注されるようになった。クラウドコンピューティングサーバーがあるのはたいてい巨大な建物で、一〇億ドル以上かけて建設された数万平方メートルの施設に五万台超の強力なサーバーが設置されている。クラウドコンピューティングのリソースはオンデマンドサービスとして提供されることが多く、顧客はそのつど必要な計算能力やストレージ、ソフトウェアアプリケーションだけを利用して料金を支払う。

クラウドサーバーを置いている施設は、規模の点では巨大でも、かなりの部分を自動化に頼っているため、ごく少数の人間しか雇っていないことが多い。精巧なアルゴリズムが配備されているので、施設内で起こることがすべて、人間による直接管理では不可能なレベルの精密さで管理できるのだ。施設で消費される大量の電力や、何万台ものサーバーから発生する熱の冷却といった要素までが、おおむね時々刻々と最適化されている。実のところ、ディープマインドのAI研究が最初に実用化されたものの一つが、親会社グーグルのデータセンターの冷却システムを最適化できるディープラーニングシステムだった。ディープマインドによると、そのニューラルネットワークは、グーグルのホスティング施設に分散配置されたセンサーから収集した貴重なデータ群によって訓練されたもので、冷却に要するエネルギーを四〇パーセントまで削減できたという。[6]

アルゴリズムによる制御は確かな利益を生み出している。二〇二〇年二月に発表された研究では、「データセンターで行われる計算の量は、二〇一〇年から二〇一八年にかけて約五五〇パーセント増加したが、同じ期間にデータセンターで消費されるエネルギーの量はわずか六パーセント増にとどまった」[7]。こうした自動化は当然、雇用にも影響を及ぼす。クラウドコンピューティングへの移行と、それに伴う何千何万もの雇用の喪失は、一九九〇年代後半に起こったテクノロジー関連の雇用ブームに冷水を浴びせることになっただろう。

クラウドコンピューティングのビジネスモデルは非常に実入りがいいため、大手事業者同士の競合はきわめて熾烈だ。AWSはアマゾンの事業のなかでも群を抜いて収益が多く、同社のeコマース部門をはるかに上回る利幅がある。二〇一九年にはAWSからの収益は三七パーセント増の八二億ドルとなり、同社の総収益の約一三パーセントをクラウドサービスが計上することになった。[8]アマゾンのAWSはクラウドコンピューティング市場全体の約三分の一を占め、依然として優位に立っている。二〇〇八年に設立されたマイクロソフトのサービス「アジュール」や、二〇一〇年に開始された「グーグルクラウドプラットフォーム」も大きなシェアを占めている。IBMや中国のeコマースの最大手アリババ、そしてオラクルもやはり重要なプレーヤーだ。

いまでは企業ばかりか政府も、クラウドコンピューティングに大きく依存している。二〇一九年には、こうした関係につきまとう複雑な事情や党派間の緊張に世間の注目が集まるような事件があった。米国防総省の「ジェダイ」プロジェクトが政治的駆け引きの場になったのだ。ジェダイ（JEDI）とは「防衛基盤統合事業」を指し、一〇年一〇〇億ドルで膨大な量のデータをホスティングし、ソフトウェアと人工知能の機能を国防総省に提供するという契約だった。最初の騒動はグーグル社内で起こった。政治的な姿勢ではかなり左寄りの傾向のある従業員たちが、グーグルが国防関連の契約に入札するのに反対したのだ。グーグルは従業員たちの抗議に負けて、ジェダイの契約の入札が締め切られる三日前に手を引いた。[9]

国防総省は結局、このプロジェクトをマイクロソフトのアジュールに発注した。するとただちにアマゾンが反発した。この分野をずっとリードしてきた実績から契約の第一候補と見られていた同社は、この決定には政治的な動機があるとクレームをつけた。そして二〇一九年一二月に同社は、この不当に偏った決定は当時のドナルド・トランプ大統領がアマゾンの最高経営責任者（CEO）ジェフ・ベゾスにあからさまな反感を抱いているためだとして、訴訟を起こした。トランプ政権にきわめて批判的だったワシントン・ポスト紙も、オーナーはベゾスだった。二〇二〇年二月に連邦判事は、マイクロソフトとの契約締結を一時的に凍結する差し止め命令を出した。[10]

さらに一カ月後、国防総省は自らの決定を再考すると発表した。[11]

こうした事情を考えると、今後クラウドコンピューティング市場をめぐる争いは苛烈さを増し、場合によっては政治もからんでくるだろう。そしてこの競争力学のまさに核心にあるのが人工知能の機能であり、それは大手クラウド事業者が提供するサービスのなかでますます重要な位置を占めつつある。

ディープラーニングの商業的な重要性が初めて示されたのは、大手テック企業がこぞって自社の最先端層の顧客やサービス事業を確保しようと努めるなかでのことだった。たとえば、各データセンター内にある専用ハードウェア上で動くニューラルネットワークは、アマゾンのアレクサ（Alexa）、アップルのシリ（Siri）、グーグルアシスタントやグーグル翻訳などのサービスも動かしている。そうした出発点から、いまではディープラーニングの機能は、これらの企業が提供するクラウドサービスへ完全に移行していて、各社が差別化を図るうえで最も重要なパラメータの一つとなってきている。

たとえばグーグルは、ソフトウェアプラットフォームのテンソルフローの人気に乗じて、自社のＴＰＵチップで作られた強力なハードウェアへの直接アクセスをクラウドの顧客へ提供している。アマゾンのほうは最新のＧＰＵを駆使したディープラーニング機能を提供し、テンソルフローやさまざまな機械学習プラットフォームを用いて作られたアプリケーションを自社の顧客に使わせている。実際、アマゾンによれば、グーグルのテンソルフローで開発されたクラウドＡＩアプリケーションの八五パーセントが、アマゾンのＡＷＳサービスで実行されているという。[12]

どの大手クラウド企業にも、より柔軟で優れたツールを提供し、競合他社が何かしらで優位に立てばただちに対応しようという強い意気込みが見られる。技術面の最前線で最近あったイノベーションの例を挙げると、インテルは二〇二〇年三月、実験的なニューロモーフィック・コンピューティングシステムをクラウド経由で利用できるようにした。このシステムはインテル製チップのロイヒ七六八個で構築されている。この脳に似たチップには一億個のハードウェアニューロンが含まれているのだが、これは小型哺乳類の脳にほぼ等しい。[13] こうしたアーキテクチャが効果的であるとわかれば、たちまち主要クラウド事業者のあいだでニューロモーフィックをめぐる戦いが起こるのは必至だ。各社が相手より一歩でも優位に立とうと競い合い、拡大を続けるＡＩ向け計算リソースの市場で多くのシェアを奪い取ろうと努めた結果、人工知能の力を届けるためにゼロから構築されたクラウドの一大生態圏が出現することになった。

マイクロソフトが二〇一九年、ＡＩ研究企業のオープンＡＩに一〇億ドルを出資したことは、クラウドコンピューティングとディープラーニングの本質的な相乗効果を示す実例の一つだろう。オープンＡＩはグーグルのディープマインドとともに、ディープラーニング業界のリーダーとして、そのフロンティアを押し広げている。そして今度はマイクロソフトのサービス「アジュール」が擁する膨大な計算リソースを活用できるようになる。これはさらに大きなニューラルネットワークを構築していくうえで不可欠なものだ。オープンＡＩの研究に必要な規模の計算能力を届けられるものはクラウドコンピューティングしかない。

そしてマイクロソフトの側は、オープンＡＩが実現を目ざす汎用人工知能の研究から派生する実用的なイノベーションを利用できるようになる。そこからアジュールのクラウドサービスに組み込み可能なアプリケーションと機能が生まれるだろう。それに劣らず重要なのは、アジュールというブランドが世界一のＡＩ研究組織との結びつきから恩恵を得ることで、マイクロソフトがグーグルとの競争で優位に立てるということだ。グーグルは現在、ＡＩのリーダーとして確固たる評価を得ているが、その理由の一端はディープマインドを保有していることにある。[14]

こうした相乗効果の例はそれだけにとどまらない。大学の研究室からＡＩスタートアップ企業、大企業で開発されている実用的な機械学習アプリケーションにいたるまで、人工知能における重要な取り組みのほぼすべてが、この半ばユニバーサルなリソースにどんどん依存するようになっている。クラウドコンピューティングは、人工知能がいずれ電気のようにユビキタスな公益サービスへ進化していくうえでの最も重要な手段だといっていい。

フェイフェイ・リー（李飛飛）は、ディープラーニング革命の触媒となったイメージネットのコンテストとデータセットのアーキテクト（設計者）である。現在スタンフォード大学の教授だが、二〇一六年から一八年にかけて長期休暇をとり、グーグルクラウドの最高科学責任者を務めた。そのリーはこう言っている。「ＡＩのような技術を浸透させたいと考えれば、その最適かつ最大のプラットフォームはクラウドでしょう。人類が生み出したどんなプラットフォームよりもたくさんの人たちにコンピュータの力を届けることができる。グーグルクラウド一つですら、つねに何十億という人たちの力の助けになっているのです[15]」

ＡＩツール、ＡＩの訓練、ＡＩの民主化

クラウドベースの人工知能が汎用の公益サービスへと進化していく過程は、新たなツールの登場によって加速しつつある。こうしたツールのおかげで、必ずしも高度な技術的バックグラウンドを持たない人たちでも、この技術を利用できるようになる。テンソルフロー、パイトーチといったプラットフォームもディープラーニングシステムをより構築しやすくしてくれるが、利用者はやはりコンピュータ科学の博士号を持っているような、高度な訓練を受けた専門家が多い。二〇一八年一月に導入されたグーグルのオートＭＬ（AutoML）といった斬新なツールは、技術的な細部の多くを自動化し、参入障壁を大幅に下げることで、はるかに多くの人たちがディープラーニングを活用して実用的問題を解決できるようにしている。オートＭＬとは要するに、人工知能を使ってより多くの人工知能を生み出そうとする、フェイフェイ・リーが呼ぶところの「ＡＩの民主化」の一環なのだ。

例によって、クラウド事業者同士の競合はイノベーションの強力な推進力となり、アマゾンのＡＷＳプラットフォーム用のディープラーニングツールもどんどん使いやすくなっている。どのクラウドサービスも開発用ツールとともに、あらかじめ作られたディープラーニングコンポーネントを提供していて、面倒な設定なしにすぐアプリケーションに組み込むことができる。たとえばアマゾンが提供するのは、音声認識、自然言語処理、そして「レコメンドエンジン」のパッケ

ージだ。このエンジンによって、オンラインで買い物をしたり映画を見たりする顧客への「おすすめ」を表示するのと同じやり方で提案をすることが可能になる。[16]

この種の機能のパッケージ化が最も物議をかもした例といえば、ＡＷＳのサービス「レコグニション（Rekognition）」だ。開発者はこのサービスのおかげで顔認識技術を容易に導入できるようになる。アマゾンは法執行機関がレコグニションを使えるよう便宜を図ったことで非難を浴びた。あるテストでこのパッケージが人種や性別のバイアスを受けやすいことがわかったためだが、この問題の倫理性については、第7章と第8章でくわしく検討していこう。[17]

二つめの重要な傾向は、やる気と数学の能力さえあれば誰でもディープラーニングの基本能力を身につけられるような、オンライン訓練プラットフォームの登場だ。例としては、オンライン教育プラットフォームのコーセラを通じて提供されるdeeplearning.ai、そして完全無料のオンライン課程に加え、ディープラーニングをより使いやすくできるソフトウェアツールも提供しているfast.aiが挙げられる。[18]

現在の雇用環境だと、アッパーミドル、つまり中流の上の階級を目ざすには、たくさんの時間とお金を投資しないと手に入らない正式な資格がほぼ必ず必要になる。しかしディープラーニングを使いこなせる人間は、少なくとも労働力の供給が需要をはるかに上回っている現状ではまれな存在だろう。こうしたオンライン課程を修了し、ディープニューラルネットワークの扱いに精通していることを証明できれば、実入りが良くてやりがいもある仕事に就くことができる。

訓練とツールがともに改善され、より多くの開発者や起業家がＡＩアプリケーションを配備するようになれば、この技術が数えきれないほどいろいろな方法で適用されるようになり、カンブリア紀の大爆発もかくやという様相を呈するだろう。これまでも似たようなことが、他の主要なコンピュータプラットフォームでも起こってきた。私は一九九〇年代、シリコンバレーで小さなソフトウェア会社を経営していたが、そのころマイクロソフト・ウィンドウズがパソコンのプラットフォームとして台頭してきた。当初、ウィンドウズアプリケーションの開発は、プログラミング用のC言語や難解で詳細な何千ページものマニュアルが必要な、ごく専門性の高い領域だった。やがてもっと使いやすいツールが登場し、マイクロソフトのビジュアルベーシックのようにきわめて使いやすい開発環境も整ってきたおかげで、ウィンドウズ関連のプログラミングに携われる人の数が大幅に増え、まもなくアプリケーションの爆発的増加につながったのだ。

モバイルコンピューティングも同様の経過をたどり、アップルのアップストア（AppStore）とアンドロイドのプレイストア（PlayStore）からは、およそ考えうるかぎりのニーズに応えるべく、星の数ほどのアプリケーションが提供されている。人工知能、より限定していえばディープラーニングでも、同じような爆発的発展が起こりそうだ。「第二の電気」としてのＡＩの出現は当面のあいだ、より汎用性の高い機械知能ではなく、ひたすら範囲を広げつづけるアプリケーションによって推進されることになるだろう。

相互接続された世界と「モノのインターネット」

「第二の電気としての人工知能」というパズルの最後のピースとなるのは、コネクティビティの大幅な向上だ。それを最も強力に推進するのが、今後数年のうちに普及するであろう第五世代移動通信システム（5G）である。5Gはモバイルデータ通信の速度を最低でも一〇倍か、おそらく一〇〇倍にも向上させ、同時にネットワーク容量を大幅に増やすことで、ボトルネックも解消できると期待されている。[19] この5Gの普及によって、コミュニケーションがほぼ瞬時に行われる、相互に結びついた世界が否応なくやってくるだろう。

身の回りのデバイスや家電、自動車、産業機械、物理的なインフラの多くの要素など、事実上あらゆるものが相互接続され、その大半がクラウド上で動くスマートアルゴリズムに監視・制御されるようになる――この未来像は「モノのインターネット」と呼ばれる。そして生まれるのはこんな世界だ。冷蔵庫やキッチンのどこかにあるセンサーが何かの品物が切れかけているのを検知し、その情報をアルゴリズムに伝えると、そこから家の住人に警告がいくか、オンラインで自動的に注文したりもする。もし冷蔵庫の冷え方が最適の状態でなかったら、たいていは別のアルゴリズムが自動または遠隔で解決してくれる。もうすぐだめになりそうな部品を見つけて、交換の合図を出したりもする。

こうしたモデルを経済・社会全体にスケーリングしていけば、何か問題が生じたときには機械やシステムやインフラが自動的に診断し、おおむね解決してしまうおかげで、途方もない効率化がもたらされるだろう。いまもアルゴリズムは、人間にはとうてい及ばない効率性でクラウドのデータセンターを運営しているが、「モノのインターネット」は多くの意味で、そのアルゴリズムをより広い世界に向けて解き放つものだ。しかしこれは、特にセキュリティとプライバシーの分野で、きわめて現実的なリスクをもたらしもするだろう。そうした重大な問題については、第8章でじっくり取り上げよう。

相互接続の進んだこの世界は、人工知能の力が届けられるより強力なプラットフォームへと進化していくだろう。当面のあいだ、特に重要なＡＩの実用化はクラウドが中心となる。しかし時間とともに、機械知能は次第に分散されるようになるだろう。デバイスや機械やインフラは最新の特殊なＡＩチップを組み込むことでどんどん賢くなっていく。この部分ではニューロモーフィック・コンピューティングなどの革新的な技術が大きな衝撃を与えるだろう。そして最終的に、機械知能をオンデマンドで事実上どこにでも提供することができる、強力な新しい公益サービスが出現するだろう。

価値はデータにあり

大手クラウド事業者が価格と機能の両面で競合を続ければ、人工知能を使うためのハードウェアとソフトウェアの利用コストは確実に下がっていく。それと同時に、クラウドを通じて使える

ＡＩサービスは、最先端の研究から生み出された最新技術を取り入れることで競争力を高めようとする主要テック企業の努力とも相まって、たえずアップグレードされていく。こうした状況が続けば、最先端のＡＩ技術も次第にコモディティ化が進み、クラウドコンピューティングの顧客がデータをホスティングするのに支払う料金以外の費用はほとんどゼロになるだろう。実際に、その兆候はすでに見えてきている。グーグル、フェイスブック、バイドゥなどの企業はすべて、自社のディープラーニングソフトウェアをオープンソース形式で公開している。つまり無料で配布しているのだ。これはディープマインドやオープンＡＩが行っている最先端の研究にも当てはまる。どちらの企業も自社のディープラーニングシステムの詳細を主要な科学雑誌でオープンに発表し、誰でも見られるようにしている。

ただし、どこの企業も無料で放出していないものがある。データだ。そのことが何を意味しているかといえば、ＡＩ技術と消費される膨大な量のデータのあいだに生まれる相乗効果は、どうしてもある一定の方向へ向かわざるをえないということだ。そこで生み出される価値はほぼ残らず、データを所有する者が独占することになる。この広く認識された現実が行き着くのは、大手テック企業がビッグデータや人工知能と交わる分野をすべて完全に支配する、という想定だ。しかしその見方からは、データの所有はあきらかに産業・経済セクターによって切り分けられているという点が抜け落ちている。

グーグル、フェイスブック、アマゾンなどの企業はもちろん、想像を絶するほどの量のデータを制御している。だがそれは基本的に、ウェブ検索、ソーシャルメディアでのやり取り、オンラインショッピングでの取引といった領域に限られる。こうした分野では、すでに成り上がった企業が引き続き優位を保っていられるだろうが、さらに広い経済・社会には、まったくちがった種類のデータがはるかに大量に、政府やいろいろな組織や他の業界の企業の管理下に存在しているのだ。

「データは新たな石油である」とはよく言われることだ。このたとえを受け入れるなら、テック企業はいろいろな意味で、リソースから価値を引き出すのに必要な技術やノウハウを提供する、つまり石油業界でのハリバートンと同じような役割を果たしているといってもいい。大手テック企業ももちろん、自前の膨大なデータ資源を管理しているものの、ひたすら拡大しつづけるこのグローバルなデータ資源の大部分はそれ以外の団体の手中にある。莫大な価値のあるデータを管理しているのは、医療保険などの企業や病院ネットワーク、そしてもちろん政府が運営する国民健康保険サービスだ。たしかにこうした団体も、大手テック企業が開発した最新のＡＩ技術を配備し、クラウドを通じてデータを届けるだろうが、自分たちのデータから引き出した価値はおおむね内部にとどめておく。

それと同じことが、金融取引や旅行の予約、オンラインでの口コミ、実店舗の小売店内での買い物客の動き、自動車や産業機械に搭載された無数のセンサーが生み出す管理データといった膨大な量のデータにも当てはまる。そのどちらの場合にも、機械知能というユビキタスな新しい公益サービスが、経済全般に分散している企業や団体が持っている特定の種類のデータに適用されるだろう。

ここで重要なのは、人工知能の実用化がもたらす価値の多くが、技術セクター内にいる当たり前の受益者を超えて、その外部の企業や団体にまで届くということだ。ＡＩの実用化によって得られる莫大な利益は広範囲にわたって分配されるだろう。ここでも電気へのたとえが有効だ。電気を使って最も多くの価値を生み出すのは誰か？　電力会社だろうか？　原発産業か？　いや、それは大量の電力を消費しながら、このユビキタスなコモディティをすばらしい価値へと変える方法を見つけ出しているグーグルやフェイスブックなどの企業だろう。もちろん、このたとえは完全なものではない。人工知能の最前線でイノベーションを行い、たえずこのリソースを改良しつづけるテック産業が、巨大な価値と力を持つことは確かだ。しかし人工知能の実用化による利益の大半は、特に人工知能がコモディティ化された公益サービスに近づいていくなかでは、また別のところで生まれてくるだろう。

人工知能がもたらす価値が各経済セクターへと広く分配される一方で、特定の業界の内部では、まったく逆のことも起こりうるだろう。最前線に立っているいくつかの企業は、自社のビジネスモデル内でＡＩを活用できるようになれば、大きな先行者利益を得られるだろう。そして効果的なビッグデータや人工知能戦略を備えた企業として競争上の優位に立ち、勝者総取りという結末を迎えられるかもしれない。

人工知能の効果的な活用のためにはデータがなくてはならないので、ＡＩ戦略の第一歩はほぼ必ず、成功を収められるデータ戦略となる。つまり、企業や組織はＡＩを導入する前段階として、効率的なデータ収集・管理システムの構築に集中的に取り組むことが絶対に必要だ。場合によっては重要な倫理的懸案、たとえば従業員や顧客に関連するプライバシーの問題などに対処する必要も出てくるだろう。それでも、積極的に動こうとしない組織は取り残される可能性が高くなる。人工知能を放置している企業、政府、組織はすべて、自分たちを電力網から切り離すことにたとえてもおかしくないほど重大な誤りを犯すことになる。そんな現実が急速に私たちの前にやってこようとしているのだ。

人工知能がこのまま進化して、本当の意味でユニバーサルな公益サービスとなり、あらゆる企業や組織、家庭にまで行き渡れば、私たちの経済や社会も必然的に変化していく。これは何年、何十年にもわたって続くストーリーで、その影響も決して均一的ではないだろう。ＡＩが今後数年のうちに変革をもたらしそうな分野もあるし、ディスラプションが起こるまでに長い時間がかかる分野もあるだろう。つぎの章では、体系的技術としての人工知能がどういった実用的な意味合いを持つかに着目し、誇大な宣伝から現実を切り離すように努めながら、急速な進歩を遂げるこのテクノロジーと、私たちの日常をすっかり変えてしまった例のパンデミックとの関わり合いを掘り下げていこう。

第3章　「誇張」されるAI――リアルな現状

二〇一九年四月二二日、テスラは「オートノミー・デイ」と題するイベントを開催した。テスラは自社製の自動車すべてに自動運転技術を組み込んでいるが、そのことをより強調するために行われたイベントだった。CEOのイーロン・マスクをはじめとする経営陣やエンジニアたちによるプレゼンテーションがあった。マスクは「自信を持って予言しますが、来年にはテスラが自動のロボタクシーを発表するでしょう」と発言し、二〇二〇年が終わるまでにはそうした車が一般道路を走っているだろうとも続けた。[1] マスクの言う「ロボタクシー」とは完全自律走行車のことだ。車内に誰も乗っていなくても運転可能で、乗客を拾ってばらばらな目的地まで送り届ける。早い話、ウーバーやリフトの完全無人バージョンというわけだ。

これは驚くべき予言だった。私が話を聞いてきたどの専門家たちの予測ともまったく相容れない内容である。数日後、私はブルームバーグTVに出演し、マスクの発言には「度肝を抜かれた」と言った。あの予言は「あまりにも楽観的で、たぶんいささか無謀でもある」と思う、と。

私がそう言ったのには理由があった。あれほど強気な予言をすれば、まちがいなく市場から、もっと生産台数を上げろという圧力がかかることになる。そしてテスラには、ソフトウェアダウンロードを通じてテスラ車のオーナーに新しい機能を提供できる仕組みがある。そうなったとき、「これは完全自動走行性能を可能にするものです」という触れ込みの、だがなんの保証もないソフトウェアがいきなりドライバーの手に渡れば、きわめて危険なことになりかねないからだ。

新しいビデオゲームやソーシャルメディアのアプリを出そうとする企業なら、そうした製品の初期バージョンを顧客にテストさせるのは正しいことかもしれない。しかしこれが、あきらかに人身事故を引き起こす可能性のあるソフトウェアとなると、道義的な戦略とは言いがたくなる。[*2]実際に、テスラのオートパイロット機能に関係した死亡事故はすでにいくつか起きているのだ。オートパイロットは車両が車線から外れないように操縦し、加速し、ブレーキをかける機能だが、やはりドライバーの目視は必要になる。それにまた、万一テスラがあと一年ぐらいでこの技術を完成させられたとしても、実地に十分なテストをして規制当局の承認を得るにはさらに時間がかかる。つまり、二〇二〇年の末までにテスラがロボタクシーを一〇〇万台走らせることはありえないのだ。もしそんな短い期間に、本当の意味での自律走行車が一台でも一般道路を走れるようになったら、それだけでも驚きだろう。

オートノミー・デイのイベントで多くの時間を費やして行われていたのが、テスラがいま開発している自律走行用マイクロプロセッサチップをめぐる議論である。以前にテスラが使っていたのは、ディープニューラルネットワーク用に最適化されたエヌビディア製のチップだった。今度の新型チップはかつてなかったパワーがある、とテスラは言っているが、エヌビディアの経営陣はすぐさま反論し、わが社のＡＩチップの最新バージョンはテスラで開発中の製品と同等、もしくははるかに速いと主張した。[3]

それでも私がオートノミー・デイのイベントを眺めているうちに、はっきり感じたことがあった。テスラにはたしかに、際立った競争上の優位性があるし、実際そのおかげで競合他社を上回り、完全に自律した自動運転車を展開する一番手となりうるのではないだろうか。その優位性とは、特別なコンピュータチップでもなければ特別なアルゴリズムですらない。人工知能の分野ではこうしたケースが非常に多いのだが、優位性はテスラが持っているデータにある。

テスラ車は一台につき八基のカメラを備えていて、それがたえず作動して道路や車両周辺の環境の画像を取り込んでいる。そして車両に搭載されたコンピュータがそうした画像を評価し、ど

＊実際に二〇二〇年一〇月、テスラは「完全自動運転パッケージ」なるものの初期バージョンをリリースした。限られた数のテスラ車オーナーがダウンロードを通じて利用できるソフトウェアだが、今後どんどん提供する範囲を広げていく予定だという。このソフトウェアには、自動駐車や市街地での限定的な自律走行といった機能があるものの、今のところ「完全自動運転」と呼ぶにはほど遠い。テスラはこのパッケージをアップグレードしていくことを確約し、将来的には価格を上げる予定なので、テスラ社のオーナーは初期バージョンを買うのがお得だと勧めている。米国高速道路交通安全局（ＮＨＴＳＡ）はテスラの動向に注目し、「この新技術をしっかり監視する」「安全に対する不条理リスクがあれば、公衆を守るために行動を起こすことをためらわない」と明言している（第3章の原注2を参照）。

の画像がテスラにとって役立ちそうかを判断したあと、圧縮してテスラのネットワークへ自動的にアップロードすることができる。このようなカメラを搭載して道路を走っているテスラ車は世界中で四〇万台を超え、その数はさらに急増している。要するにテスラは、競合他社のどこも太刀打ちできないほど大量にある実世界の写真データを利用できるということだ。

テスラのAI担当ディレクターであるアンドレイ・カルパシーが、カメラを備えたテスラ車の「フリート」から特定のタイプの画像をどうやって選び出すかを説明していた。たとえばテスラのエンジニアが、自分たちの自律走行システムを訓練して道路工事が行われている状況に対応できるようにしたいとしよう。その場合は現実にある工事現場の画像を何千何万と呼び出し、その画像を使ってコンピュータシミュレーションで自動運転システムを訓練すればいい。自動運転車の事業はすべてシミュレーションを大いに活用しているが、テスラは実世界から採った膨大なデータを取り入れることができるため、それがディスラプティブな優位性につながると考えられるのだ。ただし「事実は小説よりも奇なり」とよく言われるように、拡大しつづけるテスラのフリートのカメラが捉えた現実は詳細かつ奇妙なもので、その世界をすべて再現したシミュレーションを設計できるエンジニアはどこにもいない。

こうした例からもわかるように、人工知能の進歩を扱ったニュースは、誇大宣伝とセンセーショナリズムが混じり合ったいい加減なものも多いが、そうしたなかで重要な情報が伝えられることもある。これまで書いてきたとおり、人工知能はいずれ、ほぼあらゆるものに触れずにはいないユビキタスな公益サービスとなる定めではある。とはいえ、進歩は一様にはいかないだろう。

技術的に見て、いくつかの問題は別の問題に比べてはるかに解決が難しい。具体的に言うなら、注目度も前宣伝もえらく派手な人工知能のアプリケーションが期待を下回る結果しか出せない一方で、あまり目立たない他の分野の急激な進歩ぶりに驚かされたりもするのだ。この章では、AIが比較的近い将来にディスラプションを引き起こしそうな分野——そしてそれよりもはるかに時間がかかりそうな分野について、いくつかの例とガイドラインを示していこう。

なかなか普及しない家庭用ロボット

わが家にパーソナルロボットがやってくる——疲れを知らない執事のようにいつもかしずき、家の掃除から洗濯などの家事もやってくれる機械が。初期のSF作家たちが未来を描くようになって以来、私たちの想像力をずっとわしづかみにしてきた存在。そうした機械が実現する見込みは？ ここはひとまず、おなじみの作り話に出てくる進んだロボット、たとえば『宇宙家族ジェットソン』のロージーや『スター・ウォーズ』のC-3POのような人間型ロボットは措いておいて、ずっと慎ましいタイプのものを考えてみよう。散らかった部屋を片づける、掃除や洗濯など基本的な家事をひととおりこなせる、あるいは命令すると冷蔵庫からビールを取ってくるような、機能は限定的でも役に立つロボットだ。そこそこ手頃な価格の、一度使うと便利すぎてもう欠かせなくなる、コスパにうるさい消費者でも進んでお金を出そうとするようなパーソナルロボットが出てくるのはいつのことなのか？

悲しい現実だが、そうした機械が実現するのは、おそらく遠い先の話だろう。実際にこれまでいろいろなパーソナルロボットが開発されてきたが、どれにも同じ問題点がある。単純に、あまり多くのことができないのだ。本当の意味で役に立つ機械には、最低限必要な条件がある。家のなかという予測の難しい環境で求められる視覚認知、可動性、器用さなどだが、これはロボット工学においては恐ろしい難題だ。いままでのところ、家庭用ロボットを売り出そうとしているいくつかの企業も、これらの難題をまったく解決できていない。それどころかやれることに限界が多すぎ、ほとんどの人にはその価値がまったく疑わしく映るありさまなのだ。

そうした難題を示している一例が、ジーボ（Jibo）というロボットだ。最初の「ソーシャルロボット」として発売されたもので、考案者はマサチューセッツ工科大学（ＭＩＴ）のシンシア・ブリジール。社交レベル、感情レベルで人間と関われる能力を備えたロボットにかけては世界屈指の専門家である。二〇一七年秋に発売されたジーボは、高さ三〇センチほどのプラスティック製卓上ロボットだった。腕も脚も、車輪も付いていないが、頭を傾けたり左右に回したりして、まるで人間とコミュニケーションしているような気分を持ち主に味わわせられる。ごく簡単な会話ができ、インターネットで調べものをする、天気予報や交通情報を知らせる、音楽を再生するといった、主に情報検索に関連したたくさんの実用的な機能を持つ。つまり大まかにいって、アマゾンのアレクサを搭載したスマートスピーカーのエコー（Echo）に近い性能があるということだ。

エコーはもちろんまったく動けないが、ジーボはアマゾンの巨大なクラウドコンピューティングインフラと、はるかに大規模な高給取りのＡＩ開発者チームが後ろについているので、情報検索や自然言語処理の能力はずっと強力だし、時間がたてばさらに強力になっていくのはまちがいない。最大の問題点は九〇〇ドル前後という価格だった。人間の首の動きをまねたり、音楽を流しながら一緒にダンスしたりできるのは可愛らしいし魅力的だが、多くの消費者にとっては、それだけの機能に八〇〇ドルもよけいに支払う価値はなかった。ジーボの製造元のスタートアップ企業は、七〇〇〇万ドルとも言われるベンチャー資金を溶かしたあと、二〇一八年一一月に廃業した。[4]

伝えられるところでは、アマゾンも家庭用ロボットの開発に取り組んでいる。コードネームはVesta、「車輪の付いたエコー」のようなものとの触れ込みで、命令するとそのとおりに家のなかを移動してくるという。[5] それでも、アマゾンがこのロボットに腕を付けようとしているとか、周囲の環境を物理的に操作する力を持たせるといった話は聞いたことがない。そんな機能がないのなら、商品の価値や独自性という点では疑問が残る。エコーのいちばん安価なものが五〇ドル程度だとしたら、なにも自力で移動する（ただしごくゆっくりとだろう）エコーに高いお金を出すより、動けなくても安いもののほうを家のあちこちに置いたほうがいいのじゃないか？　こうした疑問がパーソナルロボット業界にはつねにつきまとっているので、アマゾンといえども近い将来にこの製品を出して好結果を得られるかどうかはあやしいところだ。

家庭用ロボットとされるものがまともに機能するためのハードルがどれほど高いか。それをイメージするために、あるタスクを想像してみよう。まず、冷蔵庫からビールを取り出す機能だ。

もし階段や閉まったドアなどの大きな障害物がなければ、冷蔵庫までたどり着くのは容易だろう。ロボットが既知の環境のなかを移動する技術はすでに確立されている。ロボット掃除機「ルンバ」を見れば一目瞭然だ。

だが冷蔵庫に着いたら、扉を開けなくてはならない。これをあなた自身でやってみたら、どれだけの力が必要かわかる。だが単に力の強さだけの問題ではない。あなたがドアを簡単に開けられるのは、四〇キロ以上の体重があるからだ。この状況を物理的に考えてみよう。冷蔵庫の扉をうまく開けられるロボットは、プラスティックのおもちゃではありえない。アマゾンの車輪付きエコーでは無理なのだ。ドアを開けようとしたはずみにひっくり返ってしまわないためには相当の重量が必要になるし、人間のために作られた環境を操作するのだから人体のプロポーションにそこそこ近くなくてはならない。そうした機械はいきおい高価になる。必要な重りを確保するために、たとえばプラスティックのロボットに水を満たすといった安価な方法を考案できたとしても、つぎにはそれだけの重さのあるロボットを動かせる強力なモーターと丈夫な車輪が必要になる。

そしてドアが開いたら、今度はビールを見つけなくてはならない。もしビールが食べ残しのテイクアウト料理が入った容器の裏に隠れていたら？　缶がプラスティックの六本パックのリングに留めてあったら？　ロボットにうまく取り外すことができるだろうか？　そうするための仕組みはまた、缶ビールが何本残っているかによってまったくちがってくる。六本パックの全部がそろっているのか、一本だけプラスティックにくっついているのか？　こんな簡単なタスクでもロボットがこなすにはとてつもなく器用でなくてはならないし、ひどく高価なアームが一本だけでなく、おそらく二本必要になるだろう。

こうした問題をある程度まで回避できるような方法なら、もちろん簡単に思いつく。ビールは冷蔵庫内の決まった位置にきちんと置かなくてはならないだろう。六本パックのリングのことはひとまず忘れよう。缶はパッケージから取り外し、一本ずつＲＦＩＤ（自動認識）タグを付けて、ロボットが視覚認知のみに頼らずにビールを見つけられるようにする。いずれビールが、ロボットでも簡単に取り出せるように特別にデザインされた何かしらの未来型パッケージ入りで売られる日が来るかもしれない。しかし当面、あれが必要だ、これが必要だというのでは不便さが増すばかりだし、かなりの大枚をはたいてそうしたロボットを手に入れようという熱意も失せてしまいそうだ。

それにまた、まともに機能を果たす家庭用ロボットを作るには、相当な額の投資が絶対に必要になる。モーターにロボットアーム、ロボットに視覚認知ができるようにするさまざまなセンサー類、さらに空間定位や触覚フィードバック。半導体の産業であれば、ムーアの法則でコスト低減とともに計算能力はどんどん安価になっていくが、この場合は当てはまらない。家庭用ロボットの根本的な問題は、これならお金を出していいと消費者に感じさせるには、少なくとも人間に近い器用さを持たなくてはならないという点にある。なにしろ人間は、驚異的な効率性を誇る生物学的ロボットなのだから。

あなたの前のテーブルに二つの物体があるとしよう。左側にあるのは硬いスチール製の、直径八センチ、重さ二キロのベアリング。右側にあるのはニワトリの卵だ。あなたはどちらの物体も簡単に手に取れる。そのどちらかの物体をつかんで持ち上げようとするとき、手の筋肉には力が加わる。そしてあなたがなぜか二つの物体を取り違えて、不適切な強さの力を加えてしまったとしたらどうなるか考えてみてほしい。たとえ目隠しをしていたとしても、あなたはきっと触覚的なフィードバックのみに基づいて、どちらの物体も無事に持ち上げられるはずだ。しかしロボットの手でそれだけのことを再現するとなったら、どれだけのモーターやセンサー類が必要だろうか。かりに制御ソフトウェアが使えるとしても、非常に高くつくにちがいない。

そして現実を見れば、ロボットハンドやアルゴリズムに数十年かけて取り組んできたにもかかわらず、その器用さは人間のレベルには遠く及ばない。ロドニー・ブルックスは世界最高のロボット工学者の一人で、ルンバはもとより世界最先端の軍用ロボットまで製造する企業、アイロボットの共同創業者だ。そのブルックスはよくたとえ話に、ゴミをつかみ上げるのに使う柄の長いプラスティック製のマジックハンドを持ち出す。

これはまったく原始的［なマジックハンド］ですが、いまあるどんなロボットも敵わないほど見事に操作ができる。けれども実際は、驚くほど原始的なプラスティックのがらくたでしかない……決定的なポイントは、人が操作しているということです。研究者が設計したという新しいロボットハンドの動画をよく見ますが、実際にそのロボットハンドを持って動かし、作業をしているのはたいてい人間です。こんな小さなプラスティック製のマジックハンドでも同じことができる。やっているのが人間だからです。それほど単純な作業なら、このマジックハンドをロボットのアームの先に取り付けてやらせることもできそうなものだ——人間が腕の先にこのマジックハンドをくっつけて作業できるのに、なぜロボットにはできないのか？　何か大事なものが欠けているのです。[6]

家のなかを片づけるというタスクを課されたロボットに、もしそれができる程度の器用さが備わったとしても、まだ難題が待ちかまえている。ロボットが出くわす何十何百という物体を認識し、それをどうするかの判断を下さなくてはならないのだ。どの物体をあるべき場所まで注意深く戻すのか、どの物体をゴミとして捨てるのか。たとえ一部屋のなかに限っても、自分の家に監督なしのロボットを置くとして、どの程度のエラー率なら我慢しようという気になるだろう？

もっとも、家庭用ロボットが決して実現しないというわけでもない。技術の進歩のおかげでこうしたハードルの多くをクリアできる方向には向かっている。たとえば、未来のロボットは何かの物体に出くわしたとき、クラウドとつながることで認識できるようになりそうだ。その印象的な実例が、グーグルのサービス「レンズ」である。スマートフォンを対象の物体に向ければ、ほぼ必ずそれが何かという情報が自動的に表示され、さらに説明情報や、それに似た物体の例も示されるのだ。

世界の結びつきが強まって「モノのインターネット」が勢いを増し、ロボットに使われるタイプのセンサーがいろいろなアプリケーションで広く使われるようになれば、結果的に「規模の経済」が働いてコストは下がっていくはずだ。ロボットが次第に商業セクターに浸透するにつれ、他の部品にもいずれ同じことが起こるだろう。

また、ディープラーニングなどの技術を導入することで、より器用なロボットハンドを作ろうとする研究が成果を上げている。特に注目を集めたのが、二〇一九年一〇月のオープンＡＩによる実演だ。この日オープンＡＩは、統合された二つのディープニューラルネットワークで構成されるシステムによって、ルービックキューブを解くことのできるロボットハンドが誕生した、と発表した。[7] このシステムは高速シミュレーションを用いて訓練され、時間にするとおよそ一万年分に相当する強化学習を経て、ようやく成功にこぎつけたという。そもそもルービックキューブを片手で解くのは、人間にとってもかなり難しい作業だ。オープンＡＩによると、「人間レベルの器用さに近い」ものが実現できたというが、それでもこの芸当は簡単ではないことがわかった。くだんのロボットハンドは一〇回やったなかで八回もキューブを取り落としてしまったのだ。[8]

それでも、こうした取り組みは確かな進歩といえるし、これから見ていくように、工業や商業の環境では、ロボットがだんだん器用になることで次第に大きな影響が及んでくるだろう。だがそれでも、きわめて予測の難しい環境でもロボットを動かせるぐらいに人工知能が進歩し、必要な部品が手頃な価格に下がるまで、実際に役立つ家庭用ロボットには当分のあいだ手が届かないだろう。

器用で有用な家庭用ロボットは、技術の限界と経済的な理由からまだ時間がかかるとして、その一方で工業や商業の現場では、それとはまったく反対の状況が起こっている。工場や倉庫のような閉じられた空間内では、外の世界につきものの予測不可能性やカオスの大部分を排除する、あるいは少なくとも最小限に抑えることが可能だ。それには施設内の人間と機械、材料の相互作用と流れを再編成し、ロボットの能力を活かしながら、その限界をうまくカバーすることが必要になる。ロボットが冷蔵庫のビールをちゃんと取り出せるように、冷蔵庫内の正確な座標にビールを――なんならそれ以外の食品も――少しのずれもなく置かなくてはならないとしたら、そんなものにいくら価値があると言われても納得はいかないかもしれない。しかし大量の品物が動く商業的な環境では、効率性が少し向上するだけで巨額の収益アップにつながるため、話はまったくちがってくる。

倉庫、工場――ロボット革命のグラウンド・ゼロ

そうした事情を最も端的に表している場所が、アマゾンをはじめとするオンライン小売企業の物流センターだ。ほぼ例外なく巨大規模のこの種の施設では、壁の向こうでロボット革命がすでに進行し、まちがいなく勢いを増しつつある。まだ一〇年前にもならないころ、こうした倉庫にはほぼいつでも、何百人もの作業員がにぎやかにひしめきあい、何千何万もの商品を収めた高い棚のあいだの通路を歩き回っていた。作業員は大まかに二つのグループに分けられる。新しく届

いた品を棚の所定の位置まで持っていって収納する「ストウアー」、顧客の注文を受けてそれと同じ場所まで商品を取りにいく「ピッカー」だ。倉庫内はてんやわんやの連続で、たとえるならとびきり無秩序なアリ塚というところだろう。そのなかで作業員は、一回のシフトで平均一〇～二〇キロもの距離を歩き、いろいろな場所まで急いで行ったり来たりしながら、はしごを上って最上段の棚に手を伸ばすこともよくあった。

ところがアマゾンの最新鋭の物流センターでは、こうした大騒ぎのほぼ真逆へ向かう変化が起こっている。いまの作業員たちは動かない。商品棚のほうが完全自律ロボットの背中に乗って、目的地から目的地へといそいそ動き回っているのだ。この全面的な再編成は二〇一二年、アマゾンが倉庫用ロボティクスのスタートアップ企業キヴァ・システムズを七億七五〇〇万ドルで買収したときから始まった。このロボットは、オレンジ色をした巨大なアイスホッケーのパックにいくぶん似ている。一四〇キロ近い重量があるが、人間の作業員とぶつかる危険が一切ないようにフェンスで仕切られた区域内を、床に貼りつけられたバーコードに従って進む。アルゴリズムで制御されたロボットは、商品がぎっしり詰まった棚を作業員の持ち場まで運んでいき、そこで人間が商品を所定の場所に収めたり、顧客の注文どおりの商品を取り出したりする。

アマゾンは現在、世界各地の物流センターで、こうしたロボットを二〇万台以上も稼働させている。その結果、人間の「ピッカー」が平均して一時間で取り出せる品の数が三倍から四倍に増えた。[9] ただこれまでのところ、ロボットが人間の作業員に取って代わるという事態はほとんど起きていない。むしろアマゾンの倉庫では雇用が急増中で、これによってオンラインショッピングの普及による従来型小売店での雇用減少がある程度相殺されている。ロボットたちはなめらかな、邪魔な物のないフロアの上を動き回って重さ三〇〇キロもの商品を運び、作業員たちは持ち場にとどまりながら、少なくとも現時点でロボットには不可能な、視覚認知と器用さが求められる作業を行うのだ[10]。

こうした作業員と機械の相乗効果もあって、アマゾンは顧客サービスのレベルを継続的に向上させることができている。たとえば二〇一九年には、アマゾンプライムの顧客向けに「当日配送」のサービスが始まったが、これはロボットへの大規模投資がなければおそらく不可能だった。また、新型コロナウイルスの感染拡大で大勢の倉庫作業員が倒れても、アマゾンはがんばって急増する需要に対応してみせたが、その際にも自動化は欠かせない役割を果たしただろう。

このように作業員とロボットとがそれぞれの強みを活かせる形で組み合わされば、まちがいなく効率は上がる。しかしその一方で、人間の仕事の性質は、良いほうにも悪いほうにも変質させられていく。いまの新しい体制の下では、倉庫内の通路をへとへとになるまで歩き回るという作業は、退屈でつまらない反復作業に置き換わった。従業員たちはひとところに立って、到着した棚から品物を取り出したり詰めたりといった仕事を何時間も続けなくてはならない。ある分析によると、アマゾンでの倉庫で起きる負傷事故は倉庫業界全体の平均の二倍以上だという。新しいロボット技術の導入でそうした事故が増えるのには、反復作業がストレスになる、高い位置にある棚から重い品物を取り出すのに無理をする、といった原因がある[11]。

業界コンサルタントのマーク・ウルフラートは、ニュースサイト「ヴォックス」のジェイソン・デル・レイ記者にこう語っている。「こうした注文の品を取り出すために、コンクリートの床の上を一日二〇キロも歩かされる……二〇歳の若者でもなければ、週末にはぐったりして使い物にならなくなるでしょう……ゴム製のマットが商品を載せて運んでくれるなら、従来のやり方より三倍も効率的だし、はるかに人道的でもある……［しかし］ピッキングの量が三倍になれば、同じ動作をひたすら繰り返す、急いで商品を持ち上げて動かすといったことでよけいに疲弊してしまいます[12]」

実際にこうした施設では、人間の従業員が次第に主体性を失いかけている。おおむね機械化された工程のなかにも、機械知能の力がいまのところまだ及んでいない隙間があり、人間はその隙間を埋めるだけの、いわばニューラルネットワークの生きたプラグインのような存在に変わりつつあるのだ。結果として、欧米各地の流通センターで抗議行動が起こり、人間がロボットのように扱われている、アルゴリズムの要求が過大になって、その監督下にある作業員がたえず理不尽な期待に応えるよう追いたてられている、と訴えている[13]。ただ私の印象では、こうした仕事が非人間的である、危険であると次第に受けとめられ、労働者が心身の限界まで追い込まれていくとしたら、その代わりになる技術が出てきたときに、人間の労働力をすぐにも排除する口実になってしまうのではないだろうか。

こんなふうに閉じられた、管理の進んだ環境では、自動化への歯車はカチカチと音をたてて容赦なく動きつづけ、作業はどんどん省力化が図られていくだろう。アマゾンはすでに、倉庫内の作業のさらに多くの局面を自動化する方向へ進み出している。二〇一九年五月、ロイターのジェフリー・ダスティン記者は、アマゾンが顧客への配送商品を最後に箱詰めする作業をまかせられる高度な機械を導入中だと明かした。ロボットにはまだ、おそろしく多種多様な商品を確実につかみ上げて箱に入れるほどの器用さはないので、代わりにベルトコンベヤーを移動する商品の上にこの機械がかぶさり、品物の周囲にちょうど適当な大きさの箱をほぼ一瞬で作り上げるのだ。一時間あたり六〇〇~七〇〇個の箱詰めが可能で、これは人間の労働者の五倍に当たる。アマゾンの関係者二人がダスティンに語ったところでは、この技術によって最終的に、アメリカ国内に五五カ所ある倉庫でそれぞれ一三〇〇人ほどの雇用が失われることになるかもしれない。[14]

またアマゾンでは、あちこちの目的地へ向かうトラックに荷物を分配する仕分けセンターにもロボットを導入した。こちらはあのキヴァ・システムズの、アイスホッケーのパック型ロボットを小型にしたような外見だ。このロボットは商品の詰まった棚ではなく、箱詰めされた荷物を一つずつ、仕分けセンターのフロアの所定の位置——郵便番号ごとに分かれている——まで運んでいく。するとその荷物はフロアに開いた穴のなかへ滑りこんでいき、下で待っているトラックに載せられる。[15] こうした仕組みはもちろん、能力に限界はあっても強力なロボットを最大限に活かして無人化していくために、仕事環境全体がどのように一から設計され、作りなおされていくかを示す好例だ。ロボットが進化し、より多機能になるにつれ、その新たな可能性を活用して生産性を最大化するべく、こうした仕事環境が定期的に再構築されるのはまちがいない。

ロボットが物をつかんだり、操作したりする能力がやがて人間レベルに近づいたとき、倉庫や工場の内部は自動化の最終段階に入る。その先に見えるのは、完全に自動化された倉庫のなかで、機械の管理やメンテナンスを行う少数の従業員だけが働いているという空恐ろしい光景だ。アマゾンはあきらかに、その段階に達することに強い関心を示し、毎年華々しい前宣伝とともにいろいろなロボットコンテストを開催している。世界中の大学からエンジニアのチームが参加し、倉庫の棚から商品をつかみ上げるという、いまは人間にしかできない作業をこなせるロボットを作ろうと競い合っているのだ。[16]

大きさや重さ、形、質感、パッケージの形状もばらばらの何千何万という商品を確実につかんで持ち上げられる――そんなロボットハンドを作るのが大変な難題であることはわかっていても、今後の流れがその方向へ向かうのは避けられない。二〇一九年六月に開催されたある会議で、当時のアマゾンCEOジェフ・ベゾスはこう言った。「商品をつかんで持ち上げるのは、想像を絶するほど難しい問題であることがはっきりしました。われわれは当初からマシンビジョンでこの問題を解決しようとしたために、まずマシンビジョンから開発しなければならなかったことが一因としてあります」。だがこうも言っている。「今後一〇年で解決できる問題でしょう」[17]。言い換えるなら、いまアマゾンの倉庫で働いている従業員の大半を占める数千人のストウアーやピッカーは、あと一〇年ぐらいでまちがいなく余剰人員に数えられるようになるということだ。

しかし雇用への影響は十中八九、それよりずっと前に現れてくるだろう。しつこく言うようだが、最も重要なポイントは、倉庫内部の管理された、比較的予測可能な環境である。こうした場所では、まだまだ完全とはいえないようなロボットでも、十分に価値を発揮できるのではないか。実際に、通常の倉庫にある商品の五〇パーセントか、たとえそれ以下でも問題なく処理できるロボットであれば、どういうところで失敗するかが決まっていて予測がつくかぎり、生産性を大幅に向上させることができるだろう。

アマゾンにはたえず流れ込んでくる膨大なデータがあるので、それを思いのままに使って、ロボットがどこでうまく作業をこなすか、どこで失敗するかを正確に予測することができる。顧客からオンラインで注文が入った瞬間から、アマゾンはその商品がどんなものかを正確に把握している。だからその注文がロボットだけで処理できそうなものか、それとも人間の作業員に回す必要があるかを難なく予測できるはずだ。つまり、アマゾンはただ物流センター内の仕事の流れを管理するだけで、能力の限られたロボットを最大限に活用できるのだ。

ロボットによる作業の成否を確実に予測し、失敗を回避できる能力は、ある意味、以下の二つの領域をくっきりと分ける境界だといえる。一方に、比較的近い将来にロボットが激増しそうな管理された倉庫のような環境があり、もう一方に混沌とした外部の、自動運転といった技術上の難題が重くのしかかってきそうな世界がある。倉庫用ロボットなら、流れてくる品物の半分を予測して処理できれば、十二分に役に立つ。だが一般道路を走る自動運転車は、出くわす状況の九九パーセントを確実に切り抜けられても、残りの一パーセントで悲惨な事故を招くのは必至なので、役に立たないどころの話ではない。

能力の限られたロボットでも、その価値が今後ますます高まっていく根拠として、アマゾンの売り上げがいわゆるロングテールの分布を示していることがある。つまり、顧客からの注文の大多数が、倉庫にある在庫品のうち比較的わずかな部分に当たる商品で占められているということだ。こうした人気が高い、かさのある商品を着実につかみ上げ、操作できるロボットは、特に生産性向上という点では効率的な手段となる。もちろん、これなら扱えるだろうと想定される注文をこなすだけのことでも、一〇〇パーセント信頼できるロボットというのは存在しない。比較的まれな故障に対応するために、人間の従業員一人が複数のロボットの動作を監視し、問題が発生したときだけ介入する、という構図は容易に想像できる。

要するに倉庫の自動化は、ロボットが本当に人間並みの器用さを持つようになったあとに実現するのではなく、徐々に一つずつ段階を踏んで進んでいくだろうということだ。そしてそのプロセスの各段階では、倉庫内のワークフローを大幅に再編する必要があると思われる。

アマゾン型から、本当に器用なロボットを求めて

アマゾンのロボット事業は、あれだけの規模と影響力を持つ会社だけに大きな注目を集めているが、競合するオンライン企業やいろいろな実店舗の小売チェーンが運営する施設でも、だいたい似たようなことが起こっている。特に北米とヨーロッパでは、二〇一七年六月にホールフーズがアマゾンに買収されたあと、これから食料品市場にディスラプションが起こると予想した各食料品店が、効率化とオンライン販売進出の手段として物流センターの自動化に積極的に取り組んでいる。

この分野をリードしている企業の一つが、イギリスを拠点とするオカドだ。オカドは自前のオ

ンライン食料品販売サービスを運営するとともに、倉庫自動化技術を世界中のスーパーマーケットチェーンに販売している。イングランドのアンドーバーにある同社の物流センターでは、一〇〇〇台以上のロボットがばかでかいチェッカー盤のような、一段高くなった格子型構造で配されたレールの上を動き回っている。盤面のマス目に当たる位置には、それぞれに一種類の食品が詰まった二五万個のクレートが収納できる。ロボットはその上にめぐらされたレールを移動してクレートをつかみ、それから箱状になった内側の部分へクレートを引っぱり上げ、作業員の持ち場まで運んでいく。そこで個々の食品が取り出され、顧客の注文どおりに詰められる。ロボットは自律的に動き、モバイルデータネットワークで相互に通信しながら移動し、定期的にドッキングステーションへ行ってバッテリーを充電する。[18] 万一、クレート運搬ロボットのどれかが故障したときに、救出に向かう専用の回収ロボットまである。アンドーバーの施設では、毎週約六万五〇〇〇件、食品の数にして三五〇万点のオンライン注文を処理することが可能だ。[19]

アマゾンの倉庫と同じように、ロボットは品物を速く移動させるという部分に特化している。この自動化の流れのなかで人間が主に果たす役割は、やはり人ならではの手先の器用さが求められるピッキングとパッキングだ。顧客からの注文リストには、缶詰や箱詰めされた品、生鮮食品までいろいろな種類の食品があるため、ロボットが操作するのは特に難しい。技術ジャーナリストのジェームズ・ヴィンセントは、「たとえば、袋入りのオレンジほどロボットを悩ませるものはない」と指摘する。難しいのはこういうところだ。「袋がすぐにぐにゃぐにゃと妙な動きをするし、ここをつかめばいいとはっきりわかる部分もなくて、きつく握りすぎるとしまいにはオレンジジュースになってしまう」[20]。それでもオカドはすでに、こうした課題を克服しようとするロボットの実験に入っている。吸盤を使って缶のように表面のつるつるした商品を持ち上げるロボットアームのほか、やわらかいゴム製のロボットハンドも導入し、壊れやすい商品でもうまくつかめるようになることを目ざしている。

真に器用なロボットを作るという試みは、シリコンバレーのベンチャー企業でも大きな関心の的になってきた。資金提供をたっぷり受けた多くのスタートアップ企業が現れ、ロボット研究の最前線でさまざまなアプローチを取り入れている。なかでも注目を集めているのがコバリアントだ。二〇一七年の創業以降、ずっと音なしだったが、やっと二〇二〇年初めに脚光を浴びた。コバリアントの研究者たちは「強化学習」、要するに試行錯誤による学習が最も効果的であると考えていて、大規模なディープニューラルネットワークを基盤としたシステムを構築中だという。同社はこのシステムを「ロボット用ユニバーサルAI」と呼んでいて、いずれは「周囲の世界を見て、推論し、行動することで、従来のプログラムされたロボットにはできない複雑で多様なタスクをこなす」ことが可能なさまざまな機械を動かせるようになると期待を寄せている[21]。

この会社を創設したのは、カリフォルニア大学バークレー校とオープンAIの研究者たちで、チューリング賞を受賞したジェフリー・ヒントンとヤン・ルカン、グーグルのジェフ・ディーン、イメージネットの創業者フェイフェイ・リーといった綺羅星(きらぼし)のようなディープラーニング業界の重鎮たちから高く評価され、投資も受けている[22]。二〇一九年にコバリアントは、スイスの産業用ロボットメーカーABB主催のコンテストで、人間の手を一切借りずにさまざまな品物を認識して扱える唯一のシステムを見せつけて他の一九社を退けた。[23] コバリアントはＡＢＢやその他の大手企業と協力して、倉庫や工場に配備された産業用ロボットに知能を吹き込もうとしている。そして最終的には人間レベルに等しい、あるいはそれを上回る認識力や器用さを持たせられるだろうとのことだ。

この分野に取り組んでいる他のスタートアップ企業や大学の研究者たちの多くも、だいたいコバリアントと同じ考え方をしている。より器用なロボットを実現させるには、ディープニューラルネットワークと強化学習を基盤にするのがベストな戦略だということだ。そうしたなかで、目立った例外的な存在が、サンフランシスコのベイエリアに位置する小さなＡＩ企業ヴィカリアスである。ヴィカリアスは二〇一〇年、つまりイメージネット・チャレンジでディープラーニングが注目された二〇一二年より二年早く創設された。その長期的目標は、人間レベルの人工的な一般知能を実現することだ。これはある意味、ディープマインドやオープンＡＩといった知名度の高い、資金力もある事業とは真っ向から対立する立場といえる。このディープマインドとオープンＡＩという二つの企業がたどった道筋と、人間レベルのＡＩを目ざそうとする試み全般については、第5章で掘り下げていくことにしよう。

ヴィカリアスの主目標の一つは、平均的なディープラーニングシステムよりも柔軟な、つまりＡＩ研究者に言わせれば「脆弱性」の少ないアプリケーションを構築することだ。このような適応性は、人間がいま行っているさまざまなタスクをロボットが扱ううえで重要な要件となると考えられている。ヴィカリアスの技術担当共同創業者で、同社のＡＩ研究を牽引してきたディリープ・ジョージは、周囲の環境を理解し操作できる能力を持ったロボットを作ることが、より汎用性の高い知能を実現するまでのごくごく重大な中間点だと考えている。二〇二〇年初めにヴィカリアスは、物流と製造に適した汎用ロボットの開発を当面の主要な事業戦略とすることをあきらかにした。

まだ詳細は伏せられているが、ヴィカリアスは人間の脳の機能にヒントを得て、同社が「再帰的皮質ネットワーク」と呼ぶ革新的な機械学習システムを開発したとのことだ。[24] そしてこのシステムを配備し、ピツニーボウズの物流部門や化粧品会社セフォラといった初期の顧客に向けてすでに製造体制に入ったロボットに命を吹き込んでいる。ヴィカリアスのロボットは、与えられた仕事をこなす能力が非常に高く、最初の動作から数時間で測定可能なほど向上する。[25] 同社の目標は、ただ在庫品の棚や引き出しから品物を取り出すだけのロボットではない。それに加えて、品物の仕分けや梱包を行う、工場の作業員に代わって機械に部品を供給したり出したりする、細かい組み立て作業を行うなど、本当の意味で多様な操作能力を持つ機械を作り出そうというのだ。ヴィカリアスは少なく見積もっても一億五〇〇〇万ドルのベンチャー資金を調達していて、イーロン・マスクからマーク・ザッカーバーグ、ピーター・ティール、そして当然というべきかジェフ・ベゾスまで、シリコンバレーの錚々たる面々からの支援を受けている。

人工知能の開発と並行して、ヴィカリアスは革新的な「サービスとしてのロボット」というビジネスモデルも試みている。このモデルはいずれさまざまな業界にディスラプティブな影響を与えることになるかもしれない。自前のロボットを製造・販売するのではなく、ＡＢＢなどの企業から産業用ロボットを入手し、ヴィカリアス独自の人工知能ソフトウェアと組み合わせて、人材派遣会社が人間の労働者を配するのとおおよそ同じように、ロボットを各企業にレンタルするのだ。通常の産業用ロボットだと、クライアントの企業は先行資本投資や長期的な関与を求められるのだが、この場合はそんな必要がない。これはロボット利用の最大の欠点の一つ、つまり機械の購入・設置・プログラミングが高くつくために投資額が回収できるまでに時間がかかるという点を直接的に解決する試みだ。

しかし従来の産業用ロボットには、人間の労働者のような柔軟性、適応性が欠けている。工場や倉庫内の工程はしょっちゅう、ときには数カ月単位で変更されるものだが、そのたびにロボットの再プログラミングが必要になり、よけいな時間と費用がかかってしまう。それがこうした環境内でのロボットの普及を阻む大きな要因の一つだった。「サービスとしてのロボット」というアプローチは、短時間でロボットに新しいタスクの訓練をさせられることも相まって、ロボットが人間の労働者に劣らないほどの適応性を示す未来がそこまで来ているという明確な証左だ。そのことはさまざまな業界のゲームチェンジャーとなるだろう。

このビジネスモデルの利点に注目する企業はヴィカリアスだけではない。オーストラリアの無人化テック企業のナップも同様のアプローチをとり、コバリアント製のソフトウェアを備えたロボットを活用している。二〇二〇年一月、ナップの重役ピーター・プフヴァインはニューヨーク・タイムズ紙の取材に、われわれの戦略はロボットの価格を人間の労働者を雇用するコストより低くすることだと語った。たとえば、「ある企業が従業員一人に年間四万ドル出しているとしたら、ナップがつける値は三万ドルほどです」。「とにかく安くする」とプフヴァインはタイムズ紙にも語っている。「それが基本的なビジネスモデルです。顧客が判断に迷うことはあまりないでしょう」[26]。もちろん低コストに加えて、ロボットは休暇をとらない、病気にならない、遅刻しないなど、人間の従業員にたえずつきまとう管理上の問題や不都合に悩まされることがないという事情もある。

たとえロボットの器用さが格段に上がり、人間レベルに近づいてきたとしても、これらの機械が一般家庭用の消費者製品並みに手頃になるまでには長い時間がかかるだろう。しかし工場や倉庫のような環境では、今後のことはもっと予測がつきやすい。収益性と効率性の論理に従えば、従業員と機械のバランスが崩れるのは避けられないため、ディスラプションははるかに早くやってくるだろう。これまで見てきたように、ロボットは物理的な操作がだんだんうまくなっているだけでなく、柔軟性や適応性も増してきている。そうなれば電子機器の組み立てのような、新製品に合わせて製造工程を急いで変更できることが絶対必要な分野ですら、ロボットが導入されるケースが増えてくるだろう。人工知能が電気のような公益サービスへ進化を遂げ、経済のほぼすべての側面に触手を伸ばしていく、そんな物語の重要な一章となる可能性は高い。

雇用への影響は、いずれ顕著になってくるだろう。オンラインショッピングが従来型の小売業にディスラプションをもたらしつづけるなか、倉庫や配送センターはこの数年来、雇用創出の点では明るい話題となっていただけに、影響は大きそうだ。もしも現状の経済不況からの回復という課題と重なった場合、こうした問題は特に重大な結果をもたらすかもしれない。また、コロナ禍がずっと収束せずに、つぎの感染爆発への不安が続いていくかぎり、ロボットによる工場生産は、ソーシャルディスタンスを保つ、人間の労働者が病に倒れる、といった問題の魅力的な解答となるだろう。人工知能やロボット工学が雇用や経済に与える潜在的な影響については、第6章でくわしく説明しよう。

昔ながらの小売店、ファストフードにもAI革命の嵐が

二〇一九年一二月三日、ブルームバーグは「第2通路のロボット」という記事のなかで、アメリカの実店舗型小売業で人工知能やロボットの利用、つまり自動化が進んでいる現状について掘り下げた。記事を書いたビジネス担当記者マシュー・ボイルは、大手食料品チェーンは新技術の導入に強い関心を持っているが、それはアマゾンという巨人の市場参入によって自分たちの存続が脅かされるという不安を拭い去るためだと指摘している。食料品業界はもともと体質が古く、最後に新技術を採用したのも一九七〇年代後半のバーコードスキャナーまでさかのぼれるほどだ。それがいま、AIベースの新技術のなかで、特に「シェルフスキャンロボット、ダイナミックプライシングソフト、スマートカート、モバイルレジシステム、店舗裏のミニ自動倉庫」を大急ぎで実験的に使っているのだ。[27]

もっともこの記事のなかで、ある企業のCEOがこんな控えめな見解を口にしている。「ターゲットの店舗では、ロボットは近々見られなくなるでしょう」「人の手が触れるということが、

いちばん大事なのです」[28]。この記事がブルームバーグのサイトに載るおよそ二日前、中国の武漢で新型コロナウイルス感染の最初の症例が確認された。それから数カ月間で、「人の手が触れること」が大切だとする私たちの考え方はすっかりリセットされ、以前は想像もできなかったような速さで再調整された。

今回のコロナ禍の影響として、まず疑いようがないのは、人間の労働者が生身のお客と接する環境では、自動化へ向かう流れがぐんと加速するだろうということだ。これはソーシャルディスタンスや衛生面だけが理由ではない。ウイルスが引き起こした経済の落ち込みを受け、効率重視の傾向が強まることは避けられないからだ。今回の危機が過去のものとなるのはおそらく、有効なワクチンや治療法がようやく世界的に普及したあとにちがいない。それでもこの傾向はかなりの程度、後戻りが利かなくなると思われる。

地域に根ざした食料品店から全国規模のチェーン店まで、大小の規模の小売企業が専門化された作業をこなせるロボットの導入を積極的に進めている。例を挙げるなら、コロナ禍のために店内を夜のうちに清掃するべきだという論調がにわかに強まったことで、自動床洗浄ロボット製造のブレイン・コーポレーションが売り上げを飛躍的に伸ばした。ウォルマートでは二〇二〇年末までに、アメリカ国内の一八〇〇以上の店舗に同社の機械を導入する予定だ[29]。ウォルマートは入荷したての商品をトラックから下ろすときに部門ごとに整理するための仕分け機械も活用している。

また、店内の通路を動き回って在庫品を点検するシェルフスキャンロボットに投資している小売業者も多い。ウォルマートは二〇二〇年夏までに少なくとも一〇〇〇店舗で稼働させる予定だ。このロボットは高さ一・八メートルあり、一五台のカメラを搭載し、自動で商品棚を調べ、バーコードをスキャンしていく。[30] そして収集されたデータは、店舗の在庫を追跡するアルゴリズムへ送られ、どの商品を補充する必要があるかをただちに従業員に伝える。在庫切れと店の売り上げ低下は直接の相関関係があることが分析結果から知られているので、在庫管理ロボットは収益そのものを上げると同時に、お客により良い買い物体験を提供できるということだ。実際に機械学習アルゴリズムは、在庫水準から商品選択、店舗内の商品の配置までのあらゆる管理に使われている。これだけあれば、アマゾンがオンラインショッピングで駆使しているのと同種の人工知能を、実店舗型の小売業者が活用することも可能になる。

最近の傾向で特に話題なのが、従来型の食料品店の奥に、いわゆる「小型フルフィルメントセンター」を設置するという動きだ。テイクオフ・テクノロジーズやイスラエルに本拠を置くファブリックをはじめ、多くのスタートアップ企業が開発している設備だが、そのロボットによるフルフィルメント機能は、オカドなどの企業が作ったはるかに大規模な配送センターにも匹敵するものだ。

この小型フルフィルメントセンターによって、食料品店はオンライン注文の配送業務を効率化し、一週間あたり最大四〇〇〇件の注文に対応できるようになる。[31] 実店舗のほうからオンライン関連の業務を切り分けることで、いつも混雑しかねない売り場まで店員に商品を取りに行かせる必要がなくなるし、コロナ禍でトイレットペーパー不足のこの時代に、売り場ですでに品薄になっている品物をよけいに減らすようなことをせずにすむ。小型フルフィルメントセンターは、大規模な独立型倉庫がコスト優位につながるというスケーリング効果はなくても、既存の店舗にセンターを統合するのに必要な初期投資の出費や時間が大幅に削れるため、小規模チェーンや個人商店は重宝するだろう。

おしなべていえば、小売店で使われるロボットにも、倉庫や工場にあるロボットと同じ強みと限界が見られる――店の奥のほうで商品を効率的に仕分けして移動させたり、通路を進みながら床を磨いたり、商品のバーコードを読み取ったりはできる。いまの時点でロボットにできないのは、実際に商品を棚に並べることだ。ロボット革命の進展を根本のところで阻んでいる限界は、九割がた器用さの問題である。倉庫の棚からいろいろな商品を取ることはまだできないし、店の棚に商品を並べるというさらに難しい作業ももちろんできない。ただしこの状況も、本物の器用さを備えたロボットが出てくるようになれば変わってくるはずだ。

また、小売業全体のビジネスモデルが変化しつつあることにも注目したい。実店舗型の小売業者はアマゾンをはじめとするオンライン小売からの容赦ない圧力にさらされていて、今後も従来型の小売環境での売り上げは次第に減り、eコマース業者の自動化された巨大配送センターが主流になっていくのは避けられないだろう。食料品部門でさえ、オンライン注文・配送の利用が増えているし、新型コロナ禍のさなかに多くの人たちがステイホームを強いられたことで、その傾向は急激に加速した。

こうした消費者の好みの変化がずっと続くかどうかは時間がたってみないとわからないが、食料品が玄関先まで配達される便利さにお客が一度慣れてしまえば、この状況はかなり持続するのではないかと思う。それによって、食料品店の大規模な建て替えにつながるかもしれない——店の奥での業務を自動化することの優先順位が高まり、お客が実際に買い物をする売り場の面積も商品在庫もだんだん縮小していくからだ。そしていずれは、実質的に倉庫のような食料品店が現れるかもしれない。店には小さな一角があって、お客はそこでディスプレーの商品を見てからオーダー機やスマートフォンで注文をする。するとほぼ一瞬で、配送または受け取りのための精算や梱包の手順が行われるのだ。

小売業の自動化でとりわけ重要な傾向の一つは、ロボットに器用さが必要でない、つまり可動部品が一つもいらないということだ。まったく新しい小売モデルの「レジなし店舗」では、買い物客がただ店に入り、棚から商品を取ると、精算の列も、レジ係や支払い用機械さえ見ることもなくそのまま出ていくことができる。このコンセプトは二〇一八年、コンビニエンスストアの「アマゾン・ゴー」で初めて登場した。

お客はまず、自分のスマートフォンのアプリを起動し、地下鉄の改札口のような入口を通るときにそのアプリをかざしてから、広さ二〇〇平方メートル弱の店舗に入る。そのあとは棚から商品を取り、直接自分の買い物袋に入れるだけ。このシステムを可能にしているのが、店内の天井のいたるところに取り付けられたセンサーとカメラだ。アマゾンはその詳細を伏せているが、カメラは棚から商品が取られるのを正確に追跡することができ、そのデータは画像認識機能のあるディープラーニングシステムで処理されて、店内にいるお客すべてが売り場を移動しながら選んだ買い物が確実に記録される。

この技術は完璧とはいえず、たまにエラーも発生するが、誰かが意図してシステムを騙すことはきわめて難しい。たとえば、お客が商品を取ったあとで、同じ棚に戻すどころか、別の場所に置いてしまい、それからまた同じ商品を取ったりしても、その買い物は正しく集計される。見えないように隠して商品を取る、買い物袋ではなくポケットに素早く入れる、といった露骨な万引き行為はまず成功しない。買い物客がもう一度さっきの改札口を通って店を出ていけば、買った品物は自動的にお客のアマゾンアカウントに記載される。[32]

アマゾンは、アメリカ国内の主要都市の二六カ所に「ゴー」をオープンしていて、あるレポートによれば最終的に全米に三〇〇〇店舗の出店を検討中だという。[33] 二〇二〇年二月、同社は初のフルサイズのスーパーマーケットとなるレジなし食料品店をオープンすると発表した。シアトル郊外のキャピトル・ヒルにあるこの店舗は、約一〇〇〇平方メートルの広さで、およそ五〇〇〇種類の品を取り揃えている。

アマゾンが例によって世間の注目を集める一方、多くのスタートアップ企業も同じような技術をこぞって市場に出そうとしている。たとえばアクセル・ロボティクスは二〇一九年一二月、「グラブ・アンド・ゴー（手に取ってすぐ帰れる）」技術のために三〇〇〇万ドルのベンチャー資金を調達した。ほかにもトリゴ、スタンダード・コグニション、グラバンゴといったスタートアップがあり、いずれも投資家から最低一〇〇〇万ドルの資金援助を受けている。[34] そしてアマゾンはいまや、他の小売業者に自社技術のライセンス供与をしているとも言われる。[35] つまり私たちはいま、レジなし店舗を推進するテクノロジーをめぐる活気に満ちた市場競争の現場を目の当たりにしているのだ。だとすれば、既存のさまざまな小売業者がこの新しいモデルを採用する方向へ向かっていくのはまずまちがいない。

もしもレジなし店舗が勢いを増してくれば、業界に大規模なディスラプションがもたらされて、最終的にはアメリカだけで三五〇万人を超えるレジ係の雇用が深刻な危険にさらされる可能性がある。こういった店舗は便利だし、レジに並ぶ時間も省けるほか、人間の店員のそばまで行かずに完全タッチフリーで決済できるという点で、新型コロナウイルスの影響を受ける未来には特にぴったりかもしれない。皮肉なことに、アマゾンはコロナ禍の拡大を受けて、アマゾン・ゴーの店舗の大部分を一時的に閉鎖した。買い物客で長蛇の列ができるほど人気だったのが、おそらくその理由だろう。しかし長期的に見るとこの技術は、少なくとも当分のあいだソーシャルディスタンスが金科玉条とされる世界にはうってつけのように思える。

もう一つ、比較的近い将来に、ロボットによる自動化が大きな影響を与えそうなのがファストフード業界だ。たとえばマクドナルドは、世界中の店舗にタッチパネル式のオーダー機を設置するという大規模な取り組みを行っている。報道によると、マクドナルドは二〇一九年に一〇億ドル近くかけてこの機械を導入し、アメリカ国内のほぼすべての店舗に設置する予定だという。[36]この自動オーダー機は、ヨーロッパのマクドナルド店舗ではすでにどこでも見られるものだ。

レストランの奥で調理や盛りつけをする仕事も、近い将来には自動化が進んでいくだろう。こうした仕事はすでに大半がスキル不要になり、ルーティン性の高い一連の流れ作業に分けられている。これは賃金を低く抑え、この業界の従業員の高い離職率——二〇一九年には一五〇パーセントに達した——に適応しようとする業界戦略の一環なのだ。[37]こうした作業の機械化が進めば、従業員が徐々に自動機械に置き換わっていくという未来が大いに現実味を帯びてくる。

これまで最も成功した例を挙げるなら、サンフランシスコを拠点とするクリエーターだろう。サウス・オブ・マーケット地区の第一号店にある、精巧で美しいデザインのロボットは、高品質のハンバーガーを三〇秒ごとに一枚焼き上げることができる。お客はモバイルアプリを使い、好きなハンバーガーをカスタマイズして注文する。そのあとはロボットがハンバーガーの調理を最初から最後まで完全自動でこなし、そのあいだ人間が食品に手を触れることは一切ない。さらに、人間がコックを務める高級レストランでもなかなか見られないような工夫も加わっている。肉は挽きたて、チーズはそのつど下ろし、バンズは注文を受けてからスライスする。野菜のカットも同様。そしてハンバーガーの価格は六ドル——他の店で買う同程度の品質のもののおよそ半額だ。クリエーターの戦略は、ロボットを使って安いハンバーガーを作ることではなく、人件費を削減し、その分を料理の質に投資することにある。一般的なレストランが純粋に食べ物だけにかけるコストが約三〇パーセントなのに対し、クリエーターは約四〇パーセントだ。[38]

高品質ハンバーガーの調理を完全に自動化できる機械の開発・製造は、口で言うほど簡単な話ではない。クリエーターの創業は二〇一二年で、当時モメンタム・マシンズという名前だったこの会社のことは、私が二〇一五年に出した『ロボットの脅威』のなかで紹介している。ハードウエアとソフトウェアのエンジニアリング、設計、テストに六年以上を費やし、やっとロボット製造の準備が整うと、二〇一八年六月にサンフランシスコに一号店をオープンした。しかしグーグル・ベンチャーズをはじめとするシリコンバレーのベンチャーキャピタルから資金提供を受けているクリエーターは、これから急速に事業を拡大するか、あるいは他のレストランにその技術のライセンスを供与することになるかもしれない。

クリエーターと、自動化技術を活用して高級ハンバーガーを作るというその戦略には、さまざまなスタートアップ企業が安価で庶民的なハンバーガーを調理するロボットの開発を掲げてまもなく対抗してくるだろう。いずれ大手ファストフードチェーンや小さな独立系レストランがこうした技術を導入しはじめるのは当然の成り行きだ。そしてどこかの大手企業がその技術を利用して収益を上げるようになれば、競争原理が働き、自動化がさらに広く普及するのはまずまちがいない。

また、その影響はハンバーガーだけにとどまらない。起業家たちはピザやタコスからあなたの好きなコーヒー飲料まで、あらゆるものの製造にロボットを巧みに利用する方法を見つけるだろう。そしてもちろん、こうした環境ではお客がロボットより人間の店員との対話を強く望む、という従来の常識も、コロナ禍をきっかけにある程度ひっくり返ってもおかしくない。人がまったく手を触れずに調理された料理を出すことのできる機械が、にわかにマーケティング上の大きな目玉となるかもしれないのだ。

私がこの原稿を書いている時点では、世界中で大半のレストランがテイクアウトサービスのみの営業を強いられている。この危機的な状況が続くなかで、もし消費者の嗜好がテイクアウトの食事を好むほうに変化して定着した場合、人との触れ合いがもたらすメリットはますます小さくなっていき、レストランのビジネスモデルやコスト構造そのものに変動が起こり、業界全体で自動化への移行が速まる可能性は高くなる。

医療に人工知能はどう役立つか

一九七〇年から二〇一九年までの半世紀で、医療費がアメリカの国内総生産（GDP）に占める割合は、約七パーセントから約一八パーセントへ上昇した。二倍を大きく超える増加である。[39] 他の先進国の医療費を見ると、グラフの線の上がり方はそこまで極端ではなく、現在の支出額もアメリカよりは低いが、それでも状況はおおむね似たようなものだ。たとえばドイツ、スイス、イギリスといった国々では、これと同時期に医療費がGDPに占める割合は二倍に増えている。[40] この世界的な傾向の主な動因は「コスト病」あるいは「ボーモル効果」と呼ばれるもので、経済学者のウィリアム・ボーモルとウィリアム・ボーエンが一九六六年に発表した、舞台芸術分野でのコスト病に焦点を当てた本のなかで説明されている。[41]

コスト病には、以下の考え方が根底にある。ある種の経済分野――代表的なのは医療、高等教育などだが、そうした分野では高スキルの労働者による非ルーティンかつ計量不可能な性質の仕事が求められる。結果としてその分野には、経済全般に現れているような生産性の向上が見られなくなるということだ。たとえば、工場では自動化が容赦なく進むにつれ、製造業に従事する労働者一人ひとりの労働の成果が何倍にもなる。同じことが小売業やファストフードといった分野にも当てはまる。新技術の導入に加え、職場組織や管理手法、ビジネスモデルの効率化、たとえば郊外型大規模小売店やオンラインショッピングの登場などによっても生産性が上昇してきた。

それに対して医療の分野では、いまも相変わらず、医師や看護師をはじめとする熟練した専門家たちが個々の患者に対応することが求められる。新たな知識や技術のおかげで、たしかに医療の質は向上し、患者の予後も大幅に改善されてはいるが、これまでのところ工場の労働者のように、医療従事者の労働生産性が何倍にもなる、といったことは見られない。それでも、生産性の高まった産業に従事する労働者の賃金と足並みをそろえて、医療部門の賃金も上がらざるをえなかった。それでなければ、医師や看護師は他にもっと魅力的なチャンスを求め、いまの職を辞めてしまうか、最初から選ばなかっただろう。結果として、医療費が経済全体に占める割合はどんどん大きくなっていった[42]。

人工知能にとって最大の可能性の一つであり、同時に難問でもあるのが、医療におけるコスト病の療法を見つけることだ。AIというテクノロジーは、業界全体の生産性を質的に向上させることで、最終的に医療費のグラフの曲線を下に向けられるのだろうか？　まだ実際にそうなってはいないものの、AIが長期的に与えるであろう大きな影響については楽観視できる理由がたしかにある。

病院にはロボットがすでにかなり入り込んでいるが、基本的には倉庫や小売店の環境で見られるのと同じ限界を超えられずにいる。たとえば、このところ急速に普及している消毒ロボットだ。

このロボットは病院内の部屋の仮想マップを作り出し、自動で移動しながら強力な紫外線をあらゆる表面に照射できる。人間の作業員とはちがい、一カ所たりと見逃しはしない。紫外線はウイルスや細菌のRNAとDNAを素早く破壊し、通常の部屋なら一室一五分ほどで消毒できる。この方法は液体の消毒剤よりもずっと効果が高いことがわかっている。最も危険な「スーパーバグ」には、薬剤の化学物質への耐性を持つよう変異しているものもあるので、紫外線はなおさら効果的だ。サンアントニオに本拠を置くゼネックスは、新型コロナウイルスの感染拡大が始まって最初の三カ月間で、自社の消毒ロボットの需要が四〇〇パーセント増になったと報告している。[43]

病院内の廊下やエレベーターを使って自動的に移動し、薬やシーツ類、医療用品を届けるロボットもある。かなりの重量まで運ぶことができ、自分から定期的に充電ステーションまで行ってバッテリーを充電する。また、何千枚もの処方箋を完璧な精度で調剤できる巨大な薬局ロボットは、大病院の効率性を高め、投薬ミスを減らすことができる。この機械は調剤のプロセスを完全に自動化していて、医師が病院のコンピュータシステムに処方箋を入力してから、ロボットが薬を包装して追跡用バーコードを貼るまで、人間は薬に一切手を触れずにすむ。このシステムはまた、薬局の在庫を管理し、日々補充する薬の注文票を自動的に作り出す。[44]

どれも重要な進歩といえるが、それでもやはり、医療現場で必要とされるなかでは特にルーティン性の高い仕事に限られたものだ。医師や看護師に求められる高スキルな介入の質を向上させるようなロボットではない。このところ話題のダヴィンチ・システムのような手術支援ロボットは、外科医の能力を高められるにしても、自律的に動くわけではない。このシステムでは、もともと手を使って手術をしていた医師が、代わりにロボットを操作するのだ。患者はその結果に満足するかもしれないが、外科医をはじめとする医療チームの時間が大幅に短縮されるということはない。

医師や看護師が手先で行う細かな作業は、人工知能にはとんでもない難題となる。恐ろしいほどの器用さに加え、問題解決スキルに対人スキル、さらにはあらゆる状況や患者に一度きりしか起きないような予測不能のケースに対処する能力も求められるからだ。身体の医療に関わるロボットに限っていえば、工場や倉庫で見られるようなスケーリング効果が生産性につながるのは遠い将来の話だろう。それにロボットの器用さが格段に進歩するだけでなく、汎用人工知能かそれに近いものが求められるようになる。

ロボットの物理的な限界を踏まえれば、近い将来、ＡＩが医療分野に及ぼす影響は可動部分を要しない活動に現れてきそうだ。つまり人工知能が活躍するのは、情報の処理、それに診断や治療計画の策定といった純粋に知的な領域になるだろう。マシンビジョン技術を駆使した医用画像の評価は特に有望な分野だ。畳み込みニューラルネットワークを用いたディープラーニングシステムが、人間の放射線科医と同等かそれ以上の能力をしばしば示すことが、多くの研究で実証されている。

たとえば二〇一九年に、グーグルと複数のメディカルスクールのチームが発表した研究では、ＣＴスキャンを分析して肺がんの診断を正確に下せるかどうかで、ディープラーニングシステムが放射線科医を上回った。グーグルが開発したシステムの精度は九四・四パーセントという数字で、その患者の以前のCTスキャン画像を比較のために見ることができない場合には「六人の放射線科医すべてを上回り」、以前の画像が参照できる場合には「同じ六人の放射線科医と同レベル」だった[45]。

また、新型コロナウイルスの感染拡大で病院の業務が逼迫した際に、緊急時の特例としてAIによる画像診断システムが採用された。新型コロナの検査薬が不足するなか、しばしばウイルスによって引き起こされる肺炎の有無を示す胸部X線検査は、重要な代替診断技術となった。病院によっては、放射線科医が画像の解析に苦労した結果、六時間かそれ以上の遅延が起きたこともあった。これを受けて、インドのムンバイに拠点を置くQure.ai、そして韓国企業のルニットというAI診断ツールのメーカー二社は、新型コロナウイルスに合わせて迅速にシステムを再調整することができた。ある調査によると、Qure.aiのシステムは、肺炎を引き起こす他の疾患と新型コロナウイルス感染を九五パーセントの精度で区別できたという[46]。

こうした結果は、一歩まちがえば誇大宣伝になるほどの熱狂をもたらしていて、ディープラーニングの専門家たちの一部には、比較的近い将来にAIシステムが人間の放射線科医に完全に取って代わるのはほぼ既定路線であるかのように受けとめられている。チューリング賞を受賞したジェフリー・ヒントンは、ディープラーニングの最も著名な提唱者といってもいい存在だが、二〇一六年にこんな発言をした。「いますぐ放射線科医のトレーニングをやめたほうがいい」「五年以内にディープラーニングが放射線科医を上回るのは火を見るよりあきらかだ」。ヒントンは人間の医師たちをワイル・E・コヨーテにたとえた——自分が「すでに崖っぷちを通り越している」ことに気付いてから下を見て、それから谷底へ落ちていくことで有名なアニメ『ロードランナー』のキャラクターに。[47]

だがこれを書いている時点で、ヒントンの発言からすでに四年たっているが、放射線科医に失業の危機が迫っていることを示す証拠はどこにも見当たらない。むしろ当の医師たちは、自分の職業がもうすぐ消えてしまうという意見に強く反発している。二〇一九年九月、スタンフォードメディカルスクールの放射線科医アレックス・ブラットは、「放射線科医がディープラーニングを恐れる必要がない理由」と題する解説記事を発表し、ディープラーニングを搭載した放射線画像診断システムは、柔軟性や包括的な推論を欠くため、単純なケースにしか使えないと主張した。このシステムには「臨床ノート、検査値、過去の画像」などの情報を統合する機能がない。結果としてこの技術がこれまでのところ優れているのは、「臨床情報や先行研究を利用せずに、一枚の画像（または連続した数枚の画像）のみを使って高特異度、高感度で検出できる実体」の診断に限られている。[48] ジェフリー・ヒントンのほうは、そうした限界はいずれきっと克服できると反論するだろう。長期的にそうなる可能性は高いだろうけれど、それは突然のディスラプションではなく、ゆるやかなプロセスになると私は思う。

さらに言うなら、技術自体の力とは別の高いハードルもいろいろあるので、放射線科医を、というかどんな医療専門家でも同じだが、失業に追い込むのはおそらく難しい。医療にはほぼすべての面で厳しい規制があり、ときには複数の団体が重複するような形で権限を持っていたりする。ライセンス持ちの医師を完全に追い出すというのは簡単にできることではないのだ。米国医師会といった組織の力を背景にした医師の影響力は、他のタイプの労働者よりもはるかに大きい。それから責任の問題も重要だ。患者に悪い結果をもたらすようなミスは、医療過誤訴訟へ容易につながりうる。こうした責任は現在、何千何万人という個々の医師に分散されている。ところがその仕事を、大金持ちの企業が開発・販売した装置やアルゴリズムでやるようになれば、責任がひとところに集中し、大量の訴訟が引き起こされる可能性がある。

これらはすべて、長い時間をかければ解決する課題かもしれないが、当面の問題はＡＩが放射線科医に取って代わるかどうかではなく、放射線科医の労働生産性を大きく向上させられるかどうかだろう。ディープラーニングのおかげで放射線科医が一定時間に解析できる画像が大幅に増え、またセカンドオピニオンをその場で出してエラー率を最小限に抑えられるようになれば、医師一人ひとりの労働生産性は高まるだろう。するといずれ、市場からどういったサービスへの需要があるかに応じて、医学生がこれまでとちがう専門分野を選択するようになるかもしれない。

もちろん、ディープラーニングのアルゴリズムが利用できる情報は視覚画像に限られてはいない。電子カルテへの移行が進んだことで大量のデータが蓄積されているが、これは多くの点で人工知能の利用にはうってつけだ。このリソースをいろいろな面での効率化やコスト削減に活用し、結果的に患者の予後の改善につなげるというのが、近い将来にＡＩが医療分野で役立つ道筋としては最も有望だろう。ある計算によると、アメリカ国内では医療過誤ががんと心臓病に次ぐ死因の第三位になっている。毎年四四万人ものアメリカ人が、防げたはずのミスのせいで命を落としているのだ[49]。なかでも薬の誤投与から起こる悲劇は多い。

二〇一九年の研究で、イスラエルのスタートアップ企業メドアウェアが開発したＡＩアプリケーションが、二〇一二〜一三年にボストンのブリガム・アンド・ウイメンズ病院で行われた約七五万人の患者との医療面接の結果を収めた過去のデータベースに適用された。すると一万一〇〇〇件ほどのエラーの警告が出た。結果を分析したところ、メドアウェアのシステムは九二パーセントの精度で正答を出していて、その警告のおよそ八〇パーセントから貴重な臨床情報が得られた。またこれらのミスの三分の二以上は、同病院で使用されている既存のシステムでは発見できないものであったこともわかった。この研究によって病院は、患者の予後を改善する、救える命を救うといったことに加え、ミスが直接の原因となる治療のコストをおよそ一三〇万ドル節約することができた。[50]

患者データに人工知能を適用する例として、最も注目を集めたのが二〇一六年の出来事だ。ディープマインドがイギリスの国民医療サービス（ＮＨＳ）と五年間のデータ共有契約を結んだ。ＮＨＳはディープマインドに一〇〇万人以上の患者の情報へのアクセスを提供した。そこで試験的に開発されたアプリケーションには、患者の記録や検査結果を分析し、ある患者に急性腎障害の危険があるとすぐＮＨＳの職員に知らせるシステムのほか、医療スキャンを駆使して、ときには人間の医師を上回る精度で眼病の診断を下せるＡＩシステムも含まれていた。

技術的には有望なものだったが、このプログラムがディープマインドの親会社グーグルに移管された二〇一九年には、激しい論争があった。大手テック企業がＮＨＳの患者データにアクセスできることへの不安が広がり、たちまち反発が沸き起こったのだ。ただしグーグル側は、厳格なプライバシーポリシーが適用されていて、データは入念に匿名化されていると主張した。[51] こうした例は、技術自体の能力とは別の要因、この場合はプライバシー侵害への懸念だが、そうしたものが医療分野での人工知能の導入を大きく遅らせかねないことをあらためて示している。

医療に人工知能がもたらした最も驚くべき成功例は、メンタルヘルスの分野でも見られる。二〇一七年に創業されたシリコンバレーのスタートアップ企業ウォーボット・ラブズは、アレクサやシリ（Siri）に用いられているのと同じような自然言語処理技術を備えたチャットボットを開発すると、そこに心理学者が考案し入念に考えつくした会話要素を組み合わせた。基本的には認知行動療法（ＣＢＴ）を自動化したものだが、この療法はうつや不安を抱える人々を支援する手段としてすでに実証済みだ。ウォーボット（Woebot）の発売から一週間で、このアプリケーションを相手に言葉をかわした人は五万人以上にのぼった。創業者兼ＣＥＯのアリソン・ダーシーはこう言っている。「あなたが夜中の二時、セラピストが一緒にベッドに入っていられず、またいるべきでもない時間にパニック発作を起こしても、ウォーボットはそこにいます」[52]

たしかに、チャットボットは二四時間無制限で利用でき、いまのところ料金はタダだ。メンタルヘルスのセラピーではまったく新しい試みだし、すでに重要な隙間を埋めつつある。アメリカでは健康保険に加入している労働者でも、メンタルヘルスサービスにかかれる手段が往々にして限られている。医療システムの水準の低い途上国では、状況はさらに厳しい。政府が基本医療を提供することにさえ苦労している地域でメンタルヘルスの専門家にかかることは、国民の大部分にはほぼ不可能なのだ。ウォーボットは常時、一三〇カ国の人たちと言葉をかわしている。チャットボットのサービスは英語のみだが、みんなＡＩを搭載した翻訳ツールを使ってコミュニケーションをとっている。[53]

世界中でメンタルヘルスの危機が顕在化し、さらに新型コロナ禍でストレスや不安が増しているなか、こうしたツールは多くの人たちにとって、唯一手の届く解決策になるかもしれない。ＡＩにはいつか生産性の定量可能な向上をもたらし、業界全体を変化させるという期待がかかっているが、その恩恵を初めて受けるのがメンタルヘルスという、医療のなかでも本質的に最も人間的なものと見られる分野なのは、いささか皮肉な話だと思う。

医療用の人工知能として、予測できるなかで最も重要な、また本当の意味でディスラプティブなブレイクスルーがあるとすれば、一般的な診断と治療に向けた総合的で信頼度の高いシステム、つまり「箱のなかのドクター」の出現かもしれない。このシステムの重要な点は、医師の代わりをするというのではなく、ごく優秀な医師の持つ技術と経験を誰もが活用できるようにし、実質的に増やしていくことだ。強力な診断ＡＩシステムのおかげで医師の労働生産性が飛躍的に向上し、また経験が浅い医師や凡庸な医師でも、肩越しに見守るバーチャルなエリート専門家チームからアドバイスを受けながら患者と向き合える環境が整う。そんな未来を想像するのはたやすい。

だがいまはまだ、そこまでは行っていない。そうした方向へ向かおうとする試みは以前にもあったが、そこからは一つの教訓が引き出せる。二〇一一年にクイズ番組『ジョパディ！』で〈ワトソン〉が優勝したあと、ＩＢＭはすぐさまこの技術を医療などの産業に活かそうと積極的に取り組み、〈ワトソン〉を核とする一〇億ドル規模の新しいビジネスユニットを作り上げた。〈ワトソン〉が教科書や臨床ノート、診断や遺伝子検査の結果、科学論文などのあらゆるソースから猛烈な勢いで情報を吸い上げる。そしてまさに超人的な能力を発揮し、どれほど有能な人間の専門家でさえ思いつかないような方法で点と点とを結びつける。それがＩＢＭのビジョンだった。このテクノロジーが、がんのような複雑な病気になった患者個々の治療計画の策定といった、目に見える効果をもたらすと期待したのだ。

まるで二度目の『ジョパディ！』出場だといわんばかりに、ＩＢＭは〈ワトソン〉が「メディカルスクールで勉強する」「がんに挑む」準備をしていると大々的に宣伝を打ち、[54] メディアへの露出も増やしたものの、これまでの結果は芳しくはない。医療面での連携を結んだなかでは、テキサス大学のＭＤアンダーソンがんセンターとのパートナーシップをことさらに強調していたが、二〇一七年にはこの技術から大した利益が得られないことがわかり、ＭＤアンダーソンは〈ワトソン〉との連携を中止した。[55]

それでもＩＢＭはめげずにこのアイデアへの投資を続けているし、数多くのスタートアップからグーグルなどの大手まで、同じ道を進もうとする企業も増えている。もし本当に成功できれば、投資のリターンは驚くべきものになるだろうから、今後も熾烈な競争は続けられるだろう。成功する日はいずれきっと来ると私も思うが、それにはいまあるディープラーニングの手法を超えるＡＩ技術が必要になるだろう――つまり、この分野の最先端の研究者たちが取り組んでいる、より汎用性の高い人工知能におけるブレイクスルー的な何かが必要なのだ。ＡＩの最前線で行われているそうした研究については、第5章で紹介しよう。

いつの日か、本当に有用で着実なシステムが出てくれば、新しいタイプの医療専門家も登場するのではないかと思う。おそらくは学部や大学院を出たあと、承認・規制された医療ＡＩシステムと患者との仲立ちをする訓練を専門的に受けた人たちだ。こうした医療従事者はあまり高賃金ではなく、医師の直接の代わりにはならなくても、医師の監督下でルーティン性の高いケースを引き受けることができるだろう。たとえばアメリカの開業医のもとには、肥満、高血圧、糖尿病といった同じ慢性疾患を抱える患者がひっきりなしに押し寄せてくる。人工知能と連携した新しいタイプの医療専門家がいれば、開業医たちの負担を減らすと同時に、担当できる地域の範囲も広げられるのではないか。アメリカの農村部の多くはすでに医師不足が深刻で、高齢化とともに状況はさらに悪化するだろう。こうした問題に正面から取り組み、生産性向上を実現して最終的に医療のコスト病を抑制できるようになるには、もっともっと医療用人工知能に頼っていく以外に道はないように思う。

自動運転車——予想以上に時間がかかる？

イーロン・マスクは、二〇二〇年末には一〇〇万台のロボタクシーが一般道路を走っているだろうと請け合った。あれは自動運転車の業界をにぎわす派手な言説の直近の一例に過ぎない。自動車は私たちの生活の根幹をなすもので、特にアメリカではその傾向が強いからか、人工知能の実用化のなかでも自動運転車ほど声高に宣伝され、大げさに語られてきたものはないだろう。

この業界は二〇〇四年から〇五年に開かれたDARPA（国防高等研究計画局）グランド・チャレンジの結果を受けて誕生した。それ以降、自動運転技術は長足の進歩を遂げながらも、異常にふくらんだ期待にはなかなか応えられずにきた。二〇一五年には業界通の関係者のあいだで、「五年以内に完全自律走行車が道路を走るようになる」という予測が広まっていた。クリス・アームソンはこの分野のパイオニアの一人で、グーグルの自動運転車部門が独立した企業ウェイモの最高技術責任者を務め、いまは自律走行スタートアップ企業オーロラのCEO兼創業者である。そのアームソンが口にした、自分の息子（当時一一歳だった）は一六歳になっても運転免許を取らなくてすむかもしれない、という言葉は有名だ。[56] トヨタや日産などの大手メーカーも、二〇二〇年までに自動運転車を実現すると確約していた。[56] これらの予測は現在、すべて取り消されている。

アームソンは自信に満ちた姿勢を崩さず、二〇一九年に、五年以内に少なくとも「数百台の」完全自律走行車が一般道路に展開される、[57] 一〇年以内には一万台以上の自動運転車が走るようになるだろうと語っている。[58] 私自身の考えでは、こうした予測ですら楽観的すぎた、という結果になる可能性は高いのではないか。本物の自律走行車が五年以内に走り出すという話がこの先何年も繰り返される、という恐れは多分にあると思う。

実のところ、高速道路上でも市街地でも、おおむね期待どおりに事態が動く環境では、自律走行車をルーティンな形で走らせるうえでの問題はほぼ解決している。もし一般道路すべてがアマゾンの倉庫の内部のように、あらゆるレベルで予測可能な環境だったとしたら、自動運転車はすでに広く普及していてもおかしくない。

問題なのはもちろん、いわゆる「エッジケース」、つまり事実上無限に起こりうる異常な相互作用とシチュエーションだ。そうした場合、自動運転車が正確に先を予測すること、また正しい解釈をすることが往々にして困難もしくは不可能になってしまう。自動運転車の事業は、車が走行する道路のきわめて高精度なマッピングに頼っている。そのために、予期しない道路の閉鎖や道路工事、交通事故などが問題を引き起こしかねない。悪天候、とりわけ大雨や雪も大きな障害だ。

しかし最大の難題は、予測のつかない動きをする歩行者、自転車、ドライバーなどが渾然とした環境といかに安全に付き合うかということだろうか。たとえばサンフランシスコのような都会では、注意散漫な歩行者や酔った歩行者に出くわすことも珍しくない。ふだんは注意深い歩行者でも、理解に苦しむような行動をとり、たまにちょっと歩道からはみ出してみたり、場合によっては挑発でもするように前に飛び出してきたりもする。

人口密集地域では、ドライバーと歩行者との協調は言葉によらない対話によるところが大きいのだが、これを自動運転車が理解・再現するのはきわめて難しい。アイコンタクトをする、手を振る、途中で足を止めてドライバーに見えているか確かめる、といったことで関係性が生まれる。ほかにもちょっとしたいろいろな行動がある種の言語を形づくっていて、道路を行くほぼすべての人たちがそれを理解している。このような暗黙の対話をうまくこなせるかとなると、現在のディープラーニングシステムの能力を超えてしまう可能性が高い。要するに、本当の意味での自律走行車の実現には、そのテクノロジーが汎用の機械知能の方向へ進む必要があるということで、それにはまだ長い時間がかかるだろう。

多くのアナリストの見解では、自律走行車が市街地を走るには多くの問題があるため、最初に一般道路に現れる実用的な無人運転車両は長距離トラックになるだろうとのことだ。実際に、高速道路上の運転にまつわる問題は、テスラのオートパイロットのようなシステムではすでにほぼ解決されている。市街地の交通量の多い交差点に比べると、高速道路では予想外のことが起きにくいのは確かだ。とはいえ、どの車もスピードが出ているし、そのなかを荷物を満載したトラックが途方もない運動エネルギーを持って走行するのだから、エラーが起きたときの被害は甚大なものになる。そしてもちろん、イーロン・マスクがいくら熱心に言いたてようが、テスラの運転席にドライバーが着いていない状態でオートパイロットシステムを作動させてかまわない、という認可が下りることは考えられない。こうした理由から、本物の無人トラックが日常的に一般の高速道路を走るようになるのは、かなり先のことになると思う。

ちょうどいま、ある小さな企業が向き合っている難題に、この分野全体にとっても重要な知見が含まれているのではないだろうか。二〇一七年初め、私はサンフランシスコにあるスタートアップ企業のスタースキー・ロボティクスを訪れ、同社のCEO兼共同創業者のステファン・セルツ＝アクスマッハーから説明を受けた。スタースキーが掲げるビジョンは、トラックが自律的に高速道路を長距離走行し、人間のオペレーターが遠隔操作でそれを監視するというシステムの構築だった。トラックがルート上の終点から出たりまた入ったりするとき、あるいはより複雑な状況に出くわしたときは、スタースキー本社のビデオゲームっぽいコンソールに着いた遠隔オペレーター――たいてい再訓練されたトラック運転手が務める――がセルラー接続でトラックを運転するのだ。

今後数年のうちに完全自律型無人トラックがアメリカの道路を走るようになる、とセルッ＝アクスマッハーは話していた。私はスタースキーの研究者チームとその技術には大いに感心したが、彼らが目標を実現できるかどうかは、特に規制面でのハードルの高さを考えると、はなはだ疑問に感じた。それでもセルッ＝アクスマッハーたちは私の予想を大きく上回った。二〇一八年に閉鎖された道路でのドライバーレストラックの走行に成功し、二〇一九年には自律走行車企業として初めて、安全確保のためのドライバーが乗り込まない完全自動運転のトラックを一般道路でテスト走行させるまでになった。

スタースキーはまた、きわめて革新的なビジネスモデルも採用していた。潤沢な資金を得て、自律走行を実現する技術を開発し、ライセンス販売をしようと目論むスタートアップ企業が増えているなか、スタースキーはそれと争うのではなく、トラック運送事業に直接参入し、そのシステムを利用して優位に立とうと決めた。自律走行技術の開発をトラック運送会社の日常業務に完全に組み込み、進化中のシステムを必要なときにだけ取り入れるという柔軟な姿勢で臨めば、短期的にも成功を収められると考えたのだ。

残念ながら、このビジョンを受け入れる投資家は結局現れず、つぎの段階で必要になるベンチャー資金を調達できないまま、スタースキーは二〇二〇年初めに事業の閉鎖を余儀なくされた。

セルツ＝アクスマッハーはその後に投稿した一連のブログ記事のなかで、この業界の進歩を妨げている主な難題の一つとしてディープラーニングの限界を挙げている。「教師あり機械学習は大々的に宣伝されるには値しないものだ」「現実の人工知能ではなく」「精巧なパターンマッチングのツールでしかない」[59]。つまり、あらゆる状況下で本当の自律走行を実現できる柔軟性を備え、なおかつ人間が遠隔で監視する必要のないシステムは、現在のディープラーニングシステムの能力を超えているために近い将来に出てきそうにはないということだ。

この業界が直面する難題がまだ十分に理解されていない、とセルツ＝アクスマッハーは感じている。近い将来、まとまった数の自動運転トラックを高速道路上で安全に走らせるチャンスがあったのに、投資家たちはそれを逃してしまった、とも。その一因は、他の競合するスタートアップ企業に見られるように、完全自律走行の確約やさらに進んだ機能にばかり焦点を当てながら、現実には配備できる目途すら立っていないことにあった。

自動運転車業界の前に立ちはだかる最大の難題が技術開発であることは言うまでもないが、一方でそうした車両を利用する将来のビジネスモデルについても、大きな疑問があると私は思う。自動運転車がビジネスに導入されるとしたら、ライドシェアリングサービスで使うのが自然だというのが一般の見方だ。ウーバーやその競合相手は、お客が乗るたびにかかるコストを埋め合わせるのに、ベンチャー資金か、最近では新規株式公開（ＩＰＯ）で得た資金に頼っている[60]。これでは先行きが不安なため、自動運転車が長期的な解決策になると広く見られているのだ。現在は運賃のおおよそ七〇～八〇パーセントを運転手が取っているので、その出費がなくなれば、企業の収益性もすんなりと上がるだろう。これが、ウーバーが自律走行車企業、特にウェイモを深刻な脅威と見なし、二〇一六年初めに自社の自動運転プログラムに多額の投資をしようと決めた最大の理由である。

自動運転技術がウーバーやリフトの救世主になると仮定した場合、問題になるのは、ウーバーとリフトが魅力的なインターネットベースのビジネスと見なされ、それに応じた評価を受けていることだ。ウーバーやリフトは主にデジタル仲介者の機能を果たし、利用客とドライバーを自動でマッチングさせるソフトを提供する見返りとして、すべての取引の何パーセントかの額を受け取っている。そのおかげでウーバーとリフトは、車両の所有、資金調達、メンテナンス、保険といったタクシー業のリスクや不快な面を全面的に避けて通れる。一切を運転手に押しつけられるのだ。ウーバーとリフトにはオイル交換も洗車も、タイヤのパンクなどの苦労もない。「クリーンな」インターネット料金をかき集めながら、面倒事からはおおむね逃れられている。

しかしドライバーを排除すれば、自ら車を所有・維持してくれる、ある意味で都合のいい存在を排除するということにもなる。車の自律走行が実現すると、ウーバーもリフトも膨大な数の車両を所有する事業に否応なく足を踏み入れるため、そこに伴う面倒な仕事や出費もすべて負担しなくてはならない。結果的にウーバーは、レンタカー業のハーツやエイビスとほとんど同一視されるようになる――こうしたレンタカー会社は「テック企業」という評価は受けていない。さらにいえば、ライドシェアリング会社が所有する車両は、ライダーシステムといった特殊な装置が必要になるため、はるかに高価なものになる。また新型コロナウイルスの蔓延を受けて、車両の念入りな清掃や除菌の励行がはるかに重視されるようになるかもしれない。これもいまの時点では、ドライバーにまかされているのが実情だ。

この先、自動運転車はどのように進化していくのか。これは技術の面からも、いずれ登場してくるビジネスモデルの面からも、魅力的な観察対象だろう。シリコンバレーには自動運転技術の開発やライセンス販売に注力するスタートアップ企業が数多くあるし、大手自動車メーカーもほぼ例外なくこの分野にある程度の投資を行っている。こうした取り組みのどれかからディスラプティブなブレイクスルーが起こるのかもしれないが、私の考えるより興味深いシナリオはまた別のところにある。ウェイモとテスラがとる戦略の差がどんどん広がっていくこと、この二社間の競争が今後どのように展開していくかということだ。

グーグルは二〇〇九年に自動運転車プログラムを開始したが、ウェイモはその直系の後継企業で、ほかのどの会社より豊富な経験を持ち、一般には業界のリーダーと目されている。実際にお客を無人の車に乗せて料金を取るという自動運転車サービスを提供している唯一の企業だ。このサービスは「ウェイモ・ワン」というが、いまのところフェニックス郊外の入念にマッピングされた、「ジオフェンス」という仮想境界に囲まれている地域のなかで、しかもあらかじめ決められたルートでのみ利用できる。ここでは道路は広く、天候は安定して予測しやすく、歩行者もまばらにしかいない。要するにこのサービスは、サンフランシスコやマンハッタンでウーバーを呼んで好きな場所に行くのとはほど遠いものだ。

とはいえ、ウェイモ・ワンはすばらしい成果といえるし、近未来の自動運転車サービスがどういった形をとるかをおおよそ示すものだろう。管理の行き届いたあまり難しすぎないエリアの、指定された停留所をつなぐ指定されたルートを走るということだ。もちろんここでも、そんなに限定された運営でどうやって収益を上げるのかという疑問は否めない。人間が運転するウーバーやリフトというはるかに融通のきくドアツードアのサービスがあるのに、完全自律走行車（しかもきわめて高価な車両）を選んでもらうには、どこまで料金を下げればいいのか。

ウェイモがごく慎重に、見事なまでに注意深く進もうとしているのに対し、テスラはたえず限界に挑戦していて、この業界の人間たちがほとんど無謀ではないかと感じる領域にまでしばしば踏み込んでいく。たとえばテスラ車のオーナーたちに、あなたの車には完全自律走行の支援に必要なハードウェアが残らず備わっていて、いずれはソフトウェアアップデートでその機能が使用できるようになる、と伝えている。これはとてつもなく野心的な確約だ。テスラはさらに、ウェイモをはじめ業界のほぼすべての企業と袂を分かち、ライダーを採用しないという独自路線をとった。ライダーとはレーザーを照射して反射光を検出することで車の周囲の物体を追跡するシステムだが、高価なうえに、少なくとも現時点ではひどい代物だ。テスラだけが、カメラとレーダーのみに頼って完全自律走行を実現できると考えている。

前にも書いたように、テスラには車に搭載された複数のカメラが収集するデータという大きな優位性がある。ウェイモが保有する自動運転車のフリートはおよそ六〇〇台。対してテスラは、四〇万台以上の自動運転車を走らせてデータを集めている。ウェイモの車両の走行実績は、実際の道路では数百万キロ、シミュレーションで数十億キロ。[61] テスラの車両は、オートパイロットシステムの制御の下、実世界の道路を数十億キロ走行している。現実の道路で収集されたこのデータはあきらかなアドバンテージだが、最終的な成功は、人工知能にそのリソースを十分に活用できる能力があるかどうかにかかっている。現在のディープラーニングの技術がそのタスクに耐えうるのかどうか、私はかなり疑問に思う。

もう一つ重要なのは、この業界が最終的にどのレベルの自律性を提供するのかという問題だ。自律走行システムは五つのカテゴリーに分かれる。レベル1〜3は補助的な性質のシステムを示す。限定された状況下、たとえば高速道路での走行なら、車が自動運転することができるが、ドライバーはつねに注意を怠らず、すぐに車をコントロールできるようにしておく必要がある。テスラをはじめ大部分の自動車メーカーは、この範囲の機能を提供することに的をしぼっている。

問題なのは、システムがだいたいいつも正しく動作するせいで、どうしてもドライバーが不注意になってしまうことだ。たとえば、テスラの多くのドライバーから聞いた話だが、彼らはシリコンバレーのフリーウェイのカープール・レーン（優先レーン）でオートパイロット機能を使いながら、いつもスマホでメールの返信をしているという。この種の行為はすでに死亡事故につながっている。日常繰り返される長時間運転のあいだ、どうすれば車の側が強制的にドライバーに注意を向けさせられるのか、この点はクリアになっていない。自動運転システムの最大のセールスポイントの一つは、全世界で毎年一三〇万人以上が交通事故で死亡している現状をいつの日か劇的に改善できるという展望にある。[62] 単なる補助的なシステムにまで固有の危険がつきまとっているとしたら、死亡者の数をぐっと押し下げるところまでは行かないかもしれない。

そうした理由からウェイモは、この分野に進出した他の多くの小規模なスタートアップ企業とともに、レベル4と5の自律走行のみを対象とすることに決めた。これはつまり、自動運転中に人間が眠っていてもかまわないというレベルだ。それどころか、ブレーキペダルやハンドルもなくなるかもしれない。ここでもまた、テスラはひどく異端的な位置にいる。わが社とウェイモの方向性の差は埋められる、ソフトウェアアップデートによってテスラ車の自律性をレベル2からレベル4へあっという間にアップグレードすることができると主張しているのだから、控えめにいってもすごい話だ。そんなものはまったくのでたらめだ、ただの空想の産物だと言う人も多いだろう。もしテスラがこれをすぐに達成できたとしたら、私もまちがいなく驚く。だがもし本当に実現できれば、テスラはこの業界のまぎれもないリーダーの地位につくことになるだろう。実際のところ、そうした期待が多かれ少なかれ、テスラの株価には反映されているのではないか。

イーロン・マスクをはじめテスラの経営陣が、完全自律走行の実現のためにあれこれ考えを尽くしているのはまちがいない。技術面のみならず、ビジネスモデルの問題にも解答といえそうなものを出してきた。マスクは二〇一九年のオートノミー・デイのイベントで、テスラの運営するロボタクシーのサービスに、テスラ車のオーナーが参加できるという構想について説明した。この場合テスラは、アップルがアップストアから収益を得るのと同じ形で、ライドシェアリング料金の一部を得ることになる。

この提案で興味深いのは、いずれウーバーやリフトのような企業を悩ませることになりそうな所有やメンテナンスの問題を解決している点だ。純粋なインターネットの仲介者としての役割を果たす一方で、自動車を所有するという義務を回避できる方法を、テスラは見つけたのかもしれない。テスラのオーナーが自分の車に知らない誰かを乗せるのを望まなくても、もしこの計画に見込みがあるとなったら、テスラ車を自家用車としてではなく、ビジネス上の投資目的で買おうとする顧客は増えるだろう。

自動運転車はいずれ、人工知能革命のなかで最も具体的で重要なものの一つとなる。それはほぼまちがいない。このテクノロジーは何千何万人もの命を救うのと同時に、私たちの住む都市とライフスタイルをともに作り変える可能性を秘めている。しかし、このテクノロジーが本当に実現するには一〇年以上待たなくてはならないと私は思う。ＡＩ革命のあきらかな証が最初に現れるのはそれ以外の分野、たとえば倉庫やオフィス、小売店など、技術的な課題がより管理しやすく、環境がより制御しやすく、テクノロジーが政府の規制を受けにくく、エラーの結果がはるかに悲惨ではない分野になるだろう。だがそれでも、テスラのただ一度のソフトウェアアップデートで、私のまちがいが証明されるということもありうる。そう考えるだけで、胸が高鳴ってしまう。

イノベーションの停滞を吹き飛ばす――化学分野の研究

「テクノプティミスト（技術革新信者）」と呼ばれる人たちのあいだで、当然のように受けとめられていることがある。私たちはいま、テクノロジーが加速的に進歩する驚くべき時代に生きている。そのイノベーションの速度は空前無比の、指数関数的なものであるという。なかでも熱狂的な人たちの多くは、こうした考えを「収穫加速の法則」という形にまとめたレイ・カーツワイルの信奉者だ。今後一〇〇年間で私たちは、歴史的基準でいえば「二万年以上の進歩」に当たるものを経験することになる——彼らはそう確信しているのだ。[63]

ところが細かく見ていけば、加速はたしかに現実としてあるが、その驚異的な進歩は情報通信技術の分野にほぼ限られているのがわかる。指数関数うんぬんは、実際にはムーアの法則と、ムーアの法則によって実現する、より高性能なソフトウェアに限られた話だ。この分野以外の、ビットではなく原子(アトム)から成り立っている世界では、これまでの半世紀ほどの様相はまるでちがっている。交通、エネルギー、住宅、物理的な公共インフラ、農業といった分野でのイノベーションの速さは、指数関数にほど遠いどころか、停滞していると言ったほうがよさそうだ。

容赦なく進むイノベーションによって定義される人生とはどんなものか。それを知りたければ、一八〇〇年代の末に生まれ、一九五〇〜六〇年代まで生きた人たちのことを想像してみるといい。そんな人物は、社会全体で想像を絶するような規模のシステム転換が起きるのを目の当たりにしたことだろう。都市に清潔な水を供給し下水を処理するインフラ。自動車、飛行機、ジェット推進、そして宇宙時代の到来。電力の普及によって可能になった照明、ラジオ、テレビ、家庭用電化製品。抗生物質に大量生産のワクチン。この間にアメリカでは五〇歳以下だった平均寿命が七〇歳近くにまで延びた。

対照的に、一九六〇年代に生まれた人物は、パソコンやその後のインターネット出現は見てきただろう。しかしそれ以外の、六〇年以前の数十年間に世界をすっかり作り変えた分野でのイノベーションは、六〇年以降はほぼすべて、せいぜい段階的な前進という程度のものだった。たとえば、いま乗っている自動車と一九五〇年ごろの自動車に違いがあったとしても、一九五〇年の自動車と一八九〇年の交通手段の差とは比べものにならない。それと同じことが、現代生活のほぼあらゆる面にわたって存在するその他のテクノロジーにも当てはまるのだ。

「空飛ぶ車を期待していたら、手に入ったのは一四〇字だった」――このピーター・ティールの皮肉な言葉が示すとおり、コンピュータやインターネットが目覚ましい進歩を遂げたからというだけで、過去数十年間に見られたような広範な進歩が続いていくという期待が叶えられるわけではない。

情報技術の成長がいくら加速しつづけようと、私たちが生きてきたのは相対的な停滞の時代である――そうした議論について、以下の二人の経済学者がくわしく語っている。二〇一一年に*The Great Stagnation*（邦題『大停滞』）を出版したタイラー・コーエン[64]、そして二〇一六年出版の*The Rise and Fall of American Growth*（邦題『アメリカ経済――成長の終焉』）でアメリカの未来をきわめて悲観的に描いたロバート・ゴードンだ[65]。どちらの本でも重要な論点となるのは、イノベーションという低い枝にぶら下がった果実は、一九七〇年ごろにほとんど収穫済みだったということだ。その結果、私たちはいま、イノベーションという木の高い枝になかなか手が届かない技術的停滞の時期にいる。コーエンのほうは、いずれその停滞状態からは抜け出せると楽観視しているが、ゴードンはまったくちがう。実は木の高いほうの枝も枯れてしまっているのではないか、私たちの偉大な発明の時代は過去のものになってしまったのではないかというのだ。

ゴードンの見方はさすがに悲観的すぎるように思うが、それでも多くの証拠が示すとおり、幅広い分野にわたって新たなアイデアの創出が滞っていることは確かだ。二〇二〇年四月にスタンフォード大学とマサチューセッツ工科大学の経済学者チームが発表した論文では、さまざまな業界で研究の生産性が急激に低下していることがわかった。その分析によると、アメリカの研究者がイノベーションを創出する効率性は「一三年ごとに半減する」、つまり「新たなアイデアを見つけるのがどんどん難しくなっているいま、アメリカが一人あたりＧＤＰのコンスタントな成長を維持するには、一三年ごとに研究成果の量を倍増させることで生産性の低下を相殺しなければならない[66]」という。「どこに目を向けても、アイデアが、そしてアイデアに伴う指数関数的な成長が見つかりにくくなっていることがわかる[67]」

注目すべきなのは、これと同じ現象が、ずっと一貫して指数関数的な進歩を遂げてきたある分野にまで及んでいることだ。ムーアの法則は「半導体チップの密度が倍になるという有名な経験則」だが、「そうなるために必要な研究者の数が、現在では一九七〇年代初めのころの一八倍になっている」ことを研究者たちが突き止めた[68]。これについて何かいえるとしたら、研究の最前線を突き進もうとする前に、まず最新の状況がどうなっているかを理解する必要があるということだろう。そのためには科学のほぼあらゆる分野で、以前よりもずっと多くの知識を吸収しなくてはならない。その結果、いまイノベーションを起こすには、高度な専門性を備えた研究者たちがはるかに大勢集まる必要が出てきているが、そうした全員の仕事を調整するのは、少人数のグループの場合よりも当然難しい。

それ以外にもたしかに、イノベーションの鈍化につながりそうな要因は数多くある。物理の法則に従うなら、すぐに手の届きそうなイノベーションがどの分野にも均一に分布することはありえない。航空宇宙工学にムーアの法則が当てはまらないのは当たり前だ。多くの分野で、つぎのイノベーションという果実のかたまりに手が届くには、大きな飛躍が必要になることもある。政府による過剰な規制や非効率的な規制もまちがいなく影響するだろうし、いまの企業世界にはびこる短期成果主義もある。研究開発に長期的投資を行うことは、四半期ごとの収益報告への執着、役員報酬に直結する短期的な株価の値動きなどとはまま相容れないのだ。

それでも、状況が複雑さを増し、情報が爆発的に増えるなかを歩んでいかなくてはならないせいで、イノベーションの速度が抑えられているとしたら、人工知能がその技術的停滞から抜け出すための最強のツールになってくれるかもしれない。これこそがユビキタスな公益サービスへと進化しつづけるＡＩにとって、最も重要なチャンスといえるだろう。長い目で見るなら、私たち人間がずっと繁栄を続け、目の前にある既知の難題や予想外の難題を解決していくためには、人間の変革する力、新たなアイデアを生み出す力を高めることが何にもまして重要だ。

科学研究における人工知能、特にディープラーニングの応用例のなかで、短期的に最も見込みがありそうなのは、新しい化学物質の発見ではないか。ディープマインドの〈アルファ碁〉のシステムは、実質的に無限に広がるゲーム空間に立ち向かっている――碁盤上の石の配置の数は宇宙全体にある原子の数を上回るのだ。それと同様に、考えうるすべての分子配列を包含している

「化学的空間」も、実質的には無限といえる。この空間のなかで役に立つ分子を探すには、おそろしく複雑な多次元的探索が必要になる。分子構造の三次元的な大きさや形状のほか、極性、溶解性、毒性などの関連特性を含むさまざまな要素を考慮しなくてはならない[69]。化学者や材料科学者にとって、たくさんの候補をスクリーニングするのは、実験による試行錯誤が繰り返される手間のかかる作業だ。本当に有用な新しい化学物質を見つけようとするうちに、キャリアの大半が費やされてしまいかねない。

たとえば、私たちの身の回りの機器や電気自動車にも広く使われているリチウムイオン電池は、一九七〇年代に始まった研究から生まれたが、技術的に商業化できたのはやっと九〇年代になってからだった。こうしたプロセスも人工知能を使えば大幅に加速できる見込みがある。新しい分子の研究はいろいろな点で、ディープラーニングにうってつけといえる。有用性が知られているなんらかの分子の特性や、場合によってはその分子の構成や相互作用を司るルールに合わせて、アルゴリズムを学習させることができるからだ[70]。

これは一見、応用の範囲としては狭いものに思えるかもしれない。しかし有用な化学物質を新たに見つけようとする試みは、イノベーションのほぼすべての領域に関わってくるものだ。このプロセスが加速されることで、機械類やインフラに用いられる革新的な高張力材、より高性能な電池や光導電セルに使用される反応性物質、汚染を軽減するフィルターや吸収材、そして医療に革命をもたらす可能性のあるさまざまな新薬などが期待できるようになる。

大学の研究室もスタートアップ企業も、機械学習技術には熱心に取り組み、すでにＡＩを基盤とした強力なアプローチで重要なブレイクスルーを生み出している。二〇一九年一〇月、オランダのデルフト工科大学の科学者たちは、実際に研究所で実験をするまでもなく、機械学習アルゴリズムを使うだけでまったく新しい物質を作り出すことができたと発表した。この新物質は強度と耐久性に優れているだけでなく、ある一定以上の力が加わると超圧縮される。つまり元々のかさの数分の一にぎゅっと縮められるということだ。プロジェクトの主任研究者ミゲル・ベッサによると、このような特性を持つ未来の材料を使えば、いつか「自転車、ディナーテーブル、傘などの日常的なものが折りたたんでポケットに入れられるようになるだろう」という。[71]

こうした取り組みでは、研究者たちが人工知能に深い造詣を持っていなくてはならないのが普通だ。しかし新しい化学物質の発見を加速させるために、より手軽に使えるAIベースのツールを開発している大学もある。たとえばコーネル大学の研究チームは「SARA(Scientific Autonomous Reasoning Agent)」というプロジェクトに取り組んでいて、これによって「新材料の発見と開発を、段違いの速さと規模で促進する」ことができると期待を寄せる。[72] また、テキサスA&M大学の研究者たちも、未知の物質を自動的に探索できるソフトウェアプラットフォームを開発中だ。[73] どちらのプロジェクトも、特にどんな新技術が現れるか興味津々の米国防総省から一部、出資を受けている。

アマゾンやグーグルが提供するクラウドベースのディープラーニングツールのおかげで、多くのビジネスアプリケーションに機械学習が民主的に取り入れられるようになっているが、同様にこれらのツールも、専門的科学研究のさまざまな分野で同じことを実現しようとしている。そうなれば化学や材料科学といった分野の訓練を受けた科学者が、まず最初に機械学習について深く学ぶような必要もなく、ＡＩの持つ力を利用できるだろう。つまり人工知能は、これまでよりはるかに創造的で的をしぼった使い方のできる、身近な公益サービスへと進化しつつあるのだ。

さらに野心的なアプローチとしては、化学物質の発見に特化したＡＩベースのソフトウェアと、研究所で物理的な実験ができるロボットとを統合するというものもある。この方向の研究を推し進めているのが、マサチューセッツ州ケンブリッジを本拠にするケボティックスだ。名門ハーバード大学の材料科学研究室から独立したスタートアップ企業だが、自らが「世界初の新材料発見のための自動運転ラボ」と呼ぶものを開発した。このロボットは自動で実験を実施し、ピペットのような実験器具を操作して液体を移したり混ぜ合わせたり、化学分析を行う機械を使ったりできる。そして実験結果は人工知能のアルゴリズムで分析され、つぎにＡＩはどういう方針をとるのがベストかを予測して、また実験を開始する。こうした反復し自己改善へ向かうプロセスが、有用な新物質の発見を大幅に加速する、というわけだ。[74]

化学と人工知能が交差する場所で、最も刺激的で投資もたっぷり受けている分野としては、新薬の発見および開発が挙げられる。ある記事によると、二〇二〇年四月の時点で、ＡＩを使って新しい医薬品の発見に注力しているスタートアップ企業は少なく見積もっても二三〇社あるという。[75] スタンフォード大学の教授で、オンライン教育の企業コーセラの共同創業者ダフニー・コラーは、生物学・生化学への機械学習の応用では世界トップクラスの専門家だ。コラーは現在、二〇一八年に創業したシリコンバレーのスタートアップ企業インシトロの創業者兼ＣＥＯとして、機械学習を用いた新薬開発のために一億ドル超の資金を調達している。だがアメリカ経済全体を悩ませているイノベーションの広範な鈍化は、特に製薬業界では顕著に現れているという。コラーは私にこう語った。

問題なのは、新薬の開発がますます困難になってきていることです。臨床試験の成功率は一桁台半ばだし、新薬一つを開発するための税引き前研究開発費用は（失敗を考慮に入れた場合で）二五億ドル超と推定されています。医薬品開発投資の回収率は年々右肩下がりに低下し、二〇二〇年までにはゼロになるという分析結果もある。この現象の原因を一つ挙げるなら、医薬品の新たな開発自体がどんどん難しくなっていることです。多くの（おそらくほとんどの）「低い枝にぶら下がった果実」、つまり多くの人たちに有意な効果のある創薬候補はすでに発見されている。だとすれば、医薬品開発のつぎのフェーズでは、より専門化された薬、つまり効果が特定の場合に限られ、一部の患者にのみ適用される薬に的をしぼる必要があるでしょう[76]。

インシトロや競合他社が掲げるビジョンは、人工知能を使って有望な医薬品の候補をすばやく分離し、開発費を大幅に削減するというものだ。コラーによれば、新薬の発見は「いくつもの分かれ道がある長い旅」で、「九九パーセントの道はいずれ行き止まりになる」。もし人工知能が「多少なりとも正確な羅針盤」を提供してくれるとしたら、「このプロセスの成功確率がどう変わるか想像してみてほしい」という。[77]

こうしたアプローチはすでに利益をもたらしつつある。二〇二〇年二月、MITの研究者チームが、ディープラーニングを用いて新しい強力な抗生物質を発見したと発表した。この研究者たちが構築したAIシステムは、数日間で一億超の化学物質候補をスクリーニングすることができたという。当の新しい抗生物質は、『2001年宇宙の旅』に登場する人工知能システム「HAL」にちなんで「ハリシン」と名づけられたが、テストに使ったほぼあらゆる種類の細菌、それも既存の薬剤に耐性のあるものまで殺せることがわかった。[78] これはきわめて価値のある発見だった。医学界はこれまでも薬剤耐性菌、つまり既存の薬への適応力を備えた、すでに多くの病院を悩ませている「スーパーバグ」のような細菌がもたらす危機に警鐘を鳴らしてきたからだ。

新しい抗生物質の開発は費用が高くつき、利益率が相対的に低くなるせいで、いまはほとんど行われていない。厳密でお金のかかるテスト、当局による承認プロセスを経て生まれた新薬も、大方は既存の抗生物質から派生したものだ。それに対し、ハリシンはまったく新しいやり方で細菌を攻撃するように見える。また抗生物質は時間がたつと、菌の変異によって効力が薄れていくことが多いのだが、ハリシンのメカニズムはとりわけその変異への耐性を持つのではないかと考えられる。これはつまり、人工知能が、有意義なイノベーションに不可欠だとよく言われる、ある種の「既成概念にとらわれない」探究心に基づく解答を生み出したということだ。

同じく二〇二〇年初頭に発表されたもう一つの画期的な薬は、イギリスを本拠とするスタートアップ企業のエクセンシアから生まれた。機械学習を用いて強迫性障害を治療するための新薬を発見したのだ。同社によると、このプロジェクトの初期開発に要したのはわずか一年という、従来の手法の五分の一程度の期間だった。AIが発見した医薬品としては初めて臨床試験に入ったとエクセンシアは主張している[79]。

第1章でも見たように、人工知能の生化学研究への応用で特に注目すべき成果は、二〇二〇年一一月に発表されたディープマインドの、タンパク質の折りたたみにおけるブレイクスルーだった。ディープマインドは何か特定の薬剤を発見しようとするのではなく、より根本的なレベルでの理解を得るために、自分たちの技術を活用したのだ。二〇一八年末、ディープマインドは〈アルファフォールド〉システムの初期バージョンを「タンパク質構造予測精密評価（CASP）」という二年に一度の世界的コンテストに参加させた。世界中のチームが集まり、コンピュータによる計算と人間の直感の両方を基盤とするさまざまな手法を用いて、タンパク質がどう折りたたまれるか予測するのが趣旨である。

この二〇一八年のコンテストで、〈アルファフォールド〉は大差をつけて優勝したものの、四三通りある適切なタンパク質配列のうち、正しく予測できたのは二五だけだった。つまり、この予備的なバージョンの〈アルファフォールド〉には、研究ツールとして本当に役立つほどの精度はまだ備わっていなかった[80]。その後ディープマインドは技術の改良を進め、わずか二年後に、これでタンパク質の折りたたみ問題は「解決した」と多くの学者から称えられるまでになった。この事実は今後、人工知能の適切な応用がいかに速く進んでいくかを雄弁に物語る例だと思う。

そうした人工知能の科学研究への応用例で、機械学習による新薬その他の化学化合物の発見以外に最も有望なのは、たえまなく激増しつづける研究発表の内容を吸収・把握する作業ではないか。二〇一八年だけで四万強の科学雑誌に、三〇〇万強の論文が発表されている。[81]これだけの規模の情報を理解するのは、一人の人間の頭脳ではとうてい不可能だ。したがって人工知能は、私たちが使えるなかではまちがいなく、なんらかの包括的な理解をもたらすことのできる唯一のツールだろう。

最新のディープラーニングを基盤とした自然言語処理システムが、情報を抽出したり、複数の研究調査から陰に隠れたパターンを特定したり、そのままでは不明瞭ないくつかの概念を大まかに結びつけたりするために活用されている。この分野ではいままでも、IBM〈ワトソン〉の技術が重要な役割を果たしている。もう一つのプロジェクトが、シアトルを拠点とするアレン人工知能研究所が二〇一五年に開始した「セマンティック・スカラー」だ。セマンティック・スカラーはほぼすべての科学分野にわたって発表された一億八六〇〇万件超の研究論文を対象とするAIベースの検索と情報抽出サービスを提供している。[82]

二〇二〇年三月にアレン研究所は、マイクロソフト、米国国立医学図書館、ホワイトハウス科学技術政策局、アマゾンのAWS部門などを含むコンソーシアムと共同で、新型コロナウイルス感染症関連の科学論文を検索できるデータベース「COVID-19オープン・リサーチ・データセット」を構築した。[83]科学者や医療従事者はこのテクノロジーを利用して、ウイルスの生化学、疫学モデル、感染症の治療など幅広い科学分野での疑問にどんな答えがあるかを簡単に探せるようになった。二〇二一年四月の時点で、このデータベースには二八万以上の科学論文が収録され、科学者や医師に頻繁に活用されている。[84]

このような取り組みが、新たなアイデアの創出を加速させるのに不可欠なツールとなる可能性は大いにある。それでもまだテクノロジーとしては初期段階で、本当の意味で進歩した形になるには、より汎用性の高い機械知能へ向かうまでにハードルをいくつも越える必要があるだろう（この汎用人工知能については第5章で取り上げる）。そうした本当に強力なシステムが、科学者の研究アシスタントという役割へ進出してきて、本物の話し相手になったり、気軽にアイデアを出したり、新しい方向性を積極的に示したりする——そんな場面を想像するのはたやすい。

それでも、最終的に何ができるのかについては、慎重かつ現実的な見方を保つことが大事だろう。いまの状況から、人工知能がイノベーションを一気に加速させる万能薬になる、結果が得られるまでの時間がどんどん短縮されていく、などとはまだ言えない。結局のところ、科学の根底にあるのは実験だし、実験をしてその結果を評価するには時間がかかる。ただ場合によっては、実験用ロボットを使ったり、シミュレーションされた環境で高速の実験を行ったりすることで、実際に科学的手法を加速させることも可能だろう。

しかし医学や生物学の分野では、生身の体を使って実験をしなくてはならないことが多く、その場合、プロセスを大幅にスピードアップできる可能性はごく限られてしまう。現在も進行中の新型コロナウイルスワクチンの開発には、そうした現実がくっきり表れている。研究者たちはウイルスの遺伝子コードを入手してから数週間以内にはワクチンの候補を作ることができた。それから実用可能なワクチンができるまで長く待たされた理由は、動物と人間の両方で大規模なテストを行わねばならないこと、その後も何十億回もの接種のためにワクチン製造能力を増強する必要があること、ほぼこの二つに尽きる。実際のところ、仮に本当の意味で進化した、ＳＦレベルの人工知能を使えたとしても、その技術によって大幅に短縮された時間枠のなかでワクチンを提供できるかどうかはまったく定かでない。

人工知能が近いうちに人間の寿命を飛躍的に延ばす、というカーツワイル派の持論に私が懐疑的なのは、この点が理由の一つにある。仮にＡＩがこの分野で実際に役に立ち、何か新しい強力なアイデアが生み出されたにしろ、結果として生まれた治療法の安全性と効能性をそれほど短い期間でどうやってテストするのか。通常なら明確な結果が出るまで何年も、あるいは何十年も待つ必要があるのだ。たしかに、新しい薬や治療法の承認手続きを簡略化しようとする規制改革の機運は高まっている。だが結局、どんなに知的で創造的な科学者でも、自分のアイデアの正しさを裏づけるためには実験の結果を待たなくてはならないことに変わりはない。

この章では、人工知能の最も重要で興味深い応用例をざっと紹介するとともに、人工知能が短期的にディスラプティブな影響を与えそうな分野、まだしばらく時間がかかりそうな分野をひととおり眺めてきた。もちろんすべて網羅できているわけではまったくない。人工知能はいずれほぼすべての分野に触れ、変化させるだろう。

人工知能が電気のような公益サービスへ急速に進化しつつあるという見方は、このテクノロジーが広がっていく可能性と、その変革力の性質を的確に捉えている。だが電気と比べると、人工知能はより複雑で動的な技術だ。そして継続的に改良されながら、たえず変化する数限りない機能を提供しつづけるだろう。この新しい公益サービスの本当の可能性を理解するには、人工知能の科学と歴史を掘り下げ、この分野がどのように進化しつつあるのか、目前の課題は何か、どんなアイデアが競合しながらテクノロジーを形づくり進歩させていくのかを観察する必要がある。そうした話題をつぎの二つの章で取り上げていこう。

第4章　インテリジェントマシン構築の試み

A・M・チューリング賞は一般に、コンピュータ分野のノーベル賞とされている。伝説的数学者にして計算機科学者であるアラン・チューリングの名にちなんだこの賞は、計算機協会（ACM）が毎年、同分野の地位向上にキャリアを捧げてきた人物の最上の功績を称えるためのものだ。そしてノーベル賞と同じように一〇〇万ドルの賞金が出るが、そのスポンサーはグーグルである。二〇一九年六月、二〇一八年度のチューリング賞がジェフリー・ヒントン、ヤン・ルカン、ヨシュア・ベンジオの三氏に授与された。ディープニューラルネットワークの発展に生涯をかけて貢献してきたことが授賞理由だ。このテクノロジーはディープラーニングとも呼ばれ、過去一〇年間に人工知能の分野に革命を起こし、少し前ならSFだろうとしか思われなかったほどの進歩をもたらしてきた。

テスラ車のドライバーはほとんどいつも、自動運転で一般道路を走っている。グーグル翻訳はたいていの人が聞いたことのない言語からでもすぐに意味のわかるテキストを作り出すし、マイクロソフトなどの企業は中国語で話された言葉を一瞬で英語に変換するリアルタイム機械翻訳を発表している。子どもたちはアマゾンのアレクサと対話するのが当たり前の世界で育ち、親たちはそんな日常が健全なものかどうかを案じる。こうしたすべてに加え、ほかにも数えきれないほどの進歩を生み出しているのが、ディープニューラルネットワークなのだ。

ディープラーニングの根底をなす基本アイデアは、数十年前からすでにあった。一九五〇年代末、コーネル大学の心理学者フランク・ローゼンブラットが「パーセプトロン」なるものを考案した。人間の脳のニューロンと同様の原理で働く電子装置である。ローゼンブラットは、このパーセプトロンでできた簡単なネットワークを訓練すると、数字の画像を判読するなどの基本的なパターン認識のタスクをさせられるようになることを示してみせた。

ローゼンブラットによる初期のニューラルネットワークへの取り組みは熱狂を巻き起こしたものの、それ以降は大きな進展が見られず、やがてほかのアプローチに押されて影が薄くなってしまった。ニューラルネットワークに取り組みつづけた研究者も、二〇一八年度のチューリング賞を受賞した三人を含め、ごく少数だった。そしてコンピュータ科学者たちからは、この技術は時代に取り残された淀みだ、キャリアの行き止まりだ、と見られるようになっていた。

すべてが一変したのは二〇一二年だった。トロント大学のジェフリー・ヒントンの研究室から一つのチームがイメージネット・チャレンジに参加した。この毎年恒例のイベントには世界中の一流大学や一流企業から数々のチームが集まり、膨大な写真のデータベースから選ばれた画像を正しくラベル付けするためのアルゴリズムの設計を競っている。このとき、他のチームがそろって従来どおりのコンピュータプログラミング技術を使うのを尻目に、ヒントンのチームは「深い」（多層という意味）ニューラルネットワークを大量の画像で訓練したものを投入した。トロント大学のチームはこのコンテストをぶっちぎりで勝ち、世界はディープラーニングの可能性に目を開かれることになった。

それからというもの、ほぼすべての主要テック企業がディープラーニングに大規模な投資を行うようになった。グーグル、フェイスブック、アマゾン、マイクロソフトに加え、中国のハイテク企業バイドゥ、テンセント（騰訊）、アリババ（阿里巴巴）もディープラーニングを自社の製品や業務、ビジネスモデルの中核に据えている。コンピュータハードウェア業界も変革を迫られ、エヌビディアやインテルなどの企業が競ってニューラルネットワークの性能を最大化するコンピュータチップを開発している。限りある人材を求めて各企業が争った結果、いまやディープラーニングの専門家は七桁に及ぶ報酬を受け取り、スポーツ界のスター選手のような扱いだ。

ここ一〇年の人工知能の発展は、空前ともいうべき並外れたものだったが、この進歩の動因は主として、コンピュータハードウェアの速度がどんどん上がり、その上で動くニューラルラーニングアルゴリズムによって処理できるデータ量が猛烈な勢いで増えたことにある。しかしＡＩの専門家たちのあいだでは、いまのアプローチでは頭打ちになる、今後もずっと進歩していくにはまったく新たなアイデアをこの技術に注入しなくてはならない、という見方が強まっている。本書はＡＩの起こりうる未来を掘り下げていくものだが、その前にＡＩがいったいどのように始まったのか、この分野がどんな道のりをたどってここまで来たのか、ここ数年で革命的な進歩を遂げたディープラーニングシステムが実際にどういう仕組みになっているのか、といった点をざっと眺めてみよう。

これから見ていくように、人工知能の研究はその黎明期から、スマートマシンを作るためのまったく異なる二つのアプローチが競い合う形で続いてきた。この二つの学派をめぐる緊張がいま再び前面に現れている。そしておそらく今後の何年か、あるいは何十年にもわたってこの分野の発展の方向を規定していくだろう。

機械は思考できるか

人間のように思考・行動する能力を持った機械は、電子計算機（コンピュータ）が発明されるずっと以前から想像の世界には存在していた。一八六三年に英国人作家サミュエル・バトラーは、ニュージーランドのクライストチャーチにある地方新聞の編集者に宛てて一通の手紙を出した。「機械に囲まれたダーウィン」と題されたその手紙には、「生命を持った機械」のことが書かれ、その機械がいつの日か人間と同じように、あるいは人間に取って代わるまでに進化するかもしれない、とあった。バトラーは、いま生まれつつある機械という種に対してただちに戦争を起こそうと呼びかけ、「あらゆる種類の機械は破壊されるべし」と宣言していた。[1]

一八六三年当時の情報技術の状況からすると、この懸念はいささか時期尚早にも思えるが、これに類するストーリーはその後も繰り返し描かれてきた。ごく最近の例が映画の『ターミネーター』や『マトリックス』だ。またバトラーの不安はＳＦに限られた話でもない。最近のＡＩの進歩ぶりを前に、イーロン・マスクや故スティーヴン・ホーキングといった著名人が、一五〇年以上前にバトラーが案じたのと驚くほどよく似たシナリオが現実になると警告している。

人工知能が本格的な研究分野となったのが正確にはいつだったのか。この点については意見が分かれる。一つの起源と言えそうなのは一九五〇年だろう。この年、天才数学者アラン・チューリングが「計算する機械と知性」と題する科学論文を発表し、「機械は考えることができるか」という問いを発した。[2] 論文のなかでチューリングは、パーティゲームをもとにしたあるテストを考案している。このテストは、機械が本当の意味で知的になりうるのかどうかを判断する方法として、いまでもごく頻繁に引用されるものだ。

一九一二年にロンドンで生まれたチューリングは、計算理論とアルゴリズムの性質について画期的な研究を行ったことで、一般にはコンピュータ科学の父と見なされている。チューリング最大の功績は、ケンブリッジ大学を卒業してわずか二年後の一九三六年に、「万能チューリングマシン」と今日呼ばれているものの数学的原理を示してみせたことだ――これ以降作られた現実のコンピュータはすべて、基本的にはこのチューリングマシンのコンセプトを設計図にしたものである。チューリングはあきらかにコンピュータ時代の幕開けのときから、電算(コンピュテーション)の論理的な、そしておそらく必然的な延長線上に来るのが機械知能であることを知っていた。

「人工知能（artificial intelligence）」は、当時ダートマス大学の若い数学教授だったジョン・マッカーシーの造語だ。一九五六年の夏にマッカーシーは、ニューハンプシャー州にある同大学のキャンパスで開かれた「人工知能に関するダートマス・サマーリサーチ・プロジェクト」の準備に関わった。二カ月間にわたる会議には、新たに生まれようとするこの分野を牽引する一流科学者たちが招待された。会議が掲げる目標は野心的で、楽観的な展望にあふれていた。会議の企画書には「機械が言語を使用する、抽象的概念を形づくる、いまは人間にまかされているような問題を解決する、おのれ自身を向上させる、などを実現できる方法を発見しようとする試み」とあり、主催者は「選りすぐりの科学者たちのグループがひと夏ともに取り組めば、これらの問題の一つかそれ以上で重要な進歩を遂げることができる」はずだと宣言した。[3] 会議の出席者には、その後マッカーシーとともに世界で最も著名なＡＩ研究者となり、ＭＩＴのコンピュータ科学・人工知能研究所を設立したマーヴィン・ミンスキー、そして電子通信の基礎となる情報理論の原理を定式化し、インターネットの実現を可能にした伝説の電気工学者クロード・シャノンらがいた。

しかしこのダートマスの会議には残念ながら、誰よりも優れた頭脳の持ち主の姿がなかった。アラン・チューリングはその二年前に自殺を遂げていた。同性と性的関係を持ったとして、当時のイギリスで有効だった「わいせつ罪」で起訴され、投獄か、エストロゲンの強制投与による化学的去勢かの選択を迫られたのだ。後者を選んだことでうつに落ち込んだチューリングは、一九五四年に自ら命を絶った。新生のコンピュータ科学と人工知能の分野において、その損失は計り知れないものだった。享年わずか四一歳。世界がもっと公正な場所だったら、チューリングはパーソナルコンピュータの登場を、インターネットの台頭を、そしておそらくその後のイノベーシヨンの多くも生きて目の当たりにできたはずだ。もしチューリングがいてくれれば、彼がこの数十年間でどれだけの貢献を果たし、いま人工知能の分野はどれほど先へ進んでいただろうか。それは知るよしもないが、この分野での、また全人類にとっての知的損失は気が遠くなるほどのものにちがいない。

ダートマスの会議から数年のあいだ、人工知能の分野は急速に発展していった。コンピュータの性能が向上し、重要なブレイクスルーが起こり、いろいろな問題が生じるたびにそれを解決できるアルゴリズムが開発された。人工知能は一研究分野として全米の大学に導入され、たくさんの人工知能研究所が設立された。

この発展が可能になった最大の要因の一つが、米国政府および国防総省からの多額の出資だった。資金の大半はＡＲＰＡ（高等研究計画局、のちのＤＡＲＰＡ）を窓口として注ぎ込まれた。ＡＲＰＡの援助を受けていた研究拠点のなかでも、特に重要だったのがスタンフォード研究所で、この組織はのちにスタンフォード大学から独立してＳＲＩインターナショナルとなった。ＳＲＩの人工知能センターは一九六六年に創設され、言語翻訳や音声認識などの分野で画期的な成果を上げた。この研究施設はまた、初の真の自律型ロボット、つまりＡＩによる推論を環境との物理的な相互作用へと変換できる機械も開発した。そして設立から約半世紀後、ここから独立したあるスタートアップ企業がシリ（Siri）という新しいパーソナルアシスタントを開発し、二〇一〇年にはアップルに買収されるにいたった。

ところがこの発展はまもなく、度の過ぎた喧伝や行きすぎた確約、非現実的な期待へとつながっていった。一九七〇年にライフ誌は、ある記事にSRIで開発されたロボットを取り上げ、世界初の「電子人間」と呼んだ。当時MITに在籍しAI研究の花形だったマーヴィン・ミンスキーは、記事の筆者ブラッド・ダラックを相手に、「静かな確信」をこめてこう語っている。

今後三年から八年で、平均的な人間ほどの汎用知能を備えた機械が作り出されるでしょう。シェークスピアを読み、自動車に油を差し、職場で政治的な駆け引きをし、冗談を言い、口論もできる機械です。しかもその時点から、機械は想像を超えたスピードで自分自身を教育しはじめる。数カ月のうちに天才的なレベルに達し、さらに数カ月たてば計り知れない力を持つようになるでしょう。[4]

ダラックがこの発言を他のAI研究者たちに確認したところ、ミンスキーの言う三〜八年の時間枠は少々楽観的ではないか、という回答が返ってきた。一五年はかかるかもしれない。だが、「そんな機械がいずれ実現するということ、そこから第三次産業革命が起こって戦争と貧困を一掃し、数世紀にわたって科学、教育、芸術が成長する時代が来るということでは、意見が一致した」。[5]

やがてこうした予測がまったくの的外れで、はるかに劣ったタスクをこなすAIシステムでも作るのは予想以上に難しいことがあきらかになると、この分野からは当初の熱狂が失われはじめた。一九七四年までには投資家たち、特に多くの資金を出していた政府機関が失望をあらわにし、この分野に、また多くのＡＩ研究者のキャリアに暗雲が立ち込めだした。人工知能という分野はその歴史を通じて、双極性障害のようなものに悩まされてきたと言っていい。高揚感あふれる急速な進歩の時期のあいだに、失望と資金難の時期が挟まる。ときには後者の時期が何十年も続き、「ＡＩの冬」と呼ばれるようになる。

この分野が定期的に「ＡＩの冬」に陥ってしまうのは、ＡＩの解決しようとする問題が実際にはどれほど難しいか理解されていないことが一因だっただろう。しかしもう一つ、決定的な要因があった。ただ単に一九九〇年以前には、コンピュータの速度がいかに遅いかの認識がなかったことだ。ムーアの法則の容赦ない支配の下、一九五六年にダートマスの会議で参加者たちの描いた夢を現実に近づけてくれるハードウェアが出てくるには、まだ数十年という時間が必要だった。

より速度のあるコンピュータハードウェアが登場したことで、一九九〇年代後半には劇的な進展が見られた。一九九七年五月、ＩＢＭの〈ディープブルー〉がチェスの世界チャンピオン、ガルリ・カスパロフを六番勝負の末に接戦で破った。この一件はおおむね人工知能の新たな勝利として伝えられたが、実際はコンピュータのすさまじい計算力を活用したことで達成できたものだった。冷蔵庫大の特注ハードウェア上で動く〈ディープブルー〉のアルゴリズムは、戦局のずっと先まで見通し、最高の名手の頭脳でも及ばないほどの数の可能手を高速でスクリーニングすることができた。

ＩＢＭが再び勝利を収めたのは二〇一一年、〈ワトソン〉の登場によってだった。〈ワトソン〉はテレビのクイズ番組『ジョパディ！』に出場し、世界トップクラスの出場者をやすやすと打ち負かした。これは多くの点でひときわインパクトがあった。この番組ではジョークや洒落を操る能力を含む、自然言語の理解が求められるからだ。〈ワトソン〉は〈ディープブルー〉とはちがい、厳密にルールが決まったボードゲームの枠を超えて、無限とも見える膨大な情報を扱うことのできるシステムだった。〈ワトソン〉はスマートアルゴリズム群を同時に使用し、主にウィキペディアの記事から抽出されたおそろしく大量のデータをあさりまわらせることで、出題されるクイズの正答を判断し、『ジョパディ!』で勝利したのだ。

〈ワトソン〉は新時代の到来を告げ、機械がついに言語を解析して人間と本当に関われるという可能性を示したが、しかし二〇一一年はまた、人工知能の根底にある技術にも劇的な変化が始まった年だった。〈ワトソン〉は統計的手法を使って情報を理解する機械学習アルゴリズムに頼っていたのだが、それから数年で別のタイプの機械学習がまたしても最前線に躍り出た。これは半世紀以上も前の、フランク・ローゼンブラット考案のパーセプトロンを直接の基盤とするものだったが、たちまち人工知能の分野を支配するにいたった。

コネクショニズムvs.シンボリックAI、ディープラーニングの台頭

人工知能という大まかな分野が数十年かけて、にわか景気と破綻のパターンをたどっているあいだも、より知的な機械を作ろうとする対照的な二つのアプローチがあり、研究の焦点はそれぞれを重視する哲学のあいだで揺れ動いていた。その一つが、一九五〇年代のローゼンブラットに

よるニューラルネットワーク研究から生まれた学派だった。ローゼンブラットの支持者たちの考えはこうだ――インテリジェントシステムは脳の基本的な構造をモデルとし、大まかには人間のニューロンを基盤とした、深く接続されたコンポーネントを使用するべきである。のちに「コネクショニズム」と呼ばれるようになるこのアプローチは、知能の主要な能力として学習を重視し、データから効率的に学習できる機械を作りさえすれば、人間の脳に見られる他の能力もいずれ現れてくるという考え方に基づいている。なんといってもこのモデルには、有効だという強力な証拠があった。人間の脳自体がすべて、相互に接続されたニューロンの想像を絶するほど複雑なシステムでできていることがわかっていたからだ。

これに対抗する一派は、論理と推論の応用を重視する「シンボリック（記号的）な」アプローチを掲げる研究者たちだった。彼らシンボリストの見方によれば、学習はそれほど重要ではない。知能のカギとなるのは、推論、意思決定、行動を通じて知を活用する能力である。シンボリストたちは自ら学習できるアルゴリズムを設計するのでなく、自分たちが構築したシステムに情報を直接、手動でエンコードした。そしてこの手法から「知識工学」と呼ばれる分野が生まれることになった。

シンボリックAIは、人工知能の初期のアプリケーションのほとんどをエンジンとして動かしていた。たとえば知識工学者は医師と協力し、決定木（デシジョン・ツリー）を採用したアルゴリズムを用いて病気の診断を下すシステムを作ることができた。こうした医療エキスパートシステムがもたらす結果は玉石混交で、柔軟性と信頼性に欠ける場合も多かった。しかしそれ以外の、ジェット機のオートパイロットシステムといった多くのアプリケーションでは、エキスパートシステムにまで進歩した技術がソフトウェア設計に常時使われるコンポーネントとなっていて、もう「人工知能」というレッテルで呼ばれることもなくなっている。

コネクショニズムは、人間の脳の機能を解明しようとする研究に端を発するものだ。一九四〇年代、ウォーレン・マカロックとウォルター・ピッツが、人間の脳にあるニューロンの実際の働き方を数理的に再現しようとする、人工ニューラルネットワークというアイデアを提唱した。[6] そして心理学者の訓練を受け、コーネル大学の心理学部で教えてもいたフランク・ローゼンブラットが、のちにこのアイデアをパーセプトロンに組み込んだのだった。

パーセプトロンは、デバイスに取り付けたカメラで印刷された文字を認識するといった、初歩的なパターン認識を行うことができた。発明家にして作家のレイ・カーツワイル（現在はグーグルのエンジニアリングディレクターを務める）がローゼンブラットと出会ったのは一九六二年、コーネル大学の研究室でのことだ。カーツワイルによると、彼はパーセプトロンで試してみるためのサンプルを持参したが、文字がしかるべきフォントで明瞭に印刷されているかぎり、パーセプトロンは完璧に動作したという。カーツワイルは当時、ＭＩＴへ入学する前の若い学生だった。ローゼンブラットはその彼に、「パーセプトロンを複数の層が重なったものにして、あるレベルの出力をまたつぎのレベルへの入力として供給していけば、すばらしい結果が出るはずだ」と語った。[7] しかしローゼンブラットは、多層パーセプトロンを完成させることなく、一九七一年にボートの事故でこの世を去った。

人工ニューラルネットワークをめぐって当初生まれた熱狂は、一九六〇年代後半には徐々に冷めていった。その大きな要因となったのが、一九六九年に出版されたマーヴィン・ミンスキーとシーモア・パパートの共著*Perceptron*（邦題『パーセプトロン』）だ。ミンスキーは人工知能の将来性には自信満々でも、皮肉なことにその後空前の進歩をもたらすことになるニューラルネットワークにはきわめて悲観的だった。共著者のパパートはこの本のなかで、ニューラルネットワークの限界を示す数学的な証明を行ってみせ、この技術では高度な実用上の問題を解決できないとほのめかした。[8]

コンピュータ科学者や院生たちがニューラルネットワークへの取り組みから遠ざかる一方、主流になったのがシンボリックＡＩ（現在は「古典的ＡＩ」と呼ばれている）のアプローチだった。ニューラルネットワークは一九八〇年代につかのま復活し、九〇年代にも息を吹き返したとはいえ、人工知能という分野全般をめぐる熱気が両極へ振れるあいだも、数十年にわたって君臨していたのはシンボリックＡＩだった。コネクショニストたちには人工知能の冬はおそろしく厳しく、また長く続き、シンボリックＡＩの一派がうららかな春を謳歌しているときにも、彼らの冬は依然続いていた。

一九七〇年代から八〇年代前半にかけての冬は、特に過酷だった。現在、ディープラーニングの主要なアーキテクチャの一人とされるヤン・ルカンは、この時期のニューラルネットワークの研究は「過小評価という言葉では追いつかないほどひどい」状態で、「〝ニューラルネットワーク〟と一言書いただけで、たちまちリジェクトされてしまうので、論文を発表することもできなかった」と語った。[9] それでも、コネクショニズムのビジョンへの信頼を崩さない研究者は、少数ながらいた。その多くはコンピュータ科学ではなく心理学や人間の認知を専門に学んだ人たちで、脳の機能を数学的にモデル化したいという欲求に突き動かされていた。

一九八〇年代初め、カリフォルニア大学サンディエゴ校（UCSD）の心理学教授デイヴィッド・ラメルハートが、「バックプロパゲーション（誤差逆伝播法）」という手法を考案した。ラメルハートは、ノースイースタン大学のコンピュータ科学者ロナルド・ウィリアムズ、カーネギーメロン大学のジェフリー・ヒントンとともに、一九八六年にネイチャー誌に掲載された、いまは人工知能の分野で最も重要なものとされている論文のなかで、このアルゴリズムの使用方法を説明した。[10] バックプロパゲーションは従来の基本概念を打破するもので、これによってディープラーニングはいずれAIの分野を支配するにいたるのだが、コンピュータがこの手法を活用できるほどの速度を持つようになるのはさらに数十年後のことだ。一九八一年にUCSDでラメルハートとともに研究に励んでいた若いポスドクのジェフリー・ヒントンは、[11] その後ディープラーニング革命における最大の重要人物ともいうべき存在になっていく。

一九八〇年代末には、ニューラルネットワークの実用的な応用が現れはじめた。当時、情報通信企業AT&Tのベル研究所にいたヤン・ルカンは、バックプロパゲーションアルゴリズムを「畳み込みニューラルネットワーク」と呼ばれる新しいアーキテクチャに使用した。畳み込みニューラルネットワークでは、哺乳類の脳にある視覚野にヒントを得て人工ニューロンが接続されていて、特に画像認識がうまくできるような設計だった。このルカンのシステムは手書きされた数字を認識することができ、一九九〇年代後半には畳み込みニューラルネットワークによって、ＡＴＭ機が銀行小切手に書かれた数字を理解できるようになった。

やがて二〇〇〇年代に入ると、ビッグデータが登場した。各企業や政府が、少し前までは想像もしなかったような規模で情報を収集・分析しようとしはじめ、全世界で生み出されるデータの総量は指数関数的に増加しつづけることがあきらかになっていた。このデータの奔流がまもなく最新の機械学習アルゴリズムと交わり、人工知能における革命の可能性が開けたのだ。

最も重要なデータの一つが、プリンストン大学の若きコンピュータ科学教授の努力から生まれた。コンピュータビジョンを専門とするフェイフェイ・リーは、機械に現実の世界を視覚的に理解させるにはどうすればいいだろうかと考えた。それには人間や動物、建物、乗り物、物体など、実世界で出くわすあらゆる物をあらゆる形で表した画像を適切にラベル付けしたものをまとまった教材として与えればいい。そして二年半かけて、五〇〇〇以上のカテゴリーにわたる三〇〇万枚以上の画像にタイトルを付ける作業にとりかかった。これは手作業で行わざるをえなかった。写真に合った説明をラベルとして関連づけることは、人間にしかできない。これほど大規模な作業だと学生にまかせても費用は膨大になるので、リーたちはアマゾンの「メカニカルターク」を活用した。主として低賃金の国にいる働き手たちに、情報関連のタスクをクラウドソーシングするために新たに開発されたプラットフォームである。[12]

リーのこのプロジェクトは「イメージネット（ImageNet）」という名前で二〇〇九年に発表され、たちまちマシンビジョンの研究に欠かせないリソースとなった。二〇一〇年にはリーが企画した、各大学や企業の研究所のチームがそれぞれのアルゴリズムを持ち寄り、膨大なデータから抽出した画像にラベル付けしようとする年に一度のコンテストが始まった。そして二年後の二〇一二年九月に行われたイメージネット・チャレンジは、まちがいなくディープラーニング技術の変曲点になったといえる。[13] トロント大学のジェフリー・ヒントンは、彼の研究室にいたイリヤ・サツケヴァー、アレックス・クリジェフスキーとともに、多層の畳み込みニューラルネットワークを投入した。そして他チームのアルゴリズムを大差で上回り、ディープニューラルネットワークがついに本当の意味で実用的な技術にまで進化したことを疑問の余地なく証明した。ヒントンたちの勝利はＡＩ研究者のコミュニティに広く轟きわたり、膨大なデータセットと強力なニューラルアルゴリズムの生産的な組み合わせにスポットライトが当てられた。この共生はまもなく、ほんの数年前まではＳＦの域を出なかったほどの進歩を生み出すことになる。

ここまで私が紹介してきたのは、ディープラーニングのいうなれば「正史」のあらましだ。この歴史では、二〇一八年のチューリング賞を受賞したジェフリー・ヒントンとヤン・ルカン、モントリオール大学のヨシュア・ベンジオの三人がひときわ大きな存在感を示していて、実際に「ディープラーニングのゴッドファーザーたち」と呼ばれることが多い（「ＡＩのゴッドファーザー」とも呼ばれたりするが、これはディープラーニングが初期のシンボリックなアプローチを押しのけて、この分野を完全に支配するようになったことを如実に示すものだ）。しかしこの歴史には、また別のバージョンもある。大方の科学分野と同じく、ここでも世間から認められたいという競争意識は強い――ＡＩの進歩がある一線を越え、否応なく社会と経済に歴史的変革をもたらすという感覚が強まっているいま、その競争はさらに激化しているかもしれない。
別バージョンの歴史を唱えているのは、スイスのルガーノにあるドールモール人工知能研究所の共同運営者、ユルゲン・シュミットフーバーだ。一九九〇年代にシュミットフーバーと彼の学生たちは、長短期記憶（LSTM）を実装した特殊なタイプのニューラルネットワークを開発した。LSTMを備えたネットワークは、過去のデータを記憶し、現在の分析に反映させることができる。この機能は音声認識や言語翻訳など、前に出てきた言葉で作られるコンテキストが精度に大きく影響する分野において、きわめて重要であると立証された。グーグル、アマゾン、フェイスブックなどの企業はどこもLSTMに頼っている部分が大きい。そしてシュミットフーバーは、近年のAIの進歩の多くを支えているのは、著名な北米の研究者たちではなく、自分のチームの研究だと考えているのだ。

私の著書『人工知能のアーキテクトたち』には、ディープラーニングの正史のざっくりとしたまとめが載っているが、この本が出版されてまもなく、シュミットフーバーから私宛てにメールが届いた。その文面には「あなたが書かれた事柄の多くははなはだ誤解を招きやすく、結果としてはなはだ不満なものです！」とあった。[14] シュミットフーバーによれば、ディープラーニングのルーツはアメリカやカナダではなく、ヨーロッパにある。多層ニューラルネットワークの学習アルゴリズムが初めて記述されたのは一九六五年、ウクライナの研究者アレクセイ・グリゴーレヴィチ・イヴァフネンコによってであり、そしてバックプロパゲーションアルゴリズムは一九七〇年に——ラメルハートの有名な論文の一〇年半前に当たる——フィンランドの学生セッポ・リナインマーが発表したものだという。
シュミットフーバーは自らの研究が認められていない現状にあきらかに不満と見え、AI関連の会議に出ては発表をいきなり中断させ、ディープラーニングの歴史を書き換えようとする「陰謀」を、特にヒントン、ルカン、ベンジオの三人の所業を非難し出すことで有名だ。[15] これらの著名な研究者たちのほうも積極的に反論している。ルカンはニューヨーク・タイムズ紙の記者にこう語った。「ユルゲンは憑かれたように自分が認められることに執着し、分不相応な評価を求めつづけている」[16]
ディープラーニングの真の起源をめぐる論争は今後も続くだろうが、二〇一二年のイメージネット・チャレンジをきっかけに、ディープラーニングが人工知能の分野を、ひいてはテック業界の最大手企業を席巻したことはまちがいない。グーグル、アマゾン、フェイスブック、アップルなどのアメリカの大手企業、バイドゥ、テンセント、アリババなどの中国企業はすぐにディープニューラルネットワークのディスラプティブな可能性を認め、研究チームを作って自社の製品や業務にこの技術を取り入れはじめた。
グーグルはジェフリー・ヒントンと雇用契約を結び、ヤン・ルカンはフェイスブックの新しいAI研究所の所長になった。業界全体が激しい人材争奪戦を繰り広げはじめ、ディープラーニングの専門知識を持つ新卒学生の給料やストックオプションまでもが成層圏の高みにまで押し上げられた。二〇一七年にはグーグルのCEOスンダー・ピチャイが、わが社はいまや「AIファースト企業」になったと宣言し、人工知能はグーグルが他の大手テック企業と競合するうえで最も重要な領域の一つになる、と言った。[17] グーグルやフェイスブックでは、ディープラーニングの研究者たちにCEOのすぐ隣のオフィスが割り当てられるほど、この技術が重要視され、[18] 二〇一〇年代末にはニューラルネットワークがこの分野を完全に支配して、メディアはしばしば「ディープラーニング」と「人工知能」を同義語として扱うようになっていった。

第5章　ディープラーニングとＡＩの未来

世界最大のテック企業がつぎつぎディープラーニングを受け入れ、さらにニューラルネットワークの力を活かした魅力的な一般消費者向けおよびビジネス向けアプリケーションが続々登場していることも相まって、このテクノロジーが今後も定着していくことに疑いの余地はなさそうだ。しかし、この進歩の速さはいつまでも続かない、将来の進歩のためには有意義なイノベーションが必要になるだろうという認識も強まっている。これから見ていくように、今後の最も重要な問題の一つとなるのは、人工知能の振り子がまた逆に振れてシンボリックＡＩを重視するアプローチのほうへ戻るのかどうか、もしそうなるとすれば、シンボリックＡＩとニューラルネットワークをどのように融合させられるのかという点だ。この章では人工知能の未来を掘り下げていくが、その前にディープラーニングシステムの仕組みとはどんなものか、このネットワークがどう訓練されて有用なタスクをこなせるようになるのかを、もう少しくわしく見てみよう。

ディープニューラルネットワークの仕組み

メディアではよく、ディープラーニングのシステムは「脳に似ている」と言われるが、これは誤解を生みがちな表現だ。AIに用いられるニューラルネットワークがどこまで人体の神経系に近いものだといえるのか。人間の脳はこの宇宙全体のなかでも最高に複雑なシステムで、およそ一〇〇〇億のニューロン（神経細胞）と数百兆の接続部がある。しかしこの気が遠くなるほどの複雑さは、接続部のとてつもない数の多さだけによるものではない。ニューロン自体の作用や、それがどのように信号を伝え、時間をかけて新しい情報に適応するかといったところにまで及んでいる。

人体にあるニューロンは、主に三つの部分に分けられる。核のある細胞体、樹状突起（入ってくる電気信号を伝えるおびただしい数のフィラメント）、そして軸索（一本の長く細いフィラメント、これで他のニューロンに信号を伝える）だ。樹状突起も軸索もだいたい広い範囲に枝分かれしていて、樹状突起はときに何千何万という他のニューロンからの電気的刺激を受け取る。樹状突起を通ってくるまとまった信号がニューロンを刺激すると、ニューロンはつぎに軸索を通じて「活動電位」と呼ばれる電気信号を外に向かって伝える。ただし、この脳のなかでの接続は電気仕掛けではない。ニューロンの軸索からシナプスという接合部を越えて、別のニューロンの樹状突起へと化学的な信号を伝達するのだ。こうした電気化学的な作用は脳の活動や学習・適応能力に不可欠なものだが、あまりよく理解されていないことが多い。たとえばドーパミンという化学物質は、報酬と快楽に関連のある、シナプスとシナプスの隙間で作用する神経伝達物質だ。

人工ニューラルネットワークとは、こうした細かな部分はほぼすべて無視して、ニューロンの作用と接続の仕組みの大ざっぱな、数学的表現を作り出そうとする試みである。人間の脳が「モナリザ」だとすれば、ディープラーニングシステムに用いられる構造は、せいぜい漫画の『スヌーピー』のルーシーほどのものだ。人工ニューロンの基本プランは一九四〇年代に構想され、それから数十年間、このシステムへの取り組みはおおむね脳科学とは切り離されていた。ディープラーニングシステムを動かすアルゴリズムは独自に、また多くは実験によって開発され、人間の脳で実際に何が起こっているかをシミュレーションするような試みは特に行われなかった。

人工ニューロンを視覚的にイメージするには、一つの容器に三、四本の管が付いていて、そこを水が通って入ってくるところを思い浮かべるといい。大まかにはこの管が、人間のニューロンの樹状突起に当たる。また、水が外に向かって流れていく管も一本延びていて、これが「軸索」だ。管を通って入ってくる水の水位が上がってある高さまで達すると、ニューロンが「発火」し、そして軸索という管を通って外へ向かう水の流れが作り出される。

この単純な仕組みがどうして有用な計算装置となるのか。そこで重要になる特徴が、水が入ってくる管の一本一本に取り付けられた、管のなかの流れを制御するための弁だ。この弁を調節することで、接続された他のニューロンが当該のニューロンに及ぼす影響を直接的に制御することが可能になる。ニューラルネットワークを訓練して有用なタスクをこなさせるプロセスとはつまり、基本的にはこうした弁――「重み」と呼ばれる――を調節して、そのネットワークが正しくパターンを認識できるようにするということだ。

ディープニューラルネットワークでは、こうした容器とおおよそ同じ人工ニューロンのソフトウェアシミュレーションが積み重なった層状に配置され、ある層のニューロン出力がつぎの層のニューロン入力へと接続される。隣接する層のなかのニューロン相互の接続は、ただランダムに設定されることも多い。あるいは特定のニューラルアーキテクチャ、たとえば画像認識のために作られた畳み込みネットワークなどでは、ニューロンがより慎重なプランに沿って接続されたりもする。精巧なニューラルネットワークでは、一〇〇以上の層と数百万の人工ニューロンが含まれることもある。

こうしてネットワークが構築されれば、つぎには画像認識や言語翻訳といったタスクを行うように訓練ができる。たとえばニューラルネットワークを訓練して手書きの数字を認識させるには、書かれた数字を写した写真の画素一つひとつがニューロンの一番目の層への入力となる。そしてその答え、つまり書かれた数字に対応する数が、人工ニューロンの最後の層からの出力になる。正しい答えを出せるようにネットワークを訓練する、というのは、訓練用の例題を入力してはネットワーク内の「重み」をすべて調整し、次第に正しい答えへと収斂していくようにするプロセスなのだ。そうして重みが最適化されれば、つぎにまた訓練用のセットに含まれていなかった新しい例題に向けてネットワークを使うことができる。

ネットワークが最終的に、ほぼ必ず正解を出せるところまで収斂するよう重みを調整するというときに登場してくるのが、バックプロパゲーション（誤差逆伝播法）と呼ばれる有名なアルゴリズムだ。複雑なディープラーニングシステムには、ときに一〇億を超えるほどのニューロン接続があり、その一つひとつで重みを最適化していかなくてはならない。ここでバックプロパゲーションを使えば、ネットワーク中の重みを一度に一つずつではなく、まとめて調整できるようになり、計算効率が大幅に向上する。[1] そうした訓練のプロセスにおいて、ネットワークからの出力は正しい答えと比較され、それに応じて一つひとつの重みが調整されるための情報がニューロンの層を逆向きに伝播していくのだ。このバックプロパゲーションなくしては、ディープラーニング革命は実現を見なかっただろう。

これでいちおう、ニューラルネットワークが有用な結果を生み出せるようにする設計・訓練の基本的な仕組みは説明できたと思う。しかしまだ、根本的な疑問には答えられていない。こうしたシステムがデータを高速で処理し、しばしば人間の能力を超える正確さで答えを導き出すとき、その内部では実際に何が起きているのか？

手短な説明はこうだ。ニューラルネットワークの内部ではある知識の表現（レプリゼンテーション）が作り出されていて、この知識の抽象化レベルはネットワークの一連の層を通り過ぎるたびに高まっていく。視覚画像を認識できるよう作られたネットワークを例にとれば、よく理解できるだろう。ネットワークがある画像を理解するという場合、それは画素のレベルから始まる。そして連続したニューロンの層のなかで、縁、曲線、きめといった視覚的特徴が知覚される。そしてシステムの奥深くへ進むとさらに複雑な表現が現れてくる。最終的には、システムによる理解の信頼度が高まって画像の本質を完全に捉え、たとえ別の画像が大量にあっても、ネットワークがまちがいなく認識できるようになる。

とはいえ、この疑問に対してより完璧に答えようとするなら、回答はこうなる。何が起きているのかは、実のところよくわからないのだ。少なくとも簡単には説明がつかない。抽象化のさまざまなレベル、ネットワーク内部で知識がどのように表現されるか——そうしたものをあえて定義しようとするプログラマーはいない。これらはすべて有機的に生じるもので、その表現はシステムのいたるところで発火中の相互接続された何百万もの人工ニューロンに分散されている。ネットワークが何かしらの方法で画像を理解していることはわかっても、たくさんあるニューロンの内部で何がどう結びついているかを正確に表現することはきわめて難しい、というか不可能ですらある。そしてこのことは、ネットワークの層を深くまで進んでいくほど、あるいはあまり可視化が容易でないタイプのデータをもとに動いているシステムを調べた場合、より顕著になる。この相対的な不透明さ、つまりディープニューラルネットワークが事実上の「ブラックボックス」であることはきわめて重要な問題なので、第8章であらためて取り上げることにしよう。

大多数のディープラーニングシステムは、ネットワークに大量のデータセットを与えることで訓練される。たとえばディープニューラルネットワークは、動物の名前が一つひとつ正確にラベル付けされた写真を数万枚から数百万枚も与えられることで、この写真の動物は何かと聞かれたときに正しく答えられるよう訓練される。この訓練は「教師あり学習」と呼ばれるが、きわめて高性能なハードウェアを使ったとしても長い時間がかかる。

教師あり学習は、実際の機械学習アプリケーションのおそらく九五パーセントで用いられている訓練法だ。この手法は、ＡＩ画像診断システム（「がん」「がんではない」とラベル付けされた大量の医用画像で訓練する）や言語翻訳（あらかじめいろいろな言語に翻訳された膨大な数の文書で訓練する）など、基本的にさまざまな形の情報の比較・分類に関わる数えきれないほどのアプリケーションを動かしている。教師あり学習は通常、ラベル付けされたデータを大量に必要とするが、その成果は目を見張るもので、人間を超えたパターン認識能力を備えるシステムがほぼ必ずできあがるのだ。ディープラーニング革命の始まりを告げる二〇一二年のイメージネット・チャレンジから五年後、画像認識のアルゴリズムは格段に向上し、このコンテストは実世界の三次元オブジェクトの認識という新たな課題に向けて舵を切った。[2]

こうしたデータをラベル付けするのに、人間にしかできないような解釈が求められる。たとえば写真に説明のための注釈を付けるといった場合には、そのプロセスは面倒なものになるし費用もかかる。よくある解決策は、フェイフェイ・リーがイメージネットのデータセットに用いた方法にならい、クラウドソーシングに頼ることだ。メカニカルタークなどのプラットフォームを使えば、ばらばらの場所にいる人たちのチームにいくばくかのお金を払って作業を肩代わりさせられる。このプロセスをいかに能率化するかに着目し、教師あり学習の準備のためにデータに注釈を施す効率的な方法を見つけることに特化したスタートアップ企業も数多く生まれている。

膨大なデータセットを正確にラベル付けすることが、特に視覚情報の理解に関連したアプリケーションにとってどれほど重要か。そのことを最も端的に示す例が、一九歳でＭＩＴを中退したアレキサンダー・ワンが二〇一六年に創設したスケールＡＩの急成長ぶりだ。この企業は三万人超のクラウドワーカーと契約し、ウーバー、リフト、エアビーアンドビー、アルファベットの自動運転車部門ウェイモといった顧客からデータのラベル付けを請け負っている。スケールＡＩはベンチャーキャピタルから一億ドル超の資金を得て、いまやシリコンバレーの「ユニコーン」（評価額が一〇億ドルを超えるスタートアップ企業）の一つに数えられるほどだ。[3]

しかしそれとは別に、美しくラベル付けされたデータが想像を絶するほどの量で、一見すると自動的に生成されている、という場合も多い――しかもそのデータを所有する企業にとっては、実質的に無料でだ。フェイスブックやグーグル、ツイッターなどのプラットフォームが作り出すあふれんばかりのデータの大部分は、そのプラットフォームを利用する人たちの手で注意深く注釈が付けられているおかげで、大変な宝の山となる。あなたがある投稿に「いいね！」をしたり「リツイート」をするたびに、ウェブページを閲覧したりスクロールしたりするたびに、動画を見る（そしていくらかの時間を費やす）たびに、またそのほか数えきれないほどのオンライン行動をするたびに、あなたは特定のデータにラベルを付けることになる。あなたも、そして主要なプラットフォームを利用している何百万もの人々もまた、スケールＡＩのような企業に雇われたあのクラウドワーカーたちと同じ立場になっているということだ。

言うまでもないが、重要なＡＩ研究の取り組みが大手インターネット企業との関連を持っているのは偶然ではない。人工知能と膨大なデータ所有との相乗効果はよく言われる話だが、この共生関係の根底にある重大な要素とは、そのデータにほとんどコストをかけずに注釈をつけられる巨大な機械を持っていることだ。するとそのデータが、強力なニューラルネットワークに取り入れられる教師あり学習の素材となる。

教師あり学習が主流となる一方で、一部のアプリケーションに用いられているもう一つの重要な手法が「強化学習」だ。強化学習はただひたすら試行錯誤を繰り返すことで能力を獲得していく。最終的にアルゴリズムは、なんらかの目的を首尾よく達成したときに、デジタルな報酬を得られる。基本的には犬の訓練と同じ方法だ。動物の行動は、初めのうちは気まぐれだろうが、しかるべき命令に反応しておすわりをすれば、ほうびにおやつをもらえる。このプロセスを何度も繰り返すことで、犬は確実におすわりを学んでいく。

強化学習を主導するのは、ロンドンに拠点を置くディープマインドだ。現在この会社はグーグルの親会社アルファベットの傘下にある。ディープマインドはこの手法を基盤とする研究に高額の投資を行い、強力な畳み込みニューラルネットワークと融合させることで、同社の言う「深層強化学習」を開発しようとしている。二〇一〇年の創設からまもなく、ディープマインドは強化学習を応用して、ビデオゲームをプレイできるＡＩシステムの構築に取り組みはじめた。

そして二〇一三年一月には〈ＤＱＮ〉という、アタリの〈スペースインベーダー〉〈ポン〉〈ブレイクアウト〉などの古典的ゲームをプレイできるシステムを完成させたと発表した。このシステムは画素とゲームのスコアだけを学習入力として、自分でゲームをプレイすることを学べるというものだ。何千何万回もシミュレーションされたゲームをやり込んでテクニックを磨いたＤＱＮは、六つのゲームのうち四つでコンピュータによる史上最高スコアを出し、うち三つで人間の最高のプレーヤーを負かすことができた。[4]

二〇一五年には、ＤＱＮはアタリのゲーム四九本を制覇し、ディープマインドは「高次元の感覚入力と行動とを隔てる溝」を埋める初めてのＡＩシステムを開発したと発表した。[5] こうした成果はシリコンバレーの巨人たち、特にグーグルの創業者ラリー・ペイジの注目を引いた。二〇一四年、グーグルはフェイスブックの競合オファーをはねのけて、ディープマインドを四億ドルで買収した。

深層強化学習の名を一躍高める、最高の瞬間が二〇一六年三月に訪れた。ディープマインドが開発した囲碁ソフト〈アルファ碁〉が、韓国のソウルで世界最高レベルの棋士の李世乭（イ・セドル）に挑み、五番勝負の末に勝利したのだ。囲碁は東アジアでは数千年前から行われていて、このゲームに熟達した人間はきわめて高い評価を受ける。孔子の書いたものにも登場するほどで、起源をたどれば中国文明の黎明期ごろにまで行き着くかもしれない。一説によると、紀元前二〇〇〇年以前の、堯（ぎょう）帝の統治下で考案された。[6] 囲碁のたしなみは、書や絵画の技量や楽器の腕前と並んで、古代中国の学問を特徴づける四大技芸の一つとされていた。

囲碁はチェスとはちがっておそろしく複雑な、ブルートフォース（総当たり）アルゴリズムが襲いかかってもびくともしないゲームだ。対局が進むにつれ、一九×一九の升目に分かれた盤面が黒と白の碁石で埋められていく。ディープマインドのＣＥＯデミス・ハサビスは、〈アルファ碁〉の成果を論じるときに、好んでこんな言い方をする。盤上に置かれる石の可能な並び方の数は、この宇宙に存在すると考えられる原子の数より多いのだ、と。何千年もの昔から行われてきた囲碁では、二つの対局がまったく同じ展開を見せることはきわめて珍しいどころか、事実上ゼロである。つまり、よりルールが限定されたゲームでやるように、ずっと先を読んですべての可能手を考えようとすると、たとえ最も強力なハードウェアであっても計算が追いつかなくなるということだ。

こうした途方もない複雑さに加え、囲碁をプレイするときはあきらかに、人間の直観とでもいえそうなものが大きく関わってくるようなのだ。一流の棋士でも、なぜあの戦略を選んだのか説明するように言われて、答えに窮することがままある。そして代わりに、対局中のある局面である選択をするにいたった「感覚」について説明したりする。これこそまさに、囲碁がコンピュータの能力を超えているはずだと思えるタイプのゲームであり、少なくとも当面は自動化の脅威から守られると期待してしかるべき理由だ。なのに、その囲碁が機械の前に屈した。そんなことが可能になるとコンピュータ科学者の多くが考えていたより少なくとも一〇年早く実現してしまった。

ディープマインドの開発チームがまず最初に何をしたか。最高レベルの人間の棋士たちの対局から三〇〇〇万通りの手を抽出し、教師あり学習の手法を使って〈アルファ碁〉のニューラルネットワークを訓練した。そしてつぎに補強学習に切り替え、システムを解き放って自分自身を相手に対戦させた。そうして何千何万ものシミュレーション対局を繰り返し、報酬に基づいて上達に向かおうとする容赦ない圧力にさらされながら、〈アルファ碁〉のニューラルネットワークは次第に人間を超えた次元にまで進化していった。[7]〈アルファ碁〉が二〇一六年に李世乭に勝利し、一年後に再び、世界最強棋士とされる柯潔（コ・ジェ）を破ったことで、ＡＩ研究の業界は衝撃にゆらいだ。この出来事をベンチャー投資家であり作家の李開復（リ・カイフ）は、中国における「スプートニク的瞬間」と呼んだが、実際に政府はその後、すみやかに中国を人工知能のリーダーの地位につけるべく動き出したのだ。[8]

教師あり学習の成果は、ラベル付けされたデータにどれほどの量があるかにかかっているが、それに対して強化学習は膨大な数の練習が必要で、しかもその大半が見事な失敗に終わる。強化学習が特に適しているのはゲームだ。一人の人間が一生かかってもプレイしきれないほどの数でも、アルゴリズムはあっという間にこなしていく。実世界での活動でも、高速でのシミュレーションが可能なものなら、このアプローチが応用できる。いまのところ強化学習の応用例で最も重要なのは自動運転車の訓練だろう。

ウェイモやテスラが採用する自律走行システムは、現実の道路に出て車に出合う前に、強力なコンピュータ上で高速で訓練される。シミュレーションされた車は壊滅的な事故を何千何万回と起こしながら、次第に学習していく。そしてアルゴリズムが訓練され、事故がもう起こらなくなったとき、そのソフトウェアを現実の車に移すことができる。このアプローチはおおむね効果的ではあるが、しかし言うまでもなく、免許を取ろうとする一六歳の若者なら運転の仕方を学ぶまでに何千回も衝突したりはしない。このように機械での学習と、人間の脳内での圧倒的に少ないデータを使った学習とが際立った対照をなしていることは、現在のＡＩシステムの限界と今後の技術向上の可能性をともに強調するものだ。

要警戒のサイン

二〇一〇年代は人工知能史上、最も刺激的で重要な一〇年間だったといってまちがいない。AIのアルゴリズムに概念上の改良があったのも確かだが、それにもまして進歩をもたらした要因は、単純により大きなディープニューラルネットワークをより高速なコンピュータハードウェアに使用し、大量の訓練用データをどんどん取り込ませてきたことにある。この「スケーリング」戦略が明確になったのは、ディープラーニング革命の火付け役となった二〇一二年のイメージネット・チャレンジ以降のことだ。同年一一月にニューヨーク・タイムズ紙の一面に掲載された記事は、ディープラーニングという技術を幅広い層に認知させるのに役立った。ジョン・マーコフ記者によるこの記事は、ジェフリー・ヒントンの言葉で締めくくられていた。「このアプローチのポイントは、美しくスケーリングしていくということです。基本的にはより大きく、より速くしていけば、さらに良くなっていく。いまは何も振り返る必要はありません」[9]

しかしこの進歩をもたらした主たる駆動力が、そろそろ先細りになりつつあるという証拠が多くなっている。AI研究組織オープンAIの分析によると、最先端のAIプロジェクトに要する計算リソースが「指数関数的に増加」し、三・四カ月ごとに二倍に増えているのだ[10]。二〇一九年一二月のワイアード誌のインタビューで、フェイスブックのAI担当副社長ジェローム・ペゼンティは、わが社のように資金の潤沢な企業でも、これでは財務的にもたないだろうと言っている。

ディープラーニングをスケーリングすれば、その反応は向上し、より広範囲のタスクをより良い形で解決できるようになることが多い。つまり、スケーリングには優位性がある。しかしこの進歩の速度がいつまでも続かないのはあきらかです。トップレベルの実験を見てみると、一年ごとにコストが一〇倍になっています。今の時点で、ある実験の費用が七桁だとしたら、それが九桁や一〇桁になることはない。実際に不可能だし、誰にもそんな余裕はありません。[11]

スケーリングが進歩の主な原動力でありつづけられるかについても、ペゼンティは厳しい警告を発している。「どこかの時点で壁にぶつかるでしょう。事実、多くの点ですでにぶつかっています」。スケーリングをさらに多くのニューラルネットワークに適用するのは、財務的な限界のみならず、環境面でも重大な懸念がある。二〇一九年にマサチューセッツ大学アマースト校で行われた分析によると、非常に大きなディープラーニングシステムを訓練したら、五台の自動車を寿命まで走らせただけの二酸化炭素が排出されるという。[12]

財務面や環境面への影響といった問題は、おそらくはるかに効率的なハードウェアかソフトウェアが出てくることで、克服できるかもしれない。だがそれでも、戦略としてのスケーリングは、持続的な進歩をもたらすのに十分ではないのではないか。計算リソースへの投資をたえず増やしてきたことで、狭い領域では並外れた能力を示すシステムが生み出されてきたが、しかし次第にあることがわかってきた。ディープニューラルネットワークは信頼性の限界を超えられないため、よほど重要な概念上のブレイクスルーが起こらないかぎり、きわめて重要なアプリケーションの多くには適さなくなるかもしれないということだ。

このテクノロジーの弱点が最も顕著に現れた事例がある。ヴィカリアスという高機能ロボット製造に特化した小企業のことは第3章で取り上げた。そのヴィカリアスの研究グループが、ディープマインドのDQNに使われているニューラルネットワークの分析を行った。DQNはアタリのビデオゲームをマスターするよう学習させられたシステムである。[13]〈ブレイクアウト〉というゲーム上でテストが行われた。このゲームは〈ブロック崩し〉とも呼ばれ、プレーヤーが「パドル」を操作して、素早く動くボールを打ち返さなくてはならない。なのにパドルが画面上でほんの数画素分高いところに移ると――この変化は人間のプレーヤーの目には見えもしないだろう――それまで人間を超えたパフォーマンスを見せていたシステムの能力がたちまちがた落ちしてしまう。ディープマインドのソフトウェアには、こんな些細な変化にすら適応する力がなかったのだ。もう一度トッププレベルのパフォーマンスに戻るにはまたゼロからスタートし、新しい画面構成に基づいたデータでシステムを完全に訓練しなおすしかなかった。

こうした例が教えてくれることは何か。ディープマインドの強力なニューラルネットワークは、〈ブレイクアウト〉の画面の表現（レプリゼンテーション）をインスタンス化するが、この表現はネットワーク内の奥深くの抽象度の高いレベルでも、画素にしっかり固定されたままだということだ。「パドル」は動かせる現実のオブジェクトである、という理解が外に現れてきていない。つまりは、画面上の画素が表現する物体としてのオブジェクトや、その動きを司る物理法則にまつわる人間的な理解のようなものが存在しないのだ。それはどこまで行ってもただの画素でしかない。一部のＡＩ研究者たちは相変わらず、人工ニューロンの層がさらに増えてより高速なハードウェア上で動き、ずっと多くのデータを吸い上げるようになりさえすれば、いずれ包括的な理解が現れてくると考えているかもしれない。だが私には、そうなる可能性は低いと思える。より人間らしく世界を捉えられる機械が出てくるようになるには、もっと根本的なイノベーションがなくてはならないだろう。

ＡＩシステムに柔軟性が足りず、入力データにわずかな想定外の変化があるだけで対応ができない。こうしたタイプの問題をひっくるめて、研究者たちのあいだでは「脆弱性」と言う。脆弱なＡＩアプリケーションがあるとして、それがたとえば、倉庫用ロボットがときどきまちがった品物を箱に詰めるという結果につながるだけなら、大した問題にはならないだろう。だがアプリケーションによっては、同じ技術上の欠陥が悲惨な結果を生じさせかねない。たとえば完全自律走行車の実現に向けての進歩が、なぜ初期に大騒ぎしたころの予測に追いついていないのかも、それで説明がつく。

二〇一〇年代が終わろうとするころ、こうした限界が浮き彫りになってきた。この分野がまたしても先走ったのじゃないか、誇大宣伝が繰り返されて世間の期待をありえないレベルまで引き上げてしまったのじゃないか、という不安がよぎる。テック系メディアやソーシャルメディアでは、人工知能の業界で最も恐ろしい言葉――「ＡＩの冬」が再びささやかれはじめる。二〇二〇年一月には、ヨシュア・ベンジオがBBCのインタビューでこう発言した。「AIの能力はいささか過度に宣伝されてきました……そうすることで利益を得る各企業によって」[14]

この懸念が特に大きくのしかかっていたのは、第3章で見たとおり、積もり積もった誇大宣伝の飛び抜けた頂点にある産業、自動運転車だった。二〇一〇年代初めには楽観的な予測が飛びかっていたものの、幅広い状況下でも自動走行できる、本当の意味での無人運転車はまだ実現に遠いことがあきらかになりつつあった。ウェイモ、ウーバー、テスラなどの企業は一般道路で自律走行車を走らせてはいたが、きわめて限定された条件下で少しばかりの実験をするとき以外はいつも人間のドライバーが乗っていた。しかもそのドライバーが、実際に車を制御しなければならなくなるケースがとても多いことがわかってきた。そして車の走行を監視するはずのドライバーが乗っていても、死亡事故は多発し、業界の評判は色あせていった。機械学習の研究者フィリップ・ピークニウスキーは、二〇一八年に広く読まれたブログ記事「AIの冬がやってくる」のなかで指摘している。カリフォルニア州が提出を求めた記録によると、テストされたある車は、システムを解除して人間のドライバーが制御を引き継がなくては、「文字どおり一〇マイルも走ることができなかった」のだ[15]。

私個人の見解を言うなら、AIの冬がまた実際に訪れたとしても、それは穏やかな冬になるだろう。進歩が鈍化するという意見にはたしかに十分な根拠があるが、ここ何年かのうちにAIが大手テック企業のインフラやビジネスモデルに深く組み込まれてきたということに変わりはない。こうした企業は計算リソースとAIに莫大な投資をして大きな利益を得てきたので、いまでは人工知能を市場での競争力に絶対欠かせないものと捉えている。

また現在は、テック系スタートアップ企業もほとんどすべて、多かれ少なかれＡＩに投資しているし、他の産業の企業も大小を問わず、このテクノロジーを取り入れはじめている。こんなふうに商業分野との融合が順調なのは、過去のＡＩの冬にはまったくなかった状況だ。結果としてこの分野は、実業界全体に大勢の支持者がいることが有利に働き、全体としては多少の落ち込みなら和らげられるぐらいの勢いを保ちつづけるだろう。

スケーラビリティが進歩の主要な原動力でなくなるとして、そこには明るい面もある。一つの問題に対して、ただ計算リソースをもっと多く投入しさえすれば何かしら進歩が起こるという考えが広まると、真のイノベーションというはるかに困難な仕事に投資をしようとする意欲ががた落ちになってしまう。これはたとえば、ムーアの法則にもまちがいなく当てはまる。コンピュータの速度がおおよそ二年ごとに二倍になるというほぼ絶対の信頼があった時期、半導体業界は、インテルやモトローラなどのマイクロプロセッサと同じ設計の製品をさらに高速化したものを作ることに専念していた。ところが最近では、コンピュータの速度が加速度的に上がりつづけるという信頼がゆらいでいる。またチップにプリントされる回路が縮小してほぼ原子並みのサイズになったいま、従来の「ムーアの法則」の定義は終焉を迎えつつある。

そうした経緯から、エンジニアたちは否応なく「既存の枠をはみ出した」思考をするようになり、その結果、超並列コンピューティング用に作られたソフトウェア、まったく斬新なチップアーキテクチャなどのイノベーションが生まれた——その多くがディープニューラルネットワークで必要になる複雑な計算に最適化されたものだ。ディープラーニングや人工知能でも、ニューラルネットワークの規模を大きくするだけでは進歩が見込めなくなったときに、同じようなアイデアの爆発的増加が起こると期待していいのではないだろうか。

より汎用性の高い機械知能の探究

いまあるディープラーニングシステムの限界を乗り越えるには、機械知能を人間の脳の能力へとぐいぐい近づけていくイノベーションが必要になるだろう。大きな障害が数多く立ちはだかる道のりでも、その先にはつねに人工知能の最終目標とされてきたものがある――人間と同等かそれ以上のレベルで意思疎通を行い、推論し、新たなアイデアを生み出すことのできる機械。研究者のあいだでは「汎用人工知能（ＡＧＩ）」と呼ばれている。このＡＧＩに近いものはいまのところ、現実の世界には存在しない。しかしＳＦには、『２００１年宇宙の旅』のＨＡＬ、『スター・トレック』のエンタープライズ号のメインコンピュータやデータ少佐、それにもちろん、『ターミネーター』や『マトリックス』に描かれる真のディストピア的テクノロジーなど、数多くの例がある。

人間を超えた能力を持つ汎用の機械知能の開発は、人類史上最も重要なイノベーションとなるだろう。そうしたテクノロジーは究極の知的ツールとなり、さまざまな分野の進歩のスピードを劇的に加速させるだろう――この主張には説得力がある。ＡＩ専門家たちのあいだでは、ＡＧＩ

が実現するまでどれだけ時間がかかるかについて、大きく意見が分かれている。きわめて楽観的に、五年から一〇年以内にブレイクスルーが起きると言う研究者もいれば、それよりはずっと慎重な、一〇〇年かそれ以上かかるのではないかという見方もある。

当面、ほとんどの研究は、人間レベルのAIを実際に実現することよりも、そこへ向かう道のりと、その途中に現れる障害をうまく乗り越えるのに必要になる多くの重要なイノベーションに焦点を当てているところだ。本物の思考機械を作ろうとする試みは、単なる理論科学のプロジェクトにはとどまらない。それはいまある限界を超えて新たな能力を発揮するAIシステムの構築を目ざすロードマップのようなものだ。その道のりを進んでいけば、商業的にも科学的にも大きな価値を持つ実用的アプリケーションが続々生み出されるのはまずまちがいない。

実用的な短期的イノベーションと、真に人間レベルの機械知能を目ざそうとするはるかに野心的な探究。この両者を組み合わせることが、グーグルでAIに取り組んでいるさまざまなチームの研究理念には示されている。グーグルの人工知能担当総責任者、ジェフ・ディーンは私にこう語った。

ディープマインドは二〇一四年にグーグルが取得した独立子会社だが、汎用の機械知能に特化していて、具体的な個々の問題を解決していくための「構造化されたプラン」を持ちながら、最終的にAGIの実現を目ざしている。一方でグーグルの他の研究グループは「より有機的な」アプローチをとり、「重要だとわかっていてもまだ解決できていない、だがいったんそれが解決すれば、またつぎに解決したいと思う一連の問題を見つけ出せるようになる」事柄に集中的に取り組んでいる。グーグルのＡＩ研究グループすべてが「ともに協力して、本当の知能を備えた柔軟なＡＩシステムを構築しようとして[16]」いるのだ。トップダウン式の計画的アプローチと、一歩ずつ段階を踏んでいくプロセス。そのどちらが成功するかは時間がたってみないとわからないが、どちらの道からも新しい重要なアイデアと、すぐに使えるアプリケーションが生み出される可能性は高い。

こうした道を進んでいくうえでの牽引役を、研究理念もいろいろなら行く手をはばむ難問に立ち向かうための戦略もいろいろな、複数のチームが担っている。それぞれのチームに共通するのは、その究極の目標が、少なくともいまの時点では人間の認知にしか存在しない能力に焦点を合わせたものであるということだ。

その重要なアプローチの一つが、人間の脳の内部構造をじかに観察することだ。こうした研究者たちは、人工知能は神経科学から直接学ぶべきだと考えている。この分野を牽引するのがディープマインドなのだ。同社の創業者でＣＥＯのデミス・ハサビスは、ＡＩ研究者としては異例なことに、大学院でコンピューティングではなく神経科学の教育を受け、その後ユニバーシティ・カレッジ・ロンドンで博士号を取得した。ハサビスは私に、ディープマインドで最大の研究グループは神経科学者たちで構成され、最新の脳科学の知見を人工知能に応用する方法に注力していると語った[17]。

彼らの目的は、脳の仕組みをこと細かに再現するといったことではなく、脳の作用の根底にある基本原理からヒントを得ることだ。ＡＩ専門家はしばしばこのアプローチを、動力飛行の実現とそれに続く現代の航空機デザインの発展になぞらえて説明する。飛行機が鳥にヒントを得ているのはあきらかだが、もちろん翼を羽ばたかせるといった鳥の飛行をそのまままねようとしているわけではない。エンジニアたちが空気力学という科学を理解したことで、鳥が飛べるのと同じ基本原理に従って動作する機械を作ることが可能になったのだが、その性能は多くの点で実際の生物よりもはるかに高い。ハサビスとディープマインドのチームは、「知能の空気力学」のようなものがあるのではないかと考えている。つまり、人間の知能の根底にあって、機械知能にも通じる可能性を持った基本理論のことだ。

ディープマインドが研究発表を行った二〇一八年五月、同社の専門の枠を越えたチームが、そうした一般的な原理が実在する可能性を示す有力な証拠を提示した。その四年前のノーベル生理学・医学賞は、ジョン・オキーフ、マイブリット・モーセル、エドヴァルド・モーセルという三人の神経科学者が受賞していた。彼らは動物の空間ナビゲーションを可能にする特殊なタイプのニューロンを発見したのだ。このニューロンは格子細胞（グリッドセル）と呼ばれ、動物がまわりの環境を探索するときに、脳の内部で規則的な六角形のパターンで発火する。格子細胞は一種の「体内ＧＰＳ」を形づくるものと考えられる。動物がつねに方向感覚を保ち、複雑かつ予測不可能な環境のなかでどちらへ進めばいいか感じ取るためのマッピングシステムを神経構造で表現したものだということだ。

ディープマインドの研究者たちが行った計算実験は、動物が暗闇のなかでエサを探すときに頼りにしているであろう動きに基づいた情報をシミュレーションしたデータを使って、強力なニューラルネットワークを訓練するというものだった。すると驚くべきことに、格子細胞に似た構造が「ネットワーク内に自然発生的に現れ、哺乳類が採餌する際に観察された神経活動パターンとの著しい収斂を示した」[18]。つまり、同一の基本的なナビゲーション構造が、一つは生物、もう一つはデジタルというまったく異なる二つの基盤で自然に生じているらしいのだ。ハサビスはこの成果を、ディープマインドによる最重要級のブレイクスルーだと考えている。この研究が示しているのは、格子細胞を活用した内部システムが、実際にどのように実装するかといった細かな点はさておき、あらゆるシステムのなかでもナビゲーション情報を計算機的に表現するのに最適な方法だということではないか。彼は私にそう語った[19]。

ディープマインドのこの研究を紹介する科学論文はネイチャー誌に発表され[20]、神経科学分野の内部でも大きな反響を巻き起こした。こうした知見は、ディープマインドによる専門を超えたアプローチがいわば双方向的な関係となって、ＡＩ研究が動物の脳から得た情報を引き出すだけでなく、脳の理解にも貢献できるという可能性を示すものだ。

ディープマインドが再び、神経科学への重要な貢献を果たしたのは、二〇二〇年初めのことだった。強化学習についての専門知識を活かし、脳内でのドーパミン作動性ニューロンの作用を研究したのだ[21]。一九九〇年代以降、神経科学者たちは、この特殊なニューロンの役割を突き止めていた。ドーパミン作動性ニューロンは、動物がなんらかの行動をとるときにどれだけの報酬が得られるかを予測する。もし実際に得られる報酬が予測したものより大きかった場合、相対的に多くのドーパミンが放出されて「気持ちが良い」と感じる。予測より小さかった場合、ドーパミンの量は減る。コンピュータによる強化学習も、従来はこれとほぼ同じで、アルゴリズムがある予測をし、その予測された結果と実際の結果との落差に基づいて報酬を調節する仕組みだった。

ディープマインドの研究者たちは、予測を一つの平均としてではなく、複数の予測の分布として作り出すことで、強化学習のアルゴリズムの大幅な改良に成功した。それからハーバード大学の研究者グループと組んで、現実の脳でもこれと同じようなことが起きているかどうかを観察した。そしてマウスの脳も実際に同様の予測の分布を行っていること、一部のドーパミン作動性ニューロンは報酬がどれだけ得られるかを相対的に少なく見積もり、別のニューロンは多く見積もるということを立証した。つまりディープマインドはまたしても、デジタルアルゴリズムと動物の脳の両方で等しい結果を生み出す同種の根本メカニズムの存在を示してみせたのだ。

こうしたタイプの研究は、ハサビスと彼のチームが強化学習にかける自負の表れであり、汎用性の高い人工知能の実現へと向かう試みには強化学習が不可欠な要素となるという信念の表れでもある。この点でディープマインドはかなり異質な存在だ。たとえばフェイスブックのヤン・ルカンは、強化学習が果たす役割は比較的小さいものだろうという考えだ。ルカンはいろいろな発表の場で、もし知能がフォレノワールのケーキだとすれば、強化学習は上に載っているチェリーでしかない、と発言している。[22] しかしディープマインドのチームは、強化学習の役割ははるかに重要なもので、AGIを実現するための有効な手段になりうると考えている。

私たちは強化学習について、報酬駆動型のアルゴリズムによって外部のマクロなプロセスを、たとえば囲碁を打つ、シミュレーションされた自動車の運転の仕方を学ぶなどのプロセスを最適化する、といった観点から説明することが多い。しかしハサビスは、強化学習は脳の内部でも重要な役割を果たしていて、知性の発生にも不可欠なものなのではないかと指摘する。強化学習が、新しいものを知り、学習し、推論するほうへ脳を駆りたてる主要なメカニズムであるというのは、たしかに考えられることだ。

たとえばこう想像してみよう。脳には本来、ただ探索すること、そして動物が周囲の環境のなかを動き回るときにたえず流れ込んでくる生のデータを秩序づけることが目的として備わっているのだと。ハサビスは、人間は「新しく珍しいものを見ると、脳内にドーパミンが分泌されることがわかっています」と言う。もしも脳が「情報や構造を見つけ出すこと自体が報酬になるように」作られているとしたら、「その動機づけはきわめて有益なものでしょう」[23]。つまり私たちが周囲の世界をたえず理解しようとしつづける原動力とは、ドーパミンの生成と結びついた強化学習アルゴリズムであるのかもしれない。

より汎用性の高い機械知能を作るのに、それとはまったくちがったアプローチをとっているのが、AIスタートアップ企業エレメンタル・コグニションの創業者兼CEOのデイヴィッド・フェルッチだ。フェルッチの名を一躍知らしめたのは、IBM〈ワトソン〉の開発チームのリーダーを務めたことだろう。〈ワトソン〉は二〇一一年、テレビ番組『ジョパディ!』で、ケン・ジェニングスを始めとするこの番組のトップ回答者たちを打ち破った。この勝利のあとでフェルッチはIBMを退社すると、ウォール街のヘッジファンド、ブリッジウォーター・アソシエイツに加わり、人工知能を用いたマクロ経済の理解に取り組んだ。そしてブリッジウォーターのCEO

レイ・ダリオの経営・投資哲学をアルゴリズムに組み込み、会社全体に展開させることに貢献したと報じられている。

フェルッチは現在、ブリッジウォーターのＡＩディレクターと、エレメンタル・コグニションの経営者を兼任している。エレメンタル・コグニションは当初からこのヘッジファンドからの出資を受けていたのだった。[24] フェルッチが私に語ったところでは、エレメンタル・コグニションは「本当の言語理解」に集中して取り組んでいるという。自律的にテキストを読み、それから人間と対話をすることで、情報についての理解度を高め、何か結論があればその説明もできる。そんなアルゴリズムを作ろうとしているのだ。フェルッチは続けてこう言っている。

われわれは言語の表層構造の向こう、単語の頻出度に現れるパターンの向こうを見すえて、根底にある意味をつかみたいのです。そしてそこから、人間が推論やコミュニケーションのために生み出して利用する内的な論理モデルを構築できるようにしたい。システムに互換性のある知能を持たせたい。そうした互換性のある知能なら、人間との交流、言語、対話などの経験を通じて自律的に学習し、その理解度を向上させていくことができます。[25]

これはとてつもなく野心的な目標だ。私には人間レベルの知能にごく近いものに思える。自然言語を処理するＡＩシステムは、現状ではディープマインドのＤＱＮがアタリのゲームをしていて、パドルが何画素分か上に移動したときに見られたのと似たような限界を抱えている。この画面上の画素が表しているのは移動可能な物理的オブジェクトなのだが、ＤＱＮはそのことを理解していない。それとちょうど同じで、いまある言語システムには、処理する言葉が何を意味しているかについての本当の理解がない。この難問にエレメンタル・コグニションは挑んでいるのだ。

フェルッチはあきらかに、言語の理解という問題を解決することが、汎用知能へいたる最良の道だと考えている。ディープマインドのチームのような、頭脳の生理を深く掘り下げていくやり方ではなく、言語の理解と、論理および推論の能力が人間レベルに迫るようなシステムを直接作り上げることは可能だと言う。フェルッチはＡＩ研究者には珍しく、汎用知能のビルディングブロック（基礎的要素）はすでにそろったと考えている。あるいはこんな言い方をする。「他の人たちはともかく、やり方がまだわからないから大きなブレイクスルーを待たなくてはならない、などと私は思いません。実際、そんなことはないでしょう。やり方はもうわかっていて、あとはそれを証明するだけだと思っています[26]」

こうした目標が比較的近い将来に実現できるという見込みについても、フェルッチはずいぶん楽観的だ。二〇一八年のドキュメンタリー映画ではこう発言している。「あと三年から五年で、自律的に学習して理解することや理解の仕方を学びとれる、人間の頭とほとんどちがわない働き方をするコンピュータシステムができあがるでしょう[27]」。この予測のことを尋ねると、フェルッチはわずかに尻込みし、三年から五年というのはたしかに楽観的すぎたかもしれないと認めた。だが、それでもこう言っていた。「今後一〇年ほどのあいだには実現するだろうと思います。五〇年や一〇〇年も待つことにはならないでしょう[28]」

この目標を達成するべく、エレメンタル・コグニションのチームは、ディープニューラルネットワークなどの機械学習のアプローチと、論理や推論を扱う従来型のプログラミング技術を用いたソフトウェアモジュールを組み合わせた、一種のハイブリッドシステムを構築しようとしているところだ。これから見ていくように、ニューラルネットワークだけを基盤とする戦略と、このようなハイブリッドなアプローチのどちらが有効かという議論は、ＡＩの分野が直面する最重要問題の一つとして浮上している。

現在グーグルでエンジニアディレクターを務めるレイ・カーツワイルもやはり、言語の理解に大きく力点を置いた手法で汎用知能を目ざしている。カーツワイルは二〇〇五年の著作 *The Singularity Is Near*（邦題『シンギュラリティは近い――人類が生命を超越するとき』）[29]で「シンギュラリティ（技術的特異点）」という言葉を登場させ、このアイデアの伝道者として広く知られるようになった。カーツワイルとその数多い信奉者たちは、シンギュラリティがいつか、人間を超えた機械知能が出現することでもたらされ、そこから人類の歴史が急激な上昇曲線を描き出すと信じている。シンギュラリティとは、テクノロジーの進歩が猛烈に加速し、人間の生活や文明のあらゆる側面が徹底的に、そしておそらく理解を超えるほど変えられてしまう屈曲点であるということだ。

二〇一二年、カーツワイルは *How to Create a Mind*（『知性の作り方』）という著作を発表し、そのなかで人間の認知の概念モデルについて説明した。[30] カーツワイルによれば、脳には三億個ほどの階層状のモジュールがあり、「どのモジュールも系列パターンを認識し、ある程度のばらつきを受容することができる」[31]。このモジュールの手法で行けば最終的に、教師あり学習や強化学習の手法に頼った現在のディープラーニングシステムよりずっと少ないデータで学習できるシステムが生まれる、というのがカーツワイルの考えだ。彼はこうしたアイデアを実践するためのベンチャー企業を立ち上げようと考え、グーグルのラリー・ペイジに出資を頼んだ。するとペイジはこう持ちかけた。あなたがグーグルに来て、わが社の巨大な計算リソースを活用することでそのビジョンを実現させればいい、と。

カーツワイルは何十年も前から、二〇二九年ごろにはＡＧＩが実現すると予測していたし、いまだにそう信じている。チューリングテストという、人工知能が人間レベルに達しているかどうかを測る手段があるが、多くのＡＩ研究者はその有効性を疑っている。しかし彼はこのテストへの信頼を崩さない。アラン・チューリングの一九五〇年発表の論文のなかで考案されたこのテストは、基本的にはあるおしゃべりを審査員が聞いて、その会話の相手が人間なのか機械なのかを判定するというものだ。一人の審査員か複数の審査員が、機械か人間かを区別できなければ、そのコンピュータはチューリングテストに合格したことになる。ただし多くの専門家には、チューリングテストが人間レベルの機械の知能を測る有効な手段だとは見なされていない。理由の一つには、チューリングテストがちょっとしたギミックの影響を受けやすいという点がある。

たとえば、二〇一四年にイギリスのレディング大学で開催されたあるコンテストで、一三歳のウクライナ人少年を模倣したチャットボットが、審査員たちを見事に欺いた。そして審査団は、アルゴリズムが初めてチューリングテストに合格したと宣言した。しかしチャットボットとの会話がかわされたのはたった五分間だけで、人工知能のコミュニティにその話をまともに受けとめる者はいなかった。

それでもカーツワイルは、このテストをずっと確実性の高いものに改良すれば、真の機械知能を示す強力な指標になるはずだと信じている。二〇〇二年にカーツワイルは、ソフトウェア起業家のミッチ・ケイパーを相手に、正式な二万ドルの賭けをした。この賭けにはいろいろ複雑なルールが設定されていて、関係者は三人の審査団と四人の出場者（AIを搭載したチャットボットが一台、それらしいふりをした人間が三人）[32]。そして二〇二九年末までに、審査団が各出場者と一対一で二時間の会話をしたあと、二人以上の審査員がAIシステムを人間だと信じたらカーツワイルの勝ち、というのが賭けの内容だ。そんなテストに合格できるなら、たしかに人間レベルのAIが登場したという強力な指標になると私も思う。

発明家としては際立った功績を残してきたにもかかわらず、現在のカーツワイルは主に未来学者のように捉えられる傾向がある。長期的なテクノロジーの加速度的進歩という理屈はそこそこよく練られているが、その進歩の先に何があるかという発想はいささか突飛なものに思えるし、「どうかしている」という声も一部では聞こえてくる。ある記事によると、彼は寿命を延ばすために毎日一〇〇錠以上のサプリメントを飲んでいるという[33]。

実際にカーツワイルは、自分がすでに「寿命脱出速度」に達したと考えている。つまり、この先できるかぎり長生きしていけば、つぎつぎ起こる延命医療のイノベーションの恩恵を受けられるようになるというのだ[34]。これを無限に、何か致命的な事故に遭うのを避けながら続けていけば、事実上の不死身になれる。あと一〇年ほどで、こうした計画は誰にでも手の届くものになるだろう、とカーツワイルは私に語った。そのためには、高度な人工知能を生化学のごく忠実なシミュレーションに適用することが重要な原動力となる。「生物のシミュレーションをするのは、決して不可能なことではありません。それができれば、臨床試験を数年どころか、数時間で行えるようになる。自動運転車やボードゲームや数学でやっているのと同様に、独自のデータを生成することもできるでしょう[35]」

こうした考えや、特に自分が不死身になれるという可能性を心から信じているせいだろうが、いまのカーツワイルはからかいや嘲(あざけ)りの対象になることが多い。またAI研究者たちの多くは、階層理論によって人工知能を目ざそうとする彼のスキームには冷ややかな見方をしている。しかし私がカーツワイルと話をして受けた印象では、彼がグーグルで行っているAIの研究に限っていえば、きわめてしっかりした根拠のあるものだ。

カーツワイルは二〇一二年にグーグルに入社して以降、自らが唱える脳の階層理論と最新のディープラーニングとの融合に専念するチームを率いて、高度な言語能力を備えたシステムを作り出そうとしてきた。その初期の成果の一つが、Gメールの返信が自動的にできる「スマートリプライ」機能だ。これはまだ、たしかに人間レベルのAIにはほど遠いけれど、カーツワイルは自らの戦略への自信を崩そうとせず、私にこう言った。「人間はこの階層的なアプローチを使っています」。そして、最終的には「AGIもこれで十分でしょう[36]」。

だがもう一つ、人工知能の実現に向かって別の道を進もうとする存在がある。二〇一五年にイーロン・マスク、ピーター・ティール、リンクトインの共同創業者リード・ホフマンらの資金援助を受け、サンフランシスコで設立された研究機関「オープンＡＩ」だ。オープンＡＩは当初、ＡＧＩ実現に向けての安全かつ倫理的な探究を使命とする非営利団体として創設された。イーロン・マスクは、人間を超えた機械知能がいつか人類に深刻な脅威をもたらすことを深く案じていて、それに応えるために立ち上げられたという事情も一部にはある。オープンＡＩは設立時から、この分野のトップレベルの研究者たちを引き寄せていて、そこには二〇一二年のイメージネット・チャレンジでトロント大学のジェフリー・ヒントンとともに優勝したイリヤ・サツケヴァーの名もあった。

二〇一九年には、当時シリコンバレーで最も注目を集めていたスタートアップインキュベーター「Ｙ－コンビネーター」の社長だったサム・アルトマンがＣＥＯに就任し、複雑な法的再編成を行った結果、本来の非営利団体に営利企業が付属する形になった。その目的は、オープンＡＩが民間セクターからの出資を受けることで、計算リソースへの大規模投資を行い、次第に不足しがちなＡＩの人材の獲得競争に勝てるようになることだった。この戦略はたちまち功を奏した。二〇一九年七月、マイクロソフトはこの新会社に一〇億ドルを投資すると発表した。

ＡＧＩ開発競争において、オープンＡＩはおそらく、グーグルのディープマインドにも対抗しうる資金の潤沢な企業だろう。だがスタッフのレベルという点では、老舗のディープマインドよりかなり下だ。オープンＡＩはディープマインドと同じく、強化学習の手法で訓練した強力なディープニューラルネットワークを開発している。ここの研究者チームが生み出したシステムには、

〈Dota 2〉などのビデオゲームで人間のトッププレーヤーに勝てるほどのものもある。

しかしオープンＡＩが異彩を放っているのは、はるかに強力なコンピュータプラットフォーム上で動く、さらに大規模なディープニューラルネットワークを構築することに余念がないところだ。この分野の他の研究者たちが、スケーラビリティは戦略として頭打ちになりつつあると言っているのに、オープンＡＩは依然としてこのアプローチに深くのめり込んでいる。はたせるかな、大手テック企業マイクロソフトからの一〇億ドルの投資は、そのクラウドコンピューティング事業アジュールの計算能力という形で提供されるだろうとのことだ。

「大きければ大きいほどいい」というオープンＡＩの姿勢は、たしかに重要な進歩をもたらしてきた。この組織の最も有名かつ物議をかもしたブレイクスルーの一つが、二〇一九年二月に行われたＧＰＴ－２という強力な自然言語システムの実演だった。ＧＰＴ－２は、インターネット由来の膨大な量のテキストで訓練された「生成型」ニューラルネットワークからなっている。

生成型のシステムでは、ディープニューラルネットワークの出力は基本的に反転される。データを識別したり分類したりするのではなく、たとえば写真に付けるキャプションを考え出すように、訓練に使ったデータとおおむね似通った、だがまったく新しい例を作り出すのだ。生成型ディープラーニングシステムは、いわゆる「ディープフェイク」の基盤になっている技術だ。ディープフェイクとは、本物と区別するのがきわめて難しい、あるいは不可能なメディアの捏造を意味する。これは人工知能に関連する重大なリスク要因でもあるのだが、その影響については第8章で説明しよう。

GPT－2は、一、二行のテキストプロンプト（例示文）を入力してやると、そこから一つの完全なナラティブ（物語）を生成するようにできている。つまりそのプロンプトで省かれているところに着目し、完全なストーリーに仕立て上げるのだ。GPT－2はAI研究者たちと、特にメディア方面に反響を及ぼした。このナラティブがだいたいにおいて、きわめて筋の通ったものだったからだ。実際、あまりにそれらしかったため、オープンAIはこのシステムが悪用されはしないかと考えた。それまでのプロジェクトではコードを公開していたのだが、GPT－2のコードに限っては他のAI研究者たちとの共有を拒否した。GPT－2のシステムで生成されたテキストがフェイクニュースとなってインターネットが機能不全に陥るのではないか、捏造された商品レビューがeコマースのサイトにあふれ出すのではないか、と経営陣は恐れたのである。

しかしこの判断は、オープンなアイデアの交換を重んじるAI研究コミュニティの批判を招くことになった。そして一年もしないうちに、オープンAIは方針を転換し、GPT－2のコードを公開した。華々しい宣伝もなく、なんらかの悪用例があったという証拠も示さなかった。それが逆に、オープンAIはわざと自社の研究を大げさに言いたて、警鐘を鳴らすことで宣伝効果を狙ったのではないかという非難へとつながった。

GPT－2で生成された文章は、文法や構造の点ではおおむね水準を満たしている。だが、ざっと読んだだけでも、ナラティブの内容にはかなりの問題があることがわかる。オープンAIのウェブサイトで公開されたGPT－2によるナラティブの例の一部を挙げてみよう。

人間が書いたプロンプト：

In a shocking finding, a scientist discovered a herd of unicorns living in a remote, previously unexplored valley, in the Andes Mountains. Even more surprising to the researchers was the fact that the unicorns spoke perfect English.

（ショッキングな発見があった。ある科学者がアンデス山脈の奥地の、人跡未踏の谷に暮らすユニコーンの群を発見した。調査団がさらに驚いたことに、そのユニコーンたちは完璧な英語を話した）

GPT－2が生成した文章：

The scientist named the population, after their distinctive horn, Ovid's Unicorn. These four-horned, silver-white unicorns were previously unknown to science.

Now, after almost two centuries, the mystery of what sparked this odd phenomenon is finally solved.

Dr. Jorge Perez, an evolutionary biologist from the University of La Paz, and several companions, were exploring the Andes Mountains when they found a small valley, with no other animals or humans. Perez noticed that the valley had what appeared to be a natural fountain, surrounded by two peaks of rock and silver snow.

Perez and the others then ventured further into the valley. "By the time we reached the

top of one peak, the water looked blue, with some crystals on top," said Perez.
Perez and his friends were astonished to see the unicorn herd. These creatures could be seen from the air without having to move too much to see them — they were so close they could touch their horns.
While examining these bizarre creatures the scientists discovered that the creatures also spoke some fairly regular English. Perez stated, "We can see, for example, that they have a common 'language,' something like a dialect or dialectic."[37]

（科学者たちはその群を、独特な角にちなんで「オビッドのユニコーン」と名づけた。この角が四本ある、銀白色のユニコーンたちは、かつては科学界には知られていなかった。ほぼ二世紀後のいま、この奇妙な現象を起こさせた謎がようやく解き明かされようとしている。

ラパス大学の進化生物学者ホルヘ・ペレス博士と同行者数名は、アンデス山脈を探検中、他の動物や人間のいない小さな谷を見つけた。その谷に水の湧き出る泉のような、岩と銀色の雪の二つの峰に取り巻かれた場所があることにペレスは気づいた。

ペレスと同行者たちはさらに谷の奥へ分け入っていった。「ある峰の頂に着いたときには、水が青く見え、その上にはいくつかの結晶がありました」とペレスは言った。

ペレスと友人たちはユニコーンの群を見て驚いた。この生き物たちは上空から、あまり動かなくても見ることができた——とても近くにいて、角に触れられるほどだった。

この奇妙な生き物を調べているうちに、科学者たちは、生き物たちがごく普通の英語を話すことを知った。ペレスはこう述べた。「たとえば、彼らは共通の〝言語〟、つまり方言（ダイアレクト）か弁証法（ダイアレクティック）のようなものを持っていることがわかります」）

このストーリーはまだしばらく続くのだが、のっけから出てくるのは、「角が四本ある」一角獣（ユニコーン）の新種が発見されたということだ。その後、ユニコーンは「普通の英語」を話すが、「方言または弁証法のような共通の〝言語〟を持っている」ということも知らされる。さらに「この生き物たちは上空から、あまり動かなくても見ることができた――とても近くにいて、角に触れられるほどだった」という一文には、これはどういう意味なのかと首をひねらされることになる。

こうしたことからはっきりわかるのは、オープンＡＩが開発した巨大なシステムを構成する何百万もの人工ニューロンのなかではたしかに何かが融け合ってはいるものの、本当の意味での「理解」はないということだ。このシステムはユニコーンがどんなものかを知らないか、あるいは「角が四本ある」ことが意味的に矛盾することを知らない。ＧＰＴ－２は、デイヴィッド・フエルッチが率いたエレメンタル・コグニションのチームやグーグルのレイ・カーツワイルが取り組もうとしているのと同じ、根本的な限界を抱えているのだ。

二〇二〇年五月、オープンＡＩはさらに大きくパワーアップしたシステム、ＧＰＴ－３をリリースした。ＧＰＴ－２のニューラルネットワークには、ネットワークの学習に最適化された「重み」がおよそ一五億含まれていたのに対し、ＧＰＴ－３はそれを一〇〇倍以上の一七五〇億にまで増やした。そしてＧＰＴ－３のニューラルネットワークの訓練に使われたテキストの量は約〇・五テラバイトで、英語版ウィキペディアの全記事（約六〇〇万件）を合わせてもその〇・六パーセントほどにしかならないほどの膨大な量だった。オープンＡＩは、選ばれた一部のＡＩ研究者やジャーナリストがいち早くＧＰＴ－３を使えるよう便宜を図り、最終的にはこの新システムを初めて商品として販売する計画を発表した。

それから数週間、ＧＰＴ－３を試しに使いはじめた人たちから、この新しいシステムの力への驚きの声がソーシャルメディアにあふれ出した。適切なプロンプトさえ与えれば、死んで久しい作家のスタイルに沿った説得力ある記事や詩を書くことができる。歴史上の人物や架空の人物とのそれらしい会話を再現することも可能だ。ある大学生はこのシステムを使って自己啓発ブログの記事をそっくり作成し、ランキングのトップに立った。[38]そしてたちまちこのシステムは、人間レベルの機械知能への道を切り開く重要なブレイクスルーになるだろうという評判を得た。

ところがまもなく、こうした特に優れた例の多くは、何度もテストを重ねたなかから念入りに選ばれたもので、ＧＰＴ－３もＧＰＴ－２と同様、一見まともだが意味のない文章をたびたび生み出すことがわかってきた。オープンＡＩのＧＰＴシステムはどちらも、強力な予測エンジンが核にあって、一連の単語を与えられたとき、つぎにどんな単語が来るかを予測するのに秀でている。ＧＰＴ－３はこの能力をかつてないレベルにまで高めていて、訓練に使われた膨大なテキストの山には確かな知識が凝縮されているため、このシステムの出力はきわめて有用なものになることが多い。けれども一貫性がないため、しばしばゴミを生成したり、人間なら誰でも簡単にできるタスクに苦労したりする。[39] GPT－2と比較すれば、GPT－3はユニコーンをめぐるはるかにもっともらしいストーリーを書くことができる。それでもやはり、ユニコーンが何であるかを理解してはいない。

オープンAIがひたすらこの問題に計算リソースを注ぎ込みつづけ、さらに膨大なニューラルネットワークを構築するだけで、本当の「理解」は実現できるのか？　私の見るところ、それはまずありえないだろう。AI専門家たちの多くも、オープンAIがひたすらスケーラビリティを追いつづけることにはきわめて批判的だ。カリフォルニア大学バークレー校のコンピュータ科学者で、人工知能研究では世界有数の大学の教科書を共同執筆しているスチュアート・ラッセルは、私にこう語った。AGIの実現に必要なブレイクスルーは「より大きなデータセットや、より高速の機械とは無関係なものです[40]」。

それでもオープンAIは相変わらず自信満々だ。二〇一八年のある技術会議でスピーチをした同社のチーフサイエンティスト、イリヤ・サツケヴァーはこう言っている。「われわれは過去六年間にこの分野であった進歩を見なおしました。そうして出てきた結論は、AGIが近い将来に実現する可能性は真剣に受けとめるべきだということです[41]」。さらに数カ月後、別の会議の席上で、オープンAIのCEOサム・アルトマンがこう述べた。「［AGIを］作る秘訣があるなら、これらのシステムを大きく、より大きく、さらに大きくスケーリングすることにほぼ尽きるでしょう[42]」。このアプローチに対する判定はまだ下されていないが、私が思うに、オープンAIが成功を収めるためには、ニューラルネットワークのサイズだけではなく、真のイノベーションへの取り組みもスケールアップする必要があるのではないだろうか。

シンボリックＡＩの復権、生得的構造にまつわる議論

研究者たちが目前の難題と苦闘するなか、シンボリックＡＩの陣営が提唱してきた考え方がある種の復権を果たそうとしている。人工知能が進歩を目ざそうとするなら、シンボリックＡＩ派が過去に解決しようとして、おおむね失敗してきた問題にいまこそ取り組まなければならない──そんな声が圧倒的多数になっているのだ。ディープラーニング原理主義者とでもいえそうな、オープンＡＩ関連に多い比較的少数のグループは、いまあるニューラルアルゴリズムをスケーリングし、さらに高速なハードウェアとさらに多くのデータを活用するだけで、汎用性の高い知能に欠かせないタイプの論理的推論や常識推論を作り出せると信じているが、研究者の多くにはそういった確信はほとんどなくなっている。

そしてうれしいことに、今回はシンボリックＡＩ哲学とコネクショニスト哲学のあいだで、競合ではなく和解と統合の試みが見られそうだ。新たに生まれたこの研究分野は「ニューロシンボリックＡＩ」と呼ばれていて、未来の人工知能に向けての最も重要なアプローチとなってもおかしくない。何十年にも及ぶ、ときには険悪だったライバル関係が歴史の向こうに消えていくなか、新世代のＡＩ研究者たちは進んでこの二つのアプローチの溝を埋めようとしているようだ。マサチューセッツ州ケンブリッジのＭＩＴ－ＩＢＭワトソンＡＩ研究所で所長を務めるデイヴィッ

ド・コックスは、こう言っている。若い研究者たちには「そうした歴史とは何も関係がない」ので、「進んで両者の接点を探求しています。彼らはＡＩを使って何かクールなことがしたい、それだけなのです」[43]。

どうすればこの統合は果たせるのか。それについてはざっくりと二つの考え方がある。より単純な方法は、ニューラルネットワークに、従来型のプログラミング技術で作られたソフトウェアモジュールを組み合わせたハイブリッドなシステムの構築だろう。論理的・シンボリックな推論を処理できるアルゴリズムと、学習に重点を置いたディープニューラルネットワークとを連携させる。これはエレメンタル・コグニションのデイヴィッド・フェルッチのチームが進めている戦略だ。

二つめのアプローチは、ニューラルネットワークのアーキテクチャに直接、シンボリックＡＩの機能を実装する方法を見つけること。これはディープニューラルネットワークに必要な構造を組み込むことで実現できるかもしれない。あるいはずっと抽象的な言い方になりそうだが、ディープラーニングのシステムと訓練方法をうまく設計することで必要な構造が有機的に浮かび上がってくるということも考えられる。若い研究者たちは進んであらゆる可能性を検討しようとするだろうが、キャリアを積んだ研究者たちのあいだではどの方法がベストかをめぐって辛辣な議論が続けられている。

ハイブリッドなアプローチを特に声高に提唱しているのが、最近までニューヨーク大学で心理学と神経科学の教授を務めていたゲイリー・マーカスだ。マーカスはディープラーニングが重視されすぎだと、いろいろなエッセイや討論のなかで厳しく批判してきた。いわく、ディープニューラルネットワークはいつまでたっても浅くて脆弱なままだ、シンボリックAIから得たアイデアを直接注入してミックスしないかぎり、汎用性の高い知性が現れる可能性はきわめて低い。

マーカスは研究者としてのキャリアの大半を、子どもがどのように言語を学び習得するかの研究に費やしてきたが、純粋なディープラーニングのアプローチが人間の子どもの驚くべき能力に近づける見込みはほとんどないと考えている。このマーカスの批判は必ずしも、ディープラーニングのコミュニティには歓迎されていない。以前はある機械学習のスタートアップ企業を共同で創業し、二〇一五年にウーバーに買収されるということもあったのだが、それでもまるで部外者扱いで、この分野に大した貢献をしていない人物だと見なされている。

概して言うなら、特にディープラーニングに肩入れしてきた経験豊富な研究者たちほど、ハイブリッドなアプローチには否定的な傾向がある。ヨシュア・ベンジオは私に、「古典的AIが解決しようとしていたのと同じ問題を、ただしディープラーニングから出てきたビルディングブロックを使って解決する」ことを目標とするべきだと語った。[44] ジェフリー・ヒントンはさらにこのアイデアを軽視していて、「ハイブリッドが答えだとは思いません」と言い、そうしたシステムを、電気式モーターを使って内燃機関にガソリンを注入する、ルーブ・ゴールドバーグ・マシンじみたハイブリッドカーにたとえている。[45]

問題なのは、シンボリックAIの機能を、すべてニューラルネットワークだけでできあがったシステムに組み込むための明確な戦略がいまのところ存在しないことだ。マーカスが指摘するように、ディープラーニングの最も目立った成果の多くが、たとえばディープマインドのシステム〈アルファ碁〉もそうなのだが、実際にはハイブリッドなシステムである。というのも、ディープニューラルネットワークに加え、従来型の検索アルゴリズムにも頼ることで初めて成功したものだからだ。

ハイブリッドなモデルが有効かどうかをめぐって研究者たちが議論を戦わせる一方で、機械学習システムにもともと組み込まれている構造の重要性についても、並行して集中的な議論が行われている。ディープニューラルネットワークには、たとえば画像認識に使われる畳み込みアーキテクチャなど、あらかじめ設計された構造がある程度組み込まれていることが多い。だが強硬なディープラーニング主義者の多くは、こういった構造は最小限にとどめるべきだ、この技術は「白紙の状態」にかなり近いところから進化させていくことができる、と考えている。

たとえば、ヤン・ルカンは私に、「長い目で見るなら、そういった特別な構造は必要ないでしょう」と語った。人間の脳にはそうした神経構造の存在を示す証拠はないと指摘し、こうも言っている。「大脳皮質の微細構造は、視覚野を見ても前頭前野を見ても、あらゆるところまでごくごく均一に見えます[46]」。この陣営の研究者たちはおおむね、訓練手法を改良することに集中し、相対的に汎用性の高いニューラルネットワークの能力を高めてさらに深い理解へ達するようにさせるべきだと主張する。

マーカスのように、子どもの認知機能の発達を学んできた研究者たちは、「白紙の状態」という考え方には強く反発する。幼い子どもの脳に、学習を促進する機能が組み込まれているのはあきらかだからだ。赤ちゃんは生まれて数日で、人の顔を認識することができる。他の動物の世界に目を向ければ、学習に頼らない実用的な知性の存在はさらに目につきやすい。コールド・スプリング・ハーバー研究所の神経科学者アンソニー・ザドールの指摘によれば、「リスは生まれて数カ月で木から木へと飛び移ることができ、子馬は数時間で歩けるようになり、クモは生まれながらに狩りの仕方を知っている」[47]。

ゲイリー・マーカスはアイベックスのことをよく引き合いに出す。ヤギの仲間で、アルプスなど険しく危険な場所で一生を過ごす動物だが、アイベックスの子は生まれてから数時間で立ち上がり、試行錯誤などしていたらすぐに死んでしまうような環境のなかで斜面を移動できるようになる。これはプラグアンドプレイ、つまり箱から出してすぐに使える技術だ。この陣営の研究者たちは、より柔軟性と汎用性の高い人工知能にも組み込み型の認知機能がなくてはならず、そのためにはニューラルネットワークの構造に直接注入するか、ハイブリッドなアプローチで統合する必要があると考えている。

ディープラーニング派の一部に言わせれば、こうした生得的な構造は最終的に重要になるかもしれないが、それは持続的な学習プロセスの一部として自然と有機的に発生してくるだろうとのことだ。しかし私には、ヒントを求めて人間や動物の脳に目を向けてみた場合、脳のあらゆる構造が長期的な学習の結果だということはとうていありえないように思える。動物が一生のあいだ行う学習によって、その脳がある程度作りなおされることは知られている。ニューロンが「ともに発火すれば、ともに繋がる」とはよく言われることだ。

ここでの問題は、個々の動物が一生の学習を通じて形成された神経構造を子孫に伝える方法がないということだ。何かの事柄を学習したあと、その学習と関連づけられる脳の構造がどんなものかを示した情報がどうにかしてその動物の卵子や精子の遺伝コードに送り込まれる、ということは起こりえない。個々の動物の一生のあいだに脳の構造がどう発達しようと、それはその動物とともに死ぬ。したがって脳の構造は、通常の進化のプロレス、つまりランダムな突然変異の結果であることはあきらかだ。突然変異によってごくまれに、その動物が環境により適応できるような変化が生まれるため、それが子孫に伝えられる可能性が高まるのだ。このプロセスを、進化的アルゴリズムや遺伝的アルゴリズムを通じて直接コピーする、という方法もなくはないだろう。しかし必要な構造を直接組み込んだほうが、はるかに早く進歩を実現させられるのではないか。

ハイブリッドと純粋なニューラルの、どちらのアプローチがいいかという議論で、ディープラーニング派の主張はある意味、究極のものといえるかもしれない。人間の脳は、自前の神経回路網（ニューラルネットワーク）で処理できないものがあったとしても、それを肩代わりしてくれる特別なアルゴリズムや別のコンピュータを持っていたりはしない。どこまでも行ってもニューロンがあるだけで、それはディープラーニング派の言い分と一致する。それでも私には、ハイブリッドなアプローチのほうが、より近い将来に実用的な成果を生み出すのではないかと思える。純粋なニューラルインプリメンテーションが、生物の進化に裏づけられた方法なのはあきらかでも、そのことを理由に、他の手法を用いてもっと早く進歩を遂げられる可能性に目をつぶるべきではないだろう。また、せっかく実現可能なアプローチがあるのに、エレガントさが足りないというだけの理由ではねつけてしまうべきでもない。

人類が初めて月面に着陸したときに打ち上げられたのは、ＳＦによくある、ぐんぐん降下していって着陸し、再び離陸できるような宇宙船ではなかった。それよりずっと複雑な、月着陸モジュールや途中で捨てなくてはならない部品をたくさん寄せ集めた、むしろ不格好といってもいい仕掛けだったのだ。いつの日かいずれ、ＳＦのようにスマートな宇宙船が登場してくるのだろうが、それでもとりあえず、人類は月に着陸したのである。

汎用の機械知能の前に立ちはだかる難題

人間レベルの人工知能に近いものを実現するには大きなブレイクスルーが必要だということは、ＡＩ研究者の大半が認めている。しかしどの問題を克服するのが最も重要か、どの問題に最初に取り組むべきかといった点では幅広い合意が得られていない。ヤン・ルカンはよく、山のなかを進んでいくときのことをたとえとして使う。一つめの頂上に登って初めて、その先に立ちはだかる障害が見えてくるのだ。ここで乗り越えるべきハードルと重なり合い、またつねに交差し合う目標とは、自然言語を本当に理解し、有意味で制約のない会話をする能力を持つ機械を作ることだろう。

ここでは、ＡＩ研究が今後取り組むことになりそうないくつかの主な難題を、もう少しだけくわしく見ていこう。以下のリストはすべてを網羅しようとするものではないが、これらのハードルをクリアした機械知能は、現在あるものよりぐっとＡＧＩに近づく。またこうした問題のどれか一つでも解決できるシステムができれば、商業的にも科学的にもきわめて価値のある実用的アプリケーションを生み出すことになるだろう。

［常識推論］

私たち人間が「常識」と呼んでいるのは、基本的には世界とその仕組みがどんなものであるかという共有された知識のことだ。私たちは生活のほぼあらゆる場面でこの常識に頼っているが、特に重要になるのはコミュニケーションの仕方である。この常識があるおかげで、口には出されない空白の部分が埋められるし、大量の情報を付け加えずにすみ、大幅に言葉を切り詰められる。人間の大人ならおおよそ誰でも、この出来合いの知識体系をたやすく利用できるけれど、機械にとってこれと同じことをするのは恐ろしい難題なのだ。人工知能に常識を吹き込むことは、シンボリックＡＩ理論と純粋なニューラルアプローチの対立をめぐる議論や、その構造や知識をＡＩシステムに組み込まなくてはならないという問題に深く関わってくる。

ここ数年、ＡＩシステムがテキストを分析し、その内容についての質問に正しく答えることができた、といった重要な進歩が目につく。たとえば二〇一八年一月、マイクロソフトと中国の大手テック企業アリババが共同開発したソフトウェアが、スタンフォード大学で考案された読解力テストを受け、人間の平均値をわずかに上回る結果を出した。[48] もっともそのスタンフォード大学のテストで出題されたのは、ウィキペディアの記事をもとにした質問で、ＡＩシステムが「読んだ」記事から直接引用できるテキストが正解になるようなものだった。要するに私たちがいま目にしているのは、本当の意味での理解ではなく、情報の抽出とパターン認識を示すものであって、これはずっと見てきたとおり、ディープラーニングシステムが最も得意とするところだ。質問に答えるのに常識推論や世界についての暗黙の知識が求められる場合、そうしたテストの成績は大幅に低下する。

ＡＩシステムが常識というものにどれほど苦労しているか、「ウィノグラード・スキーマ」という特殊な形式の文を見るとよくそれがわかる。これはスタンフォード大学のコンピュータ科学教授テリー・ウィノグラードが開発したもので、あいまいな意味を持つ代名詞の力を生かして機械知能による常識推論の能力をテストすることができる。

以下に例を示そう。[49]

The city council refused the demonstrators a permit because they feared violence.

（市議会がデモ隊に許可を出さなかったのは、彼らが暴力を恐れたからだ）

Who feared violence?

（暴力を恐れたのは誰か？）

答えはほぼ誰でも簡単にわかる。市議会だ。

だがここで、文中の単語を一つだけ替えてみる。

The city council refused the demonstrators a permit because they advocated violence.
（市議会がデモ隊に許可を出さなかったのは、彼らが暴力を支持したからだ）
Who advocated violence?
（暴力を支持したのは誰か？）

「feared」を「advocated」に替えると、代名詞「they」の意味が完全に変化する。ただ単に文から情報を抽出するだけでは、この質問に正答を出すことはできない。そのためには世界についての理解、特に市議会は平和な街を好むだろう、怒ったデモ隊は暴力に走る傾向があるだろうといった理解がなくてはならない。

どちらかを選ぶことで、文の意味が変化する言葉を［　］内に示した例を、もういくつか紹介しておこう。

The trophy doesn't fit into the brown suitcase because it's too [small/large].
（トロフィーが茶色のスーツケースに入らないのは、それがあまりに［小さい／大きい］からだ）
What is too [small/large]?
（［小さい／大きい］のは何か？）

The delivery truck zoomed by the school bus because it was going so [fast/slow].
（配送トラックがスクールバスを追い越したのは、それがあまりに［速く／遅く］走っていたからだ）

What was going so [fast/slow]?
（［速く／遅く］走っていたのは何か？）

Tom threw his schoolbag down to Ray after he reached the [top/bottom] of the stairs.
（彼が階段の［上／下］に着いてから、トムは通学用バッグをレイに向けて投げ下ろした）

Who reached the [top/bottom] of the stairs?
（階段の［上／下］に着いたのは誰か？）

こういった質問は、頭が正常に働いて識字能力のある大人なら、ほぼ百点満点を取れるだろう。だとすれば合格点のラインはぐっと高く設定する必要がある。ところが最高のコンピュータアルゴリズムでも、ウィノグラード・スキーマのリストを前にすると、当てずっぽうに答えたときよりわずかに良い程度の結果しか得られないのだ。

機械知能に常識を組み込もうとする、きわめて重要なある取り組みが、ワシントン州シアトルのアレン研究所で行われている。この研究所のＣＥＯオーレン・エツィオーニに話を聞いた。その取り組みは「プロジェクト・モザイク」と呼ばれている。マイクロソフトの共同創業者ポール・アレンには、科学の教科書のある一章を読んだあとでその章末の質問に答えられるＡＩシステムを作る、というビジョンがあった。そのビジョンを実現しようとする試みから、このプロジェクトが育っていったという側面もあるらしい。

エツィオーニによると、彼のチームの試みは「最先端のもの」ではあっても、結果はあまり芳しくはなく、評価としてはＤぐらいだという。特に障害となったのは、常識や論理的推論を扱いながら質問に答える能力だった。たとえば、生物学の教科書から光合成の知識を学ぶのは、ＡＩシステムにとっては簡単なことだ。しかし本当に難しいのは、「暗い部屋にある植木の鉢を窓の近くに移したら、植木の葉の成長は速まるか、遅くなるか、それとも変わらないか？」といった質問をされたときだ、とエツィオーニは言う。[50] これに答えるには、窓に近い場所のほうが光がたくさん入ることへの理解と、そうすれば植物の成長が速まることを推論する能力が必要になる。

プロジェクト・モザイクの最初の目標は、機械が常識を示す能力を測るための標準的なベンチマークを作り出すことである。これが完成したあとには、研究所は「クラウドソーシング、自然言語処理、機械学習、マシンビジョン[51]」などを含むさまざまな手法を駆使して、ＡＩシステムに常識を吹き込むために必要な世界についての組み込み型知識を生成するという計画を立てている。

エツィオーニと彼のチームは、さまざまな手法を組み合わせるハイブリッド型のアプローチが有効だと強く信じているが、お察しのとおりこのアイデアは、筋金入りのディープラーニング主義者たちにはほとんど熱心に受けとめられていない。私がヨシュア・ベンジオに、プロジェクト・モザイクのような取り組みは重要だと思うか、学習のプロセスから有機的に常識推論が生まれてくると思うかと尋ねたとき、彼はディープラーニングのアプローチの信奉者であることを疑問の余地なくあきらかにした。「常識はきっと、学習の過程の一部として現れてくるはずです。誰かがほんのちょっとの知識を頭に詰め込んだからといって、ぱっと出てくるものではないでしょう。人間ではそうはいかない[52]」

ヤン・ルカンもまた、常識には学習を通じてたどり着けるという考えで、フェイスブックのAI研究チームが「観察を通じてさまざまなデータソースから学習することを機械に教え——世界の仕組みを学ばせる」ことに取り組んでいると私に語った。「われわれは世界のモデルを構築しているのです。そうすることで、なんらかの形で常識が現れてくる、そしてそのモデルを予測モデルのように使って、人間が学ぶように機械を学習させられるかもしれない[53]」

うれしいことに、どちらのアプローチも、世界最高のAI研究者たちの手で積極的に進められている。何かしらブレイクスルーが起きて、人間では当たり前の常識推論を確実に取り入れられるAIシステムができたとすれば、それが有機的に現れたものであれ、より人工的なアプローチの結果であれ、とてつもない進歩だといっていいだろう。

【教師なし学習】

これまで見てきたとおり、ディープラーニングシステムの訓練に使う主な手法は二つある。大量のラベル付きデータが必要な「教師あり学習」と、アルゴリズムがタスクを成功させるために大量の試行錯誤が必要な「強化学習」。じつは人間もこの二つの手法を採用している。ただしそれは、ほんの小さな子どもの頭のなかで行われる学習のうちの、ごくわずかな一部を占めるだけのものだ。幼い子どもは、ただ観察したり、親の声を聞いたり、まわりの世界にじかに関わり合い、試してみたりすることで学習する。

このプロセスは赤ちゃんが生まれたときからすぐに始まる。自分の周囲の環境があって、そこに意図した形で関わり合える身体的な力がつくようになるずっと前に、直接その環境から学んでいくのだ。そして何かしら、世界の物理的モデルを作り出し、常識の土台となる知識の基盤を築きはじめる。このように構造化もラベル付けもされていないデータから、なんの助けもなしに直接的に学習する能力は、教師なし学習と呼ばれる。この驚異的な能力は、子どもの脳になんらかの認知構造が組み込まれていることで発現するのだろうが、人間の子どもが独力で学習する能力、特に言語を習得する能力はまちがいなく、最も強力なディープラーニングシステムで得られるものよりずっと優れている。

この初期の時点で起こる教師なし学習が、その後のさらに高度な知識の獲得の土台となる。子どもが少し成長して、その学習がある程度「教師あり」のものになってきても、そこで必要になる訓練用データは、最先端のアルゴリズムが必要とするデータと比べるとほんのわずかだ。ディープニューラルネットワークでは、動物の名前とその画像を確実に結びつけられるようになるまで何万枚ものラベル付きトレーニング写真が必要になるかもしれない。対して人間では、親がある動物を指さして「これは犬だよ」と一度言うだけで十分だろう。そして子どもがいったん動物を名前で呼ぶことを覚えれば、どんな形をとっていても同じことができるだろう。犬が座っていても立っていても、道を走っていても、子どもは一貫してその動物と名前とを結びつけられる。

教師なし学習は現在、人工知能の分野で最も注目を集める研究テーマの一つだ。グーグルやフェイスブック、ディープマインドもすべて、この分野に特化した研究チームを作っている。しかし進展はゆるやかで、本当に実用的なアプリケーションはほとんど出てきていない。実のところ、人間の脳が構造化されていないデータから自律的に学習するという比類ない能力をどのように発揮しているのか、正確なところは誰にもわかっていないのだ。

いまある研究の大半は、いろいろある教師なし学習のなかでも、それほど野心的ではないもの、たとえば予測学習や自己教師あり学習などに集中している。そうしたプロジェクトには、文章中のつぎに来る単語や、動画のなかでつぎに来るフレームの画像を予測しようとするものもあるだろう。そうしたタスクは人間がやる作業とはかけ離れているように思えるが、多くの研究者たちの考えでは、予測する能力は知能の絶対的な核心をなすもので、こういった実験が正しい方向へと状況を推し進めていくのだという。

教師なしの機械学習に本当のブレイクスルーが起きたとしたら、その事件の重大さはいくら強調してもしたりないだろう。たとえばヤン・ルカンは、それは汎用知能のほぼあらゆる側面での進歩へと通じるゲートウェイになるだろうと考えている。「その方法を見つけ出すまでは……われわれが大きな前進を果たすことはないでしょう。世界についての背景的な知識を学ぶことで常識が現れてくるには、それこそが重要なカギとなる。まさに最大のハードルなのです」[54]

〔因果性の理解〕

統計学を学ぶ学生がよく言われるのが、「相関性は因果性とイコールではない」という言葉だ。人工知能、特にディープラーニングシステムの場合、理解というものが相関性のレベルで止まってしまう。カリフォルニア大学ロサンゼルス校の著名なコンピュータ科学者ジューディア・パールは、過去三〇年にわたって因果性の研究に革新を起こしてきた。そして因果関係を表現する公式の科学的言語を構築し、二〇一一年にチューリング賞を受賞している。そのパールはこんな言い方を好んでする。人間なら誰でも、日の出が原因で雄鶏が鳴くのであって、その逆ではないと直観的に理解する。なのに最も強力なディープニューラルネットワークでも、それと同じ知見にはいたらないだろう。因果性はただデータを分析するだけで引き出せるものではないのだ[55]。

人間には物事の相関性を察知するだけでなく、因果効果を理解する独自の能力があり、しかも驚くほどわずかな実例をもとにそれをやってのける。マサチューセッツ工科大の認知コンピュータ科学者、ジョシュア・テネンバウムは、「人間の知能をリバースエンジニアリングする」ことで、よりスマートなシステムの構築に役立つ知見を得ようとする研究に力を注いでいるが、その彼はこう指摘する。

小さな子どもでも、ほんの一つか二つの例から、新しい因果関係を推測できるものです。たくさんのデータを見て統計的に有意な相関関係を見出す、などという作業は必要ない。あなたが初めてスマートフォンを見たとしましょう。アイフォーン（iPhone）でもなんでもいいですが、そのタッチスクリーンのガラスパネルに指をさっと滑らせると、急に何かが光ったり動いたりする。それまで見たことのないものでも、一度か二度見るだけで、そこに新しい因果関係があることを理解する。それがスマートフォンの制御の仕方を学んで、いろいろ役立つことをさせられるようになるための第一歩になるわけです。[56]

因果関係の理解は、想像力を働かせるのにも、事実に反する事柄を頭のなかに浮かべることで問題の解決に向かおうとするのにも欠かせない。強化学習アルゴリズムは、何千何万回も失敗してやっと成功する方法にたどり着くが、対して私たち人間は、頭のなかである種のシミュレーションをして、いろいろ異なる行動をとった場合にどんな結果が起こりそうかを考えることができる。これは因果関係を直観的に把握できなければ不可能なことだろう。

パールやテネンバウムらの研究者は、因果関係の理解、つまり「なぜ？」という問いを発して答えられることが、汎用性の高い機械知能の構築に不可欠な要素になると考えている。因果関係についてのパールの研究は、自然科学や社会科学には多大な影響を及ぼしたが、パールの見るところ、大方のＡＩ研究者はその意味がわかっていないし、機械学習システムは相関関係ならうまく見つけられるものだから、そちらばかりにかまけているという。[57] しかしそんな状況も変わりつつある。たとえば最近、モントリオール大学のヨシュア・ベンジオのチームが、因果関係の理解をディープラーニングシステムに組み込む革新的な方法についての重要な研究を発表している。[58]

［転移学習］

ハーバード大学教授の政治学者グレアム・アリソンは、「トゥキディデスの罠」という言葉を造語したことで知られる。この言葉の元になっているのは、古代ギリシアの歴史家トゥキディデスが著した『ペロポネソス戦争史』という、紀元前五世紀のスパルタと新興のアテナイとの対立関係を記録した歴史書だ。アリソンの考えでは、スパルタとアテナイの戦争は現代にも適用できるタイプの歴史的原理を表しているという。アリソンは二〇一七年の著書*Destined for War*（邦題『米中戦争前夜』）で、アメリカと中国はトゥキディデスの罠の現代版に捕らえられている、中国が国力と影響力を増しつづければ紛争は避けられない、と論じている。[59]

人工知能のシステムは、『ペロポネソス戦争史』のような歴史文書を読めるのだろうか？ そして学習したことを現代の地政学的な状況にうまく適用できるのか？ もしそうなら、それは汎用人工知能へ向かう途上においても特に画期的な事件となるだろう。転移学習が実現したということなのだから。ある領域で学習した情報を、また別の領域に移してうまく応用する。これはまさしく人間の知性の証明であって、創造やイノベーションには不可欠なものだ。

汎用性の高い機械知能が本当の有用性を持つためには、ただ教科書の章末にある質問に答えられるだけではすまない。学習した内容、そしてそこから得られた知見を、まったく新しい難題に適用できることが求められるだろう。いまディープニューラルネットワークの内部で起こっている表面的なレベルの理解をはるかに超えて、真の意味での理解へと達しなくてはならない。そうして初めて、ＡＩシステムの転移学習に望みが生まれるのだ。知識をさまざまな領域や新しい状況に応用できることが、機械知能に本当の理解があるかどうかを測る唯一にして最良のテストになるのではないだろうか。

人間レベルの人工知能にいたる道

私が話を聞いてきたＡＩ研究者はほぼ全員、人間レベルの人工知能は手が届くものだし、いつかは必ず実現すると考えている。理にかなった話だと私も思う。なんといっても人間の脳は、基本的には生物学的機械なのだ。生物学的知能には何か魔法がかかっている、それと同等のものがいつかまったく別の媒体で表現されるなんてありえない、などと決めつけられる根拠はどこにもない。

むしろシリコンをベースにした基板は、人間の脳を動かしている「ウェットウェア」より利点が多いようにも見える。電子信号が伝わる速度は、脳よりコンピュータチップのほうが圧倒的に速いし、いつか人間並みの推論やコミュニケーションの能力を持った機械が出てきたときには、いまあるコンピュータの人間に対する優位性はそっくりその機械にも受け継がれる。機械知能の記憶力は完璧で、はるか過去にあった出来事でも想起でき、計算能力も、蓄えられた膨大なデータを驚異的な速さでスクリーニングして検索する能力もある。インターネットなどのネットワークに直接接続して、事実上無限のリソースを利用することもできる。他の機械とも難なく会話できるし、私たち人間との会話もマスターするだろう。要するに人間レベルのＡＩができれば、それは誕生の瞬間から、多くの点で人間より優れているということだ。

この最終目標にいずれたどり着けるという空気はいたるところに満ちてはいても、どのルートをとって行くのか、到着はいつごろかといった点はまだ深い霧に包まれたままだ。これまでのところ、進歩はおおむね漸進的というところか。たとえば、二〇一七年末にディープマインドは、囲碁用システム〈アルファ碁〉のアップデート版〈アルファゼロ〉を発表した。〈アルファゼロ〉では、人間による何千何万回もの対局データに基づいた教師あり学習を行う必要はなく、基本的に白紙の状態からスタートし、ただ自分自身を相手に行うシミュレーション対局のみに基づいて人間を超えたレベルの対局を学習していった。

このシステムはまた、チェスや日本の将棋といった、他の課題の訓練をさせることもできた。そしてたちまち、チェスに特化したアルゴリズムのなかで最強のものを破った。そのアルゴリズムはもちろん、すでに人間の最強プレーヤーを楽々退けていたので、〈アルファゼロ〉はすなわち、地球上で最高のチェスの指し手であることを証明したのだった。デミス・ハサビスは私に、〈アルファゼロ〉はおそらく「完全情報型」のゲーム、つまり勝つために必要なすべての情報にボード上のゲームの駒や画面上の画素として簡単にアクセスできるタイプのゲームでは、良いソリューションなのだろうと語った。

私たちが暮らす現実の世界はもちろん、完全な情報が備わっているなどということはありえない。私たちがいつか、きわめて重要な分野で高度な人工知能を活用したいと考えるなら、そのＡ

Iはほぼ必ず、不確実な状況下で機能する能力と、膨大な量の情報が隠されていたり、単に手が届かないような状況に対処する能力が求められるだろう。
二〇一九年一月にディープマインドは、戦略ビデオゲーム〈スタークラフト〉のプレイ用に設計されたシステム〈アルファスター〉を発表し、さらなる進歩を示した。〈スタークラフト〉は、三つの地球外生物種が資源をめぐって銀河で戦いを繰り広げるシミュレーションゲームで、それぞれのエイリアンをオンラインプレーヤーがリアルタイムで操作する。最初から情報が完全に備わったゲームではなく、プレーヤーは「偵察」をして敵の活動についての隠れた情報を探り出さなくてはならない。長期にわたる計画や、広大なゲーム空間に散らばる資源の管理も必要になる。〈アルファスター〉もやはりディープマインドのチームにとって初めての試みだったが、二〇一八年一二月の対戦で、〈スタークラフト〉のトッププロを五勝〇敗で破った。[60]
どれもなかなか見事な成果ではあるものの、現在のAIシステムをごく限定的な狭い領域に押し込めている大きな限界を克服する、という段階にはまだほど遠い。たとえば〈アルファスター〉では、どれかのエイリアンのロールをプレイするために、教師あり学習や強化学習の手法を使った幅広い訓練が必要だ。別のエイリアンに切り替えてプレイしようとすると、エイリアン同士の相対的な強さが異なるので、また一から訓練しなおさなくてはならない。しかも、〈アルファゼロ〉は、チェスや将棋で世界を制する力を簡単につけられても、その状態でチェッカーゲームに勝つことは子ども相手でもできず、また再訓練が必要になる。AI研究の最先端を行く最強のシステムでさえ、浅くて脆弱なままなのだ。アレン研究所のオーレン・エツィオーニがよく指摘するように、こうしたシステムは部屋が火事だと学んだあとでも平気でプレイしつづける。[61]常識はなく、本当の理解もない。

こうした限界を乗り越えて、本物の思考機械の構築に成功するには、どれぐらいの時間がかかるだろうか。私は拙著『人工知能のアーキテクトたち』に収録されたインタビューのかたわら、ＡＩ分野のトップの頭脳たちから非公式のアンケートをとった。話を聞いた二三名の研究者一人ひとりに、人工知能が五〇パーセント以上の確率で実現するのはいつになるかを予測してもらったのだ。するとほとんどの人たちから、自分がどういう予測をしたかは秘密にしてほしいと頼まれた。また五名の研究者からは、そうした予測は一切できないと言われた。人間レベルの人工知能が実現するまでの道のりはきわめて不確かだし、克服しなくてはならない難題がどれだけ出てくるかわからない、というのが理由だった。それでも世界有数のＡＩ専門家一八名が真剣に予想をしてくれた。以下の表に示したが、きわめて興味深い結果になったと思う。[62]

なお、この予測をしてもらったのはすべて二〇一八年のことで、８で終わる年がやたらと多いのはそのせいだ。たとえば二〇三八年という予想は、実際には「いまから二〇年後」だった。もし二〇二一年の今日、同じ方たちにあらためて尋ねても、基本的に予想の値は変わらず、この数字は三年ほど後ろにずれるだろうという印象が強い。そうなるとやはり、ＡＧＩが実現するのは、物理学者たちが核融合のことでよく飛ばしていた古いジョークの轍を踏むことになるのではと思えてくる――「いつでも三〇年先のことだ」。

AGIの実現する年	2021年からの年数	予測した人数
2029年	8年	1名（カーツワイル）
2036年	15年	1名
2038年	17年	1名
2040年	19年	1名
2068年	47年	3名
2080年	59年	1名
2088年	67年	1名
2098年	77年	2名
2118年	97年	3名
2168年	147年	2名
2188年	167年	1名
2200年	179年	1名（ブルックス）

予測された年の平均は二〇九九年、いまからおよそ八〇年後だった。(*)63 全体の分布は、自分の予想を公表してかまわないと言ってくれた二人の人物の答えできれいに上と下がくくられている。レイ・カーツワイルは相変わらず、二〇二九年までに人間レベルのＡＩが誕生するという見解を崩さずにいるが、その年まであと八年となった。ｉＲｏｂｏｔの共同創業者で、世界有数のロボット工学者とされるロドニー・ブルックスは、ＡＧＩの実現には一八〇年ほどかかるという考えだ。人間レベルのＡＩが一〇〜二〇年以内に実現すると予想する研究者が複数いる一方で、数百年かかるという研究者たちもいるというこの落差は、人工知能の未来がいかに予測しがたいものであるかを雄弁に物語っていると思う。

人間レベルのＡＩ構築の試みは、人工知能の分野で最高に魅力的なテーマだと私も思う。いつの日かそれが、人類にとって最も重大かつディスラプティブなイノベーションとなる日が来るかもしれない。しかしそれまでのあいだ、ツールとしての人工知能の実用性は比較的狭く、多くの点でごく限られたものにとどまるだろう。もちろん実世界の問題を解決するための人工知能システムには、この分野の最先端の研究が取り入れられ、継続的にアップグレードされていくにちがいない。だが当面のあいだ、この新しい技術の効果は、柔軟性に富んだ一つの機械知能というのではなく、各分野でのアプリケーションが爆発的に増えることでもたらされるだろう。そうしたアプリケーションはすでに、産業、経済、社会、さらには文化にと、ほぼあらゆる面で行き渡りはじめている。

ＡＩが大きな利益をもたらしうることは言うまでもないし、特に医療、科学研究、広範な技術革新といった重要な分野でそれが期待できる。しかしこのテクノロジーには、もう一つの側面がある。人工知能の発展は、いまだかつてなかった数々の難題や危険性と隣り合わせなのだ。それは雇用や経済から、個人のプライバシーやセキュリティ、そしていずれは民主主義のシステムに、さらには文明そのものにまで及んでいくかもしれない。これからの三つの章では、主にこうしたリスクに焦点を当てていこう。

＊この平均値は、過去に行われてきた他の調査と比べて悲観的な数字だ。そうした以前の調査の対象には、ＡＩ関連会議の出席者など、経験レベルが大きく異なるＡＩ研究者が多数含まれていた。その調査結果を見ると、五〇パーセントの確率でＡＧＩが実現すると予想された年は、二〇四〇、五〇年近辺にほぼ集中していた。こうした調査のリストをごらんになりたければ、第5章の原注63を参照のこと。

第6章　消えゆく雇用とＡＩが経済にもたらすもの

私は二〇一五年の著書『ロボットの脅威』のなかで、人工知能とロボット工学がこのまま進歩していけば、ルーティンで予測可能なタイプの雇用はいずれほぼ失われ、格差の拡大と構造的失業につながりかねない、と書いた。本書の執筆を始めたのは二〇二〇年一月だったが、当時この章を書くにあたって最大の課題は、自分が『ロボットの脅威』で展開した持論をどう擁護するかだと感じていた。なにしろ目の前にあるのが、第二次世界大戦以降で最長の経済回復期間と、約三・六パーセントというきわめて低いヘッドライン失業率だったからだ。

言うまでもなく、その後に起きた新型コロナウイルスの感染拡大、それに伴うアメリカおよび世界各国の経済活動の停止によって、私たちはまったく新しい経済的現実に投げ込まれた。だが、今回の危機以前に私が持ち出そうと考えていた議論は、現在でも十分通用するだろう。歴史的な低失業率の時代でも、私が『ロボットの脅威』で論じた傾向はしっかり生きていると思う。また経済指標を見るかぎり、いまの危機にいたるまでの数年間は相対的な繁栄の時期だったように思えるが、それもある程度は幻想だったのだろう。今回のパンデミックを受けて、雇用の自動化へ向かう傾向はおそらく増幅され、この経済危機からの回復を目ざそうとする流れにも大きな影響を与えるかもしれない。

ここで、あなたが一九六五年のアメリカに住むエコノミストだとしてみよう。当時のアメリカ経済と就職市場をざっと見れば、二五歳から五四歳まで（主要労働年齢、つまり学業はすべて終えていて引退にはまだ早い年齢）の男性の約九七パーセントが雇用中か、あるいは積極的に職探しをしているとわかる。これはあなたには当然の、ごく普通の数字として映るだろう。そのあなたの前に、未来から来たタイムトラベラーが現れて、こう伝えるとする。いまから五四年後の二〇一九年には、主要労働年齢の男性のうちで働いているのは八九パーセントだけだ。さらに二〇五〇年になると、アメリカのこの年齢グループで完全に雇用市場から外れている男性は四分の一か三分の一にまで達するかもしれない、と。[(*)1]

あなたはまちがいなく、その数字にぎょっとするだろう。「大量失業」という言葉が頭をよぎるかもしれない。そしてきっと、そういう無職の人たちはみんなどうやって暮らしているのかと思うはずだ。ところが、つぎにタイムトラベラーはこう言う。二〇一九年の政府発表のヘッドライン失業率は四パーセントを大きく下回っていて、金利は一九六五年の水準よりも低い。どちらの数字も史上最低に近いものだ。しかも連邦準備制度理事会は、金利を上げようとするどころか、景気を上向かせるためにさらに下げることを検討している、と。

こうした状況を二〇世紀半ばや後半のエコノミストが見たら、おそらく度肝を抜かれるだろう。これから見ていくように、いまのアメリカの経済と労働市場は、他の先進国と同様、かつては経験的証拠にかっちり裏づけられていると思われた規則や想定の多くを無視するような動き方を示しているのだ。

私は『ロボットの脅威』のなかで、こうした変化を主にもたらしているのは情報技術の加速度的進歩だと書いた。これまでにも数々の重要なイノベーションがあった――工場の自動化、パーソナルコンピュータ革命、インターネット、クラウドコンピューティングとモバイルテクノロジーの出現。その結果、数十年かかって変化が表に現れてきた。しかし最も重要なテクノロジーの衝撃がまだ未来に待ちかまえている。台頭しつつある人工知能は、これまで見てきたどんなものよりもずっと劇的かつ根本的に、雇用市場と経済システムを根底から覆すだけの可能性を秘めているのだ。

迫りくるディスラプションの最前線に立たされているいま、私たちには心配すべきことがいくらもある。いままでのわずか一〇～二〇年で起こった変化は、想像を超えるほどの政治的混乱の主要因となり、社会構造そのものを引き裂いたと言っても過言ではない。たとえばいくつかの研

＊ここでのタイムトラベラーの発言は、ローレンス・サマーズ元財務長官兼国家経済会議部長が二〇一六年一一月に、二〇五〇年までには現役世代の男性の四分の一から三分の一が労働力から離脱している、という試算を行ったことに基づいている（第6章の原注1を参照）。

究によると、アメリカで最も雇用の自動化の波にさらされている地域と、二〇一六年の大統領選でドナルド・トランプを強く支持した層には、確かな相関関係があった。[2] また新型コロナウイルスの感染拡大以前には、アメリカを蹂躙しているもう一つの健康危機がより多くの注目を集めていた。中流階級の雇用が大量に消えた地域の多くが、蔓延するオピオイド系麻薬の最前線と化したのだ。[3] だがもし、これまでのものすら生ぬるく思えるほどの大変化がやってくるのだとしたら、近いうちに未曾有の規模の社会的・経済的ディスラプションが起こるという深刻なリスクがある。またそうした急速な情勢変化には必ず社会不安が伴うし、それに乗じてさらに危険なデマゴーグ政治家が勢力を伸ばしかねない。

実際のところ人工知能は、経済に与える影響の点では諸刃の剣となるだろう。まず一方でＡＩは生産性を向上させ、製品やサービスを手頃な価格にまで下げ、私たちの生活をより快適にするイノベーションをもたらす。ＡＩが生み出す経済的価値は、私たちがいま陥っている大規模な経済的苦境から抜け出すのに欠かせないものとなるかもしれない。だが一方では、ほぼ確実に何百万もの仕事を消し去るか単純労働化するかして、経済格差をさらに高いレベルへと押しやるだろう。失業と不平等の拡大が社会や政治にどう作用するかはもちろんのこと、もう一つ重要なのは経済への影響だ。活発な市場経済は、生産される製品やサービスを購入できる大勢の消費者なくしてはありえない。その消費者が仕事を失い、収入もなくなってしまえば、経済成長を持続させるために必要な需要はどこから生み出されるのか。

AIと労働の自動化――今度こそその時が来る？

機械がいずれ労働者に取って代わり、長期的・構造的失業を生み出す――そういった社会不安は、いまに始まったことではない。長い歴史をさかのぼると、少なくとも二〇〇年前、英国のノッティンガムで起こったラッダイト運動にまで行き着く。それ以降、同じような警告は何度も繰り返されてきた。たとえば一九五〇、六〇年代には、産業の自動化のために工場での勤め口が何百万も奪われ、大規模な失業が起きるという不安が広がった。しかしこれまでの歴史が示すところでは、経済は新たな雇用機会を作り出すことでテクノロジーの進歩に適応してきたし、またその新しい仕事はより高いスキルを要する高賃金のものが多かった。

歴史的に見て、テクノロジーの進歩が雇用喪失を引き起こした最たる例は、アメリカでの農業の機械化にまつわるものだ。しかしその一方で、失業は本当に問題になるのかという懐疑的な声もあり、この事例はそうした見方をとる人たちから引き合いに出されることが多い。一八〇〇年代後半、アメリカの労働人口はおよそ半数が農業従事者だった。現在その数は一～二パーセントだ。トラクターやコンバインなどの新たな農業技術が出現し、何百万もの職が消えた。この変化は結果的に、短期的・中期的な失業を多くもたらしたが、職を失った農場労働者は工場の仕事を求めて都市へ移り住んだ。やがて失業者たちは急成長する製造業へ吸収され、長期的には平均賃金も、そして全体的な生活水準も大幅に上昇した。しかしその後、多くの工場が自動化するか海外に移転すると、労働者はまた勤め口を変え、今度はサービス業へ向かった。現在ではアメリカの労働力の八〇パーセント近くがサービス産業に従事している。

ここで重大な疑問が出てくる。今回はどうなのか？ 人工知能の影響で、労働市場のディスラプションが生じたとき、あの当時と同じような結果が生じるのか？ ＡＩもまた、農作業を一変させた農業技術のような、単なる省力化のイノベーションの一例なのか？ それとも根本的に異なるものなのか？ 私の前々からの見解を言うなら、ＡＩはたしかに異なっているし、その理由は本書の核となるテーマと結びついている。つまり人工知能は電気とほぼ同じ汎用のテクノロジーであるため、やがては私たちの経済・社会のあらゆる側面に行き渡り浸透していく、ということだ。

歴史的に見れば、テクノロジーがもたらす労働市場のディスラプションは、おおむね産業セクターごとに異なる影響を及ぼしてきた。農業の機械化では何百万もの雇用が失われたが、製造業セクターの急成長がやがて労働者を吸収することになった。また同様に、製造業が自動化し、工場が低賃金の国へ移転するようになったときには、急成長するサービス業が失業した労働者に雇用機会を提供した。

それに対して人工知能は、経済のあらゆるセクターへとほぼいっせいに影響を及ぼすだろう。特に重要なのは、現在アメリカの労働力の大多数が従事するサービス業やホワイトカラーの仕事もそこに含まれることだ。ＡＩはいずれ確実に、既存のほぼすべての産業にその触手を伸ばして変化をもたらす。また今後発展する新しい産業には、最初から最新のＡＩやロボット工学の新技術が組み込まれているだろう。言い換えるなら、何かまったく新しい、数千万の新規雇用を生み出すセクターが現れて、既存の産業の自動化で職を追われた労働者を残らず吸収してくれる、となる可能性はきわめて低いと思える。むしろ今後の産業は、デジタル技術、データサイエンス、人工知能などの基盤の上に構築され、結果として大量の雇用を生み出すことはありえないだろう。

もう一つ重要なのは、労働者の仕事の内容がどんな性質のものかという点だ。現在の労働力はそのおよそ半分が、おおむねルーティンで予想可能なタイプの業務を行っていると見積もれる。[4]これはただ単に「機械的＝繰り返し」という意味ではなく、こうした労働者はだいたいいつも同じ基本的な作業や課題のまとまりを処理しているということだ。言い換えるなら、その仕事の本質、あるいは少なくとも仕事を構成する作業の大部分は基本的に、その労働者がずっと行ってきた作業を表す履歴データのなかにまとめられる。こうしたデータはいずれ機械学習アルゴリズムに与えられるリソースとなり、解き放たれたアルゴリズムはこれらの作業の多くを自動的に行う方法を見つけ出すようになる。つまり将来的には、ほぼあらゆるタイプのルーティンで予測可能な作業が消滅し、そうした作業に特化していた労働者たちには特に厳しい状況になるだろうということだ。

二〇世紀を通じて、省力化技術の進歩とともに、労働者はさまざまなセクターへ移っていったが、たいていはルーティンな仕事を続けることになった。一九〇〇年当時の農場労働者から、一九五〇年当時の工場の組み立てラインに向かう労働者、そして現在のウォルマートでバーコードを読み取るレジ係へ、という移行を想像してみてほしい。どれもぜんぶ、まったく異なる分野のまったく異なる仕事だが、おおむねルーティンかつ予測可能な作業からなるものばかりだ。しかし今度は、何かしらの新しいセクターにルーティンな雇用が大量に生まれ、職を失った労働者たちを受け入れるということにはならないだろう。労働者たちはこれまでとはまったくちがった仕事へと移行しなければならない状況に直面する。その仕事は基本的に非ルーティンで、関係者とうまく関係を築いたり、分析的あるいは創造的な作業を行う能力が求められることが多い。こうした新しい雇用が十分な数だけ用意されていれば、うまく移行できる労働者もいるだろうが、それ以外の多くは苦労するだろう。

要するに私たちはいま、現在の労働力のかなりの部分がやがて雇用市場から排除される、というシナリオに直面している。それが私の考えだ。しかしそうした事態が実際に起きている証拠はあるのか？　なにしろ新型コロナウイルスの感染拡大以前は、失業率が四パーセントを大きく下回っていたのだから。

コロナ禍が始まるまでのストーリー

大不況が終わった二〇〇九年から二〇二〇年一月までの一〇年間は、戦後最長の景気回復期間だった。失業率は一〇パーセントから三・六パーセントまで低下し、過去五〇年間で最も低い水準となった。[5] ただし重要な注意点がある。ここでの失業率はヘッドライン失業率と呼ばれ、米国国勢調査局が行った世帯調査をもとに計測されるもので、積極的に職探しをしている労働者のみ

図1　25歳から54歳までの男性の労働力率

がカウントされている。仕事に就きたくても挫折してあきらめてしまっている、あるいは自分の就きたい勤め口がないと感じている人たちは、失業者のなかに数えられていないのだ。

労働力から完全に外れている人々の数を把握するには、労働力率に注目するといい。そこで浮かび上がってくるのは、ヘッドライン失業率よりもずっと悲観的な数字である。

図1が示すように、主要労働年齢男性のうち働いている、あるいは積極的に職探しをしている人の割合は、一九六五年の約九七パーセントから下がりつづけ、二〇一四年には最低の八八パーセントになった。その後少しだけ回復し、二〇二〇年一月には約八九パーセント。[6] この間の時期、雇用市場から完全に外れてしまった男性の数は約四倍も増えている。雇用市場から消えた男性たちがどこへ行ったかというと、一つ考えられるのが社会保障障害者プログラムで、実際に二〇〇七年から二〇一〇年にかけて申請者数が急増した。[7] その間に労災がいきなり増えたという証拠も見当たらないので、このプログラムには適当な雇用機会に恵まれ

ない労働者たちが収入を得る最後の手段として頼っていると見るのが妥当だろう。このように男性の労働力率の変化は特に目を引く動きだが、統計全体を見ても、今世紀に入ってからの二〇年間はほぼ同じような傾向が見られる。

図2は、一八歳から六四歳までの男女すべての労働力率を示している。[8] 二〇〇〇年まで数字が上昇しているのは、女性による社会進出の反映だ。しかしそれをピークに、以降は男女ともに労働市場からの離脱が増え、労働力率は減少傾向にある。要するに、失業率が歴史的な低水準を記録するあいだにも、完全に働く機会を奪われた労働者の数はどんどん増えていた。雇用市場は好況だという声が支配するなかで、そうした実態が見えていなかったということだ。その要因は決して技術の革新だけではなく、工場やオフィスの高賃金だがルーティンな業務で自動化が容赦なく進んだことが大きかったと思われる。

もう一つの重要な傾向は、生産性と賃金の乖離、またそれに伴う経済格差の拡大だ。労働生産性は労働者の効率を示す指標で、総生産量をその産出に要した労働時間で割っ

図3　生産性 vs. 報酬

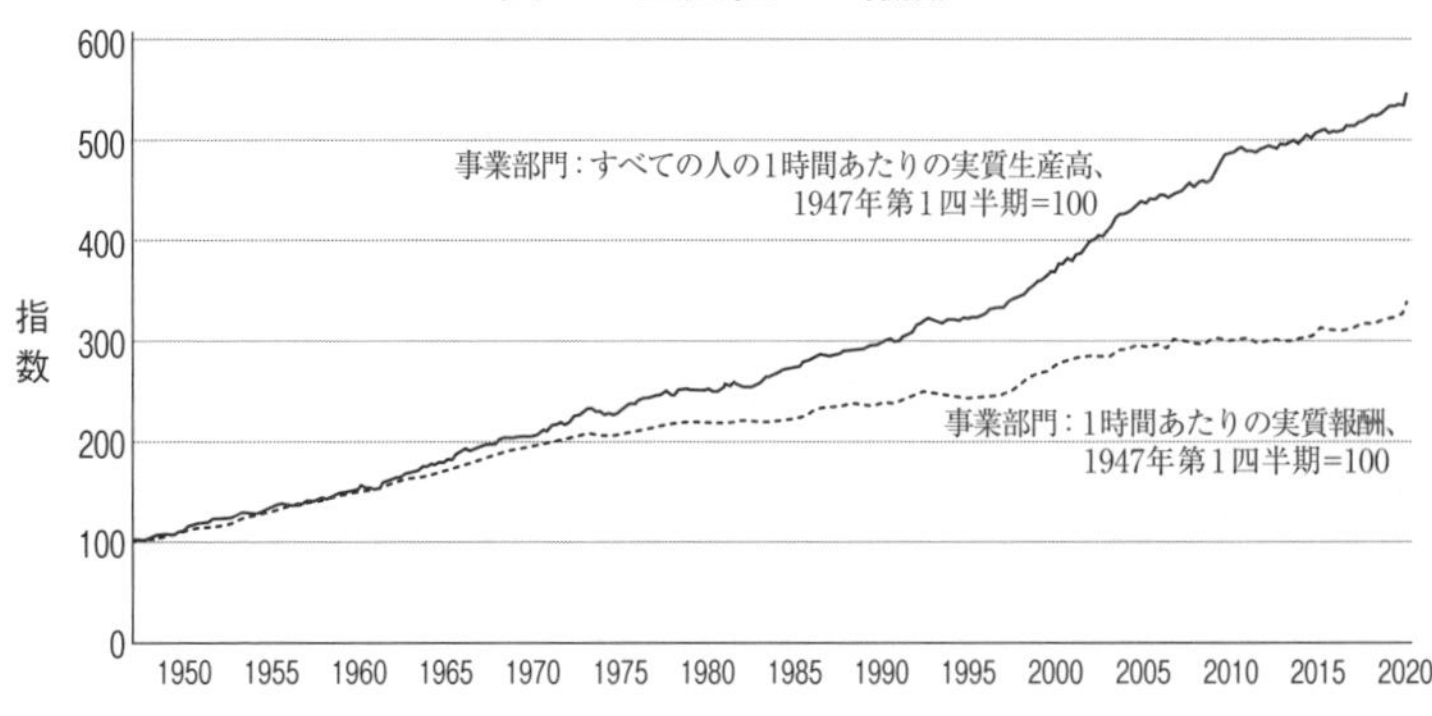

た数字で表される。労働生産性はおそらく、経済指標のなかでも最も重要なものだ。生産性の高低は、豊かな先進国と貧困国を区別する決定的な特徴となる。職場で使用されるテクノロジーが進歩し、また労働者の教育や健康といったその他の要素も改善されれば、労働者の生産量は上がる。その結果、労働者はより高い賃金を得ることができるはずだ。つまり生産性の上昇は、ほぼすべての労働者の懐に入るお金を増やし、広範囲にわたる国家の繁栄の重要な原動力となる。少なくとも従来の経済の基準に従えばそうだ。

ところが図3が示すように、控えめに見ても一九七〇年代以降、労働者が受け取る報酬は生産性の上昇とは一致せず、グラフの二つの線を隔てる差はどんどん広がっている。[9]これはどういうことか。いまはテクノロジーの進歩や生産性の上昇から生まれる利益のほぼすべてが、所得分布の上位を占める比較的少数のグループのところへ行っているということだ。要するに、企業のオーナーや経営者、スーパースター社員、投資家などが進歩の成果を享受している一方で、一般の労働者はほとんど何も手にしていないのだ。

ここで一つ断っておくが、このグラフには民間事業セクターで働くすべての人間の報酬が反映されていて、トップレベルの経営者、スポーツや芸能界のスーパースターといった高額報酬の労働者たちも含まれている。もしこのグラフが、アメリカの労働力の約八〇パーセントを占める平均的な非管理職の労働者のみを反映したものなら、生産性と報酬の落差はさらに大きくなっただろう。

私の考えを言うなら、この二本の線の乖離の広がりは、職場に導入される機械やテクノロジーの性質が変化していることが少なくとも一因としてある。第二次世界大戦後のアメリカの「黄金時代」には、グラフの二本の線は密接に結びついていた。そして職場で使われる機械はあきらかに人間の労働者が操作するツールで、そのツールが改良されるほど生産量が増え、労働者の価値は高まっていった。しかしその後の数十年間は、さらに技術が進歩しつづけ、職場で使われる機械の多くが自動式のものに変わり、技術が労働を補完するというより、取って代わるようになった。つまり、いまは技術が労働者の価値を高めるのではなく、どんどん切り崩している状態なのだ。その結果、働き手の替えが利くようになり、交渉力は下がっている。生産性は向上しつづけていても、報酬は目減りするようになるのだ。

こうした生産性と報酬の乖離は、所得格差の拡大に直結する。テクノロジーが労働力の価値を奪ったり減らしたりすれば、企業利益の多くがどんどん資本に吸い取られるようになる。このような国民所得における労働分配率の低下は、過去二〇年間にアメリカをはじめさまざまな先進諸国で見られた。資本の所有権は富裕層に集中しているので、労働から資本へ向かう所得の流れは多数者から少数者への再分配となり、所得格差を拡大させる。

特にアメリカではその傾向が顕著で、ジニ係数の上昇にもはっきり表れている。ジニ係数とは富の集中度を示す指標だ。極端な例でいえば、ジニ係数の値がゼロだと、その国のすべての国民に富が平等に行き渡っていることを示している。値が一〇〇なら、一人の個人が国のすべての富を所有しているということだ。現実的な値はだいたい二〇〜五〇で、数字が大きいほど格差も大きいことを示している。アメリカでは、ジニ係数は一九八六年の三七・五から、二〇一六年には四一・四まで上昇し、これまで記録されたなかで最高の値となった。[10]

こんなふうに所得格差が拡大へと向かうのは、アメリカ国内で仕事の質が全般的に低下していることが一因としてある。この数十年にアメリカで創出された雇用は、次第にサービス業セクターの低賃金の仕事に偏ってきている。そうした仕事は主に、小売販売、食事の準備と提供、警備、オフィスやホテルの清掃などで、収入は最低限度、福利厚生もほぼなし、フルタイムではなく時間も不規則なことが多い。ギグ・エコノミーは、労働者が単発の仕事を終えた時点で給料を受け取るという働き方だが、予測できる収入の保証は事実上ゼロ、他の労働者たちには保証される法的保護措置をほとんどあるいはまったく受けられない。このギグ・エコノミーの台頭は最近の傾向をさらに悪化させている。ブルッキングス研究所の二〇一九年一一月の発表によると、アメリカの労働力のじつに四四パーセントが、平均年収一万八〇〇〇ドル程度の低賃金労働に従事していることがわかった。[11]

アメリカの労働者たちが就ける職に生じたこうした変質は、二〇一九年にある研究者グループが新しい経済指標を導入したことであきらかになった。「米民間セクターの仕事の質指数」は、質の高い仕事（平均以上の収入を得られる仕事）と質の低い仕事（平均以下の収入しか得られない仕事）の割合を測るものだ[12]。この指数の値が100だったら、質の高い仕事と質の低い仕事の数が同じということ、100より下だったら、質の低い仕事が雇用の多くを占めていることになる。一九九〇年から二〇一九年末までの三〇年間で、この指数は95から81へ落ち込んだ[13]。そこで示された質の低下は、工場やオフィスといった環境から、おおむねルーティンではあっても高賃金の仕事が消えたことと密接に関係しているだろう。こうした仕事は、かつてアメリカの中流階級の根幹をなしていたが、テクノロジーとグローバリゼーションの両面から容赦なく破壊されてきた。

もちろん経済の変化に伴い、より高いスキルが必要な高報酬の仕事も生まれている。だがアメリカでは全体の四分の三近くを占める、四年制大学の学位を持たない労働者は、こうした仕事にはめったに手が届かない。大卒者のあいだでも不完全就業、つまり労働条件の悪い職にしか就けないという問題が増加し、深刻化している。大卒の若者が多額の学生ローンの返済に汲々としながら、カフェやファストフード店で働いているという話は枚挙にいとまがない。ニューヨーク連邦準備銀行が二〇二〇年二月に発表したデータによると、大学の学位が不必要な仕事に従事している大学新卒者は、じつに四一パーセント。大卒者全体で見れば、不完全就業の割合は三人に一人。また、経済全体のヘッドライン失業率が三・六パーセントに下がっていても、二二歳から二七歳までの大卒者の失業率は六パーセント超[14]。つまり従来の常識に従えば、教育を重視し、大学への入学者数を増やす必要があるはずなのに、すでに大学を卒業した若者たちを吸収できる高スキルの雇用機会を、いまの経済は生み出せていないのだ。

所得格差の拡大、そして仕事の質の低下は、その影響をもろに被る個人にとっての悪い知らせというだけではない。私たちが経済的な活力を持続させるのに欠かせない市場の需要まで損なってしまうのだ。アメリカ経済のおよそ七〇パーセントは個人消費者の支出と直接関連している。しかしこの数字でさえ、消費者需要の重要性を十分に評価しきれていない。企業の投資もやはり消費者需要に結びついているからだ。たとえば、ボーイング社が製造する飛行機を考えてみよう。ジェット機はまちがいなく消費者向け商品ではなく、航空会社が購入するものだが、それは航空チケットに消費者からの需要があると見込める場合に限ってのことである。こうした経済的な依存関係が、言うまでもなくコロナ禍の影響で浮き彫りになってきた。

雇用は消費者の手に購買力をもたらす主要なメカニズムだ。所得の分配が不平等になるにつれて、人間の労働者、つまり消費者の自由裁量所得が少なくなっていく。つまり収入を自由に使える余地が減っていくのだ。この数十年で、一部の富裕層の所得は大幅に増加したが、数にするとごくわずかなこの層には、所得分布の低い位置にいる層が失った自由裁量所得を埋め合わせるほどの消費はできないし、またそのつもりもない。要するに、経済成長を生み出すのに欠かせない製品やサービスへの消費者需要が広い層にわたって徐々に消えつつあるということだ。

消費者需要が振るわないという証拠は、失業率とインフレ率の正常な関係の崩壊に現れている。一九五八年にエコノミストのウィリアム・フィリップスは、失業率とインフレ率のあいだにはだいたい一貫したトレードオフの関係があることを示した。失業率が下がれば、インフレ率は上昇する。私が大学で学んでいたころ、フィリップス曲線と呼ばれるこの反比例の関係は、経済学という分野の基本原理の一つだとして教えられていた。しかし二〇〇九年の大不況の末期以降、この関係が崩れ、いまでは低失業率と超低インフレ率、低金利が共存するようになった。[15] これはつまり、失業率が下がってももう、インフレになるほどの賃金の上昇や消費者需要の増大にはつながらなくなったことが重要な理由としてあるのだろう。技術の進歩とグローバリゼーションとが相まって、平均的な労働者たちの賃上げを求める交渉力が下がるにつれ、消費者の手に購買力をもたらし需要を拡大させるメカニズムがどんどん効かなくなっているのだ。

さらに証拠を挙げると、アメリカの大企業は巨額の現金を手元に持っていて、その多くが歴史的な低金利となった米国債に投資されている。二〇一八年末の時点で、アメリカの各企業はおよそ二兆七〇〇〇億ドルを貯め込んでいた。[16] こうした企業の経営者たちが、もし商品やサービスへの需要が活発だという証拠を見ていたら、その資金を生産増強に投資することで、新製品開発や需要の増加に対応しようとするに決まっている。力強い需要が欠けているために、アメリカ経済はほどほどの成長率を保つことしかできず、失業率が四パーセントを下回ってもなお低金利を継続する連邦準備制度理事会に頼るようになったのだ。

もう一つ、消費者需要の低迷には重大な意味合いがある。生産性の向上が抑えられるということだ。人工知能やロボットが雇用市場に及ぼす影響に懐疑的なエコノミストたちは、もし機械が実際に急スピードで人間の労働者に取って代わろうとしているなら、残った労働者たちがどんどん生産を増やしていき、労働生産性は急増するはずだと主張する。生産性が上昇していないことを理由に、エコノミストたちはロボットが仕事を奪うという懸念を無視しているのだ。この主張が問題なのは、実のところ生産高は全面的に需要に左右されるという点である（生産性が需要によって制限されるという論点については、二〇一五年の拙著『ロボットの脅威』でもくわしく説明している。エコノミストたちがこの問題にもっと焦点を当てようとせず、「生産性の急増」が見られないのだから雇用の自動化に問題はない、と簡単に言い張ることが多いのはいささか驚きだ[17]）。

ヘアカットを生業とする労働者を想像してみてほしい。その労働者の労働生産性は、一時間あたりのヘアカットの数で測られるだろうか。この生産性にはいろいろな事柄が影響を及ぼす。その労働者は良い訓練を受けて、質の高い道具を持っているか？　その道具を動かす電気の供給は安定しているか？　エコノミストはそうしたことばかりに注目しがちだ。しかし他にも絶対的に重要なことがある。ヘアカットをしてもらいに来るお客の数だ。熱心なお客が長い行列を作っていれば、生産性は高くなるだろう。たまにお客がふらりと入ってくるだけという店では、ヘアカットの訓練や技術がいくら優れていても、生産性は低くなってしまう。

生産性の向上は需要によって制限されるという考え方が浮かび上がってきたのは、マッキンゼー・グローバル・インスティテュート（ＭＧＩ）の会長であるジェームズ・マニカに話を聞いたときだった。ＭＧＩはテクノロジーが企業や経済に及ぼす影響について重要な研究を数多く行ってきた。マニカはこう説明する。

需要が重大な役割を持つこともわかっています――このMGIも含めて、大方のエコノミストたちは、生産性の「供給」側の影響に注目し、「需要」側の影響はあまり見ないことが多かった。需要が大きく落ち込んだときには、できるかぎり生産の効率を上げたとしても、生産性の数値はあまり高くなりません。生産性の計算式には分子と分母があるからです。分子には付加価値産出額の増加が含まれますが、これは産出額が需要で満たされた状態でなくてはならない。つまり何かしらの理由で需要が沈滞していたら、どんな技術上の進歩があろうと、産出額の増加は抑えられ、生産性も伸びなくなるのです。[18]

要するに、コロナ禍が始まるまでの数十年のあいだ、アメリカの経済は新しく塗装しなおした自動車のようなものだった。見た目にはぴかぴかだが、ボンネットの下には深刻な問題が隠れていたのだ。失業率はすばらしく低いように見えても、そこから完全に取り残された人口は多く、しかもどんどん増えていた。格差は大幅に拡大し、ほとんどの労働者たちはもうテクノロジーの進歩のおかげで報酬が増えつづけたあの時期を経験できていない。そして状況がますます不平等になるにつれ、消費者需要を促す所得分配のメカニズムが損なわれて、それが経済成長の鈍化につながり、将来の繁栄に不可欠な生産性の継続的向上が阻まれている。今回のコロナ禍でいろいろな前提が覆され、私たちは未曾有の経済危機に陥った。それでも以前からの傾向は定着したままだし、今後も逆風はやまずに、現在の苦境からの回復をまたはるかに困難なものにするだろう。

ポスト・パンデミック、そして回復へ

新型コロナウイルスの感染拡大は、かつてないほどすさまじい世界的な経済危機を引き起こした。アメリカをはじめ世界中の国々で、またたく間に数百万の雇用が失われ、産業セクター全体が稼働を事実上停止し、一九三〇年代の大恐慌以来の経済不況に陥った。二〇二〇年一二月の時点では、失業率は七パーセント近くに達し、二〇二一年の半ばごろにワクチンが普及してグラフの曲線が上向くまでに、事態がさらに悪化することが予想された。

アメリカでは感染拡大への対応が遅れたために、ウイルスが広範囲にわたって再流行し、二〇二一年一月には一日あたり四〇〇〇人超の死者を記録した。入院患者の増加に伴って、アメリカの州政府や地方政府は再び各企業に休業を強制し、イギリスやヨーロッパの多くの国では全土でロックダウンが実施された。いまは有効性の確かな数種類のワクチンの接種が始まっているとはいえ、危機の経済的影響はしばらく長引くだろうと思われる。

しかし現実には、こうした状況すべてが格好の土壌となり、自動化やテクノロジーの影響で雇用市場がさらに劇的な変化を遂げることになるだろう。歴史的に見ても、省力化技術の導入による雇用喪失は圧倒的に、景気が悪化したときに集中して起こる傾向がある。特に打撃を受けるのはルーティンな仕事で、だいたいこうした観点から、中流階級の堅実な職が消えていくこと、それがやがてサービス業セクターのあまり望ましくない、低賃金の仕事に取って代わられることが

説明できる。

実際に、エコノミストのニル・ジャイモヴィックとヘンリー・E・シューはこの現象を研究し、二〇一八年の論文のなかで、「ルーティンな職業における失業はほぼすべて、景気が悪化したときに発生する」ことをあきらかにした。[19] 現実に何が起きているかを見ると、企業は経済的な圧迫を受けて従業員の首を切るが、その一方で景気の悪化が進むと、新しいテクノロジーを取り入れたり職場を再編成したりするために、結果的に景気が回復してからも、以前は社の業務になくてはならないと思われていた従業員の全員または大部分を再雇用しなくてすむようになる、ということだ。今回の不況の深刻さを思えば、ほとんどの企業はより効率的な経営をしろという猛烈な圧力にさらされるだろうし、危機が長引くほど、最新のＡＩアプリケーションなどの新技術をビジネスモデルに取り入れざるをえなくなるだろう。

今回の危機のユニークな点は、新しいテクノロジーを導入しようとする純粋に経済的な動機にもう一つ別の、より自動化の進んだ職場へ移行しようとするインセンティブが加わったことだ。第3章で見たように、ソーシャルディスタンスを保たなくてはならないという事情が原動力となって、さまざまな分野でロボット技術の導入が飛躍的に進んでいる。たとえばアメリカでもその他の国でも、食肉加工工場は、何百何千人の従業員がほとんど肩を並べて働いている環境で、これまで何度も集団感染の中心になってきた。こういった環境では、従業員の密度を下げる手段として、自動化が多く採用されていくことは避けられない。[20] これはかなり極端な例だが、工場や倉庫、小売店、オフィスなど、他のあらゆる種類の労働環境でも同じことが当てはまる。人間の労働者をロボットやスマートアルゴリズムに置き換えれば、当然ながらすぐそばにいる人間の数は減ることになる。

お客に接するサービス業では、ほんの一、二年前までは人と人との触れ合いは良いものと見なされていた。いまは逆に、人間の出番を最小限に抑えることがマーケティング上有利だという認識になってくるだろう。実際、そうした傾向はすでに定着しつつある。二〇二〇年七月、ファストフードチェーンのホワイトキャッスルは、「食品から病原菌に感染する可能性を減らすために――調理の過程で食品と人間との接触を減らす手段」として、ハンバーガー調理ロボットの導入を開始すると発表した。[21] こうした要因がどういった長期的な影響を及ぼすかは、今回の危機がどれだけ続くかにある程度左右されるだろう。だがこれを書いている時点では、この状況はかなり長く続く可能性が高そうだし、結果的にコロナ禍で現れてきた人々の行動の変化やお客の嗜好は、少なくともその一部は定着し、ずっと残ることになるだろう。

人工知能が職場に及ぼす影響は、ただロボットが仕事を奪うというような単純な話にはならないだろう。調査からわかっていることだが、ほとんどの場合、導入された新しい技術が既存の仕事に一対一対応するわけではない。自動化の影響を最も受けやすいのは、職業全般ではなく、特定の作業なのだ。二〇一七年にマッキンゼー・グローバル・インスティテュートが行った有力な分析によると、いま世界中の労働者が行っている作業のおよそ半分は、理論上は既存の技術を使ってすでに自動化されていてもおかしくないものだという。ただちに全自動化される危険に瀕している職種は五パーセントしかないが、「六〇パーセントほどの職種では、その業務内容の少なくとも三分の一が自動化できる。これは職場の大幅な変容と、すべての労働者にとっての変化を意味する」[22]。たしかに、二人ないし三人の労働者で行っている作業のかなりの部分が自動化できるのなら、ある職と別の職との境界を定義しなおし、残った仕事を整理統合できる可能性があるのはまちがいないだろう。

経済的な圧力、そして職場が「密」になるのを避ける必要性から、まだ手がつけられていないこうした分野の効率化を実現するために、多くの組織に職場環境を見なおし、再編成しようとする強いインセンティブが生まれてくる可能性はきわめて高い。この傾向はまた、最新のディープラーニングを取り入れた格段に高性能なアプリケーションの登場によって強められるだろう。結果として大部分のケースで、雇用の数は減っていく——そして残った雇用も、まったく異なるスキルセットや才能を備えた別の労働者が引き受けるようになるだろう。

仕事や作業の直接的な自動化に加えて、二つめの重要な要因は、仕事の非熟練化だ。つまり、新しいテクノロジーが採用されることで、以前は高いスキルと経験の必要だった仕事が、ほとんど訓練を受けていない低賃金労働者や、ギグ・エコノミーでばらばらに仕事を請け負うようないくらでも替えの利く働き手で埋められるようになるのだ。その典型的な例が、ロンドン名物の「ブラックキャブ」と呼ばれるタクシーの運転手たちに降りかかった事態だろう。

従来だと、こうしたタクシーの運転免許を取るには、ロンドン市内のほぼすべての道路を完全に記憶する必要があった。これは「ザ・ナレッジ（知識）」の習得と呼ばれるおそろしく大変な作業で、記憶するべき対象はきわめて広範囲に及ぶ。ユニバーシティ・カレッジ・ロンドンの神経科学者エレノア・マグワイアの分析によると、ブラックキャブの運転手の海馬（長期記憶に関連する脳の領域）は、他の職業の労働者より平均して大きいことがわかった。[23] 有望な運転手になるのに「ザ・ナレッジ」を覚え込まなければならないことが、昔からこの職業への参入障壁となっていて、タクシー運転手には中流階級レベルの賃金がしっかり確保されてきた。ところがGPSやスマートフォンのナビゲーションアプリの登場で、この状況は一変した。いまではロンドンの街をまったく知らないドライバーでも、スマートフォンさえあればまともに競合できるのだ。さらにライドシェアリングなど、他のタクシーに似たサービスの猛攻を受け、ロンドンのタクシー運転手たちの生活には大きな悪影響が及んでいる。

労働の非熟練化は一般に、訓練や経験をほとんど、あるいはまったく積んでいない人間でも仕事に就けるようにすることで、賃金を低く抑えると同時に、労働者を替えの利く存在にする。結果的に企業は、従業員の離職率の高さを気にかけなくなり、労働者たちの交渉力はさらに弱められる。自動化と非熟練化がともに進むにつれて、格差はさらに拡大し、イノベーションのもたらす成果はますます所得分布の上位の層に集中しつづけると考えてまちがいない。

こうした技術的な傾向は、コロナ禍がもたらす他の重要な副産物とからみ合って作用していくだろう。たとえば、ホワイトカラー労働者たちがリモートワークを本格的に採用したことで、オフィス街を取り巻くビジネス生態圏は壊滅的な打撃を受けている。在宅勤務への移行は今後もある程度まで定着する可能性が高そうだ。たとえばフェイスブックはすでに、従業員の多くが無期限でリモートワークを選択できると公表している。[24] 以前は一体となって動いていたビジネス地区でも、レストランやバーなど、オフィスワーカー向けの店の雇用は以前と同じレベルには戻らないかもしれない。オフィスの清掃やメンテナンス、警備などを請け負っていたサービス労働者の仕事も影響を受けるだろう。三つめの重要なファクターは、こうした雇用を差配しているところは圧倒的に中小企業に偏っていて、その多くが破綻しそうだということだ。いろいろな記事によると、コロナ禍で休業を強いられた中小企業の半分は、もう二度と営業を再開できないかもしれないという。[25]

最終的に、これらの中小企業が占めていた市場シェアは、より規模が大きく回復力もある小売店やレストランのチェーンに奪われるだろう。ところがそうした大手企業は、資金力や社内の専門知識が豊富なため、新しい省力化技術をいち早く導入できる絶好の位置にいる。要するに、大企業が市場支配を拡大すると、サービス業セクターにおける雇用の自動化と非熟練化が一気に加速するかもしれないということだ。こうした流れが重なることで、近年のアメリカで主に雇用創出を担ってきた低賃金のサービス業の職が新たに生まれる流れが大きく阻害される恐れがあり、現在の危機からの継続的な回復がさらに困難になるかもしれない。

ホワイトカラーを襲う自動化の波――プログラミング教育は解決策にならない

雇用の自動化というと、だいたい工場や倉庫で黙々と働く産業用ロボットのイメージが浮かんでくる。従来の常識では、低賃金で低学歴のブルーカラー労働者がテクノロジーの直接の脅威にさらされる一方で、少なくとも学士号を持った知識労働者、つまり手作業ではなく知的作業を主に行う職業に就いている人たちはまだ、相対的に安全な立場にあると考えられてきた。ところが現実には、ホワイトカラーの仕事、とりわけ相対的にルーティンな性質の高い情報の分析、操作、抽出、伝達を中心とするような仕事は、人工知能が進歩してさらに広く普及するにつれ、もろにターゲットになってくるだろう。

実のところ、情報系の仕事をするホワイトカラー職は往々にして、環境の物理的操作が必要な職業に就いている低学歴の労働者よりも、テクノロジーによる置き換えが利きやすいことがわかっている。こうした仕事の自動化には高価な機械は必要ないし、マシンビジョンやロボットの器用さといった部分でクリアすべき難題もないからだ。これらの労働者が多くの時間を費やしているタスクは、高性能なソフトウェアがあればかなり減らすことができる。しかもホワイトカラーの仕事を削ろうとするインセンティブは、そうした高スキルの労働者が概してブルーカラー労働者よりずっと高い給料を取っているという事実によってさらに強められる。すでに見てきたように、大学新卒者のほぼ半数は不完全就業の状態なのだが、これはテクノロジーがルーティンな職に影響を及ぼしているために、従来なら新人が職業的成功へのハシゴの一段目として就いていたようなタイプの職種が減ってきている、という側面もあるだろう。

最もリスクの高い仕事はよりルーティンな仕事だという事実は今後も変わらないだろうが、覚えておくべきなのは、自動化できるタスクと安全だと思われるタスクの境界はまちがいなく流動的で、人工知能の進化に伴って容赦なく変化し、さらに多くのタスクが自動化の領域に取り込まれていくだろうということだ。従来だと、知識ベースのタスクを自動化するには、コンピュータプログラマーがステップバイステップの手順を設計し、それぞれの行動や判断を明示する必要があった。そのためにソフトウェアによる自動化は、本当の意味でルーティンな繰り返しの仕事、たとえば簿記一般や支払勘定・受取勘定といった事務の領域に限定されることが多かった。

ところが機械学習が現れたおかげで、いまではアルゴリズムが解き放たれ、大量のデータを高速で処理して人間にはなかなか認識しづらいパターンや相互関係を発見することで、アルゴリズム自らがおおむねコンピュータプログラムを書けるようになった。つまり機械学習の本質とは、以前は本質的に非ルーティンだと思われていたタスクを、いつ自動化されてもおかしくないようなものに変化させることにあるのだ。

もうすでに、機械学習が組み込まれたソフトウェアによる自動化が、ホワイトカラー職の作業を広範囲にわたって侵食しはじめている例が数多く見られる。たとえば法律の分野だと、いまではスマートアルゴリズムが文書を読んで、法的証拠開示手続きに含める必要があるかどうかを判断している。また法務調査でも人工知能システムの熟達ぶりは向上の一途だ。予測アルゴリズムが過去のデータを分析し、最高裁での裁判の結果からある契約がいずれ破棄されるかどうかまで、あらゆることの公算を評価する。つまり、以前はごく経験豊かな弁護士だけの権限だった判断力の必要な業務にまで、ＡＩが影響を及ぼしはじめているのだ。

大手メディアでは、簡単な文章作成を自動化するシステムに頼るところが増えている。流れ込んでくるデータを分析し、そこに含まれるストーリーを見つけ出して、物語（ナラティブ）のテキストを自動生成できるのだ。ブルームバーグなどの企業はこうしたシステムを使って、企業の収益報告を扱ったニュース記事をほぼ一瞬で作り出している。自然言語を処理する人工知能の能力が向上すると、組織内外での情報伝達を目的とするようなルーティンな文章作成はどんどん自動化されていくだろう。

銀行や保険などの業界で分析に携わる仕事は、こうしたものの影響を特に被りやすいだろう。たとえばウェルス・ファーゴ銀行の二〇一九年のレポートは、アメリカの銀行業界では今後の一〇年間に、約二〇万人の雇用が技術の進歩によって消えると予測している。[26] ウォール街でも自動化の影響はすでにあきらかで、かつては騒がしく混沌としていたトレーディングフロアも、いまではほぼ機械のたてる静かな音が満ちているばかりだ。二〇一九年にはすでに、主要な証券取引所のスタッフは、トレーディングフロアの特定の区域に追いやられた少人数が詰めているだけになっていた。[27] そして新型コロナウイルス感染拡大を受け、取引所がたちまち完全な電子取引へ移行したため、わずかに残った人間ですらもういなくてもかまわないことがわかったのだ。

企業のカスタマーサービスやテクニカルサポートを担当するコールセンターも、あきらかにディスラプションの機が熟している分野だ。人工知能の自然言語処理能力がどんどん向上し、音声通信技術とオンラインのチャットボットを併用してこうした仕事をかなり自動化できるアプリケーションが作り出されている。言うまでもなくこうした業務は、すでにオフショアリングの波に大きくさらされていた。しかし技術の進歩に伴って、インドやフィリピンなどの低賃金国にあったコールセンターの職もまた、自動化のなかで消えようとしている。

カスタマーサービスの問い合わせへの対応は、多くの点で機械学習に最適なタスクだ。お客とコールセンターの係員がかわすやり取りからは、問い合わせの内容や回答、そのやり取りで問題が完全に解決したかどうかなどを含んだ豊富なデータセットが生み出される。機械学習アルゴリズムはこうした何千何万というやり取りを高速で処理し、何度も繰り返し寄せられるような質問なら、その多くにたちまちうまく対応できるようになる。そしてシステムが配備され、お客からの問い合わせが増えるほど、アルゴリズムは賢くなっていく。カスタマーサービスの自動化を目ざしたAI搭載のチャットボットを開発するスタートアップ企業は、数えあげれば十指にあまる。これらの企業の多くは医療や金融サービスといった特定分野に位置づけられている。[28]こうした技術がさらに進歩しつづければ、コールセンターのスタッフの数は減っていき、最終的には特に面倒なお客とのやり取りにのみ人間のオペレーターが駆り出されるという状況になりそうだ。

コンピュータコードを書くというスキルは、技術系の雇用市場に向けての一種の万能薬のようなものとして紹介されることが多い。文章書きのプロや、それこそ職を失った炭鉱労働者ですら、「コード書きを学べ」と言われているほどだ。コード書きの専門学校が乱立し、高校でコンピュータプログラミングの授業を必修にしよう、いや中学校からやるべきだといった提案も多く聞かれる。しかし実際には、コンピュータコードを書くこともまちがいなく、他のタイプのホワイトカラー職をディスラプトするのと同じ力にさらされるだろう。

コールセンターの例に見られるように、アウトソーシングはしばしば自動化の最前線となるし、実際にルーティンなソフトウェア開発の多くはすでに低賃金の国々、特にインドへオフショアリングされている。大手テック企業はほぼ例外なく、コンピュータのプログラミングを自動化するツールに多額の投資を行っている。たとえばフェイスブックはアロマ（Aroma）というツールを開発した。AIを搭載したコンピュータプログラミング用の「オートコンプリート」のように機能し、パブリックドメインのコンピュータコードの膨大なデータベースを活用できる。[29] オープンAIのGPT－3も、インターネットから抽出した膨大な数の文書で訓練された一般言語生成システムではあるが、多少のルーティンなプログラミング作業ならこなすことが可能だ。[30]

要するに、コンピュータプログラミングを学ぶことが有益でやりがいもあるのは確かだが、そのスキルを身につければきちんとした職に就けるという時代は終わりつつあるということだ。他の多くのホワイトカラー職にも同じことがいえるだろう。テクノロジーが進歩して、こうした高学歴・高収入の労働者の領分まで侵食するようになると、格差はますます拡大し、莫大な資本を持った一部のエリート層が他の人たちすべてを置き去りにしていくだろう。高賃金の労働者に次第に悪影響が及んでいけば、全体の消費支出がさらに衰え、堅調な経済成長の可能性も危うくなる。だが、一つプラス面といえそうなのは、高給取りの知識労働者たちは、工場や低賃金のサービス業に従事する労働者に比べてはるかに大きな政治力を発揮できることだ。その結果として、ホワイトカラー職への影響をきっかけに、テクノロジーが雇用市場に引き起こすディスラプションへの政策対応を行えという意見が強まるかもしれない。

安全なのはどの仕事？

この数年間、私は世界中の大陸をほぼ残らず訪れて、人工知能やロボット工学が雇用市場にどんな影響を及ぼす可能性があるかをテーマに、何十回となくスピーチをしてきた。そしてどの国にいるかを問わず、聴衆から最も多く寄せられる質問がいつもほぼ同じなのに気づいた。「どの仕事がいちばん安全なのでしょうか？」「子どもたちにどの分野の勉強をするように言えばいいのでしょうか？」。答えとしてはだいたいこうなるだろうが、たぶんいささか当たり前すぎて満足できないものだ――「基本的にルーティンで、予測可能なタイプの仕事は避けたほうがいい」。

こうした仕事はあきらかに、AIによる自動化が短期的に最も大きな影響を及ぼす分野だ。別の言い方をするなら、「つまらない仕事を避ける」ということになるだろうか。もしあなたが毎日働きに出て、新しいチャレンジに向き合っているのなら、そしてその仕事からたえず何かを学んでいるのなら、少なくとも当面はテクノロジーに先を越されずにすむだろう。だがそうではなくて、同じようなレポートやプレゼンテーション、分析を量産することに多くの時間を費やしているのなら、おそらくいまから懸念をもって、キャリアの軌道修正を考えはじめるべきだろう。

より具体的に言うなら、自動化の短期的・中期的な影響を特に受けにくい仕事は、大まかに三つの分野に分けられると思う。まず一つめに、本当の意味で創造的なタイプの仕事は、相対的に安全といえるだろう。既存の枠にとらわれない思考をしたり、予期せぬ問題を解決するために革新的な戦略を考え出したり、純粋に新しいものを構築したりしている人は、人工知能をツールとして活用するのに適した位置にいる。つまり、人工知能はあなたに取って代わるよりも、まずまちがいなくあなたを補完してくれるだろうということだ。

創造的な機械を作ろうとする重要な研究はいまも進んでいて、AIが創造的な仕事に入り込んでくることもまちがいなく避けられないだろう。スマートアルゴリズムはすでに、オリジナルなアート作品を描き、科学的仮説を立て、クラシック音楽を作曲し、革新的な電子設計を生み出すことができる。ディープマインドの〈アルファ碁〉や〈アルファゼロ〉は、プロの囲碁やチェスの競技に新たなエネルギーと創造性を注入している。なぜならこうしたシステムは、本当の意味で異質な知性の表現であり、人間の専門家の意表を突く型破りな戦略をとるからだ。それでも当面、人工知能は人間の創造性に取って代わるのではなく、補完し増幅するのに使われるだろうと私は思う。

安全といえそうな二つめの分野は、他の人たちを相手に意味のある複雑な人間関係をつくることが重視される仕事だ。例を挙げるなら、看護師が患者とのあいだに築く共感と思いやりのある関係がそうだし、ビジネスパーソンやコンサルタントも高度なアドバイスを顧客に提供することでそんな関係を築くかもしれない。ただし注意しておきたいのは、これはお客と笑顔で接するというような短期的なサービスの話ではなく、もっと深くて複雑な人と人との相互作用が必要なものを指しているということだ。この分野にもやはり、AIは入り込んでいて、たとえば第3章で見たようなチャットボットは、すでに初歩的なメンタルヘルスのセラピーを行うことが可能だ。

AIが人間の感情を感じ取って反応し、シミュレーションする能力は今後も進歩しつづけるだろう。しかし機械が人間との本当に高度な、さまざまな奥行きのある関係を築けるようになるには、長い時間がかかるだろう。

三つめの安全な分野は、予測不能な環境下で、高い機動性、器用さ、問題解決スキルが求められる職業だ。看護師や老人介護士もこのカテゴリーに入るだろうし、配管工や電気技師、機械工といった高スキルの職もそうなる。このタイプの仕事を自動化できるロボットを作り、手頃な価格で売り出せるのはかなり先のことだろう。こうした技能職は一般的に、大学教育を受けないという選択をする人たちには最高のターゲットといえるのではないか。アメリカ国内の場合、高校の卒業生をただ大学に進学させるのではなく、そうした機会に向けての準備ができる職業訓練や見習い制度をもっともっと重視していくべきだろう。

しかし何より重要なファクターは、どの職業を選ぶかではなく、そのなかで自分がどんな立ち位置をとるかということではないか。人工知能が進歩するにつれ、雇用市場の幅広い分野にわたって、おおむねルーティンなコツコツやる作業で成り立っている仕事は消えていき、創造的なスキルが求められる分野に専念する人たち、幅広い職業ネットワークを活用して組織に付加価値を与えられる人たちがトップに上ってくるだろう。つまり、スポーツや芸能界で見られるような「勝者総取り」やスーパースター効果のようなものが、これまで機会の面ではもっと同質的だった職業にも課せられることになるのだ。法廷でのスキルに長けた弁護士、クライアントとのコネの多い弁護士は、人工知能が進化してもずっと活躍しつづけるだろうが、その一方で、法務調査や契約書の分析にばかり精出している弁護士は、先行きがあまり見込めないかもしれない。

こうした状況にあなた個人が適応するには、自分が心から楽しめる職業、つまり情熱を持って取り組める職業を選ぶことがベストだろう。そうすることで、あなたがその分野で飛び抜けた存在になるチャンスが増えるからだ。今後は、この分野は以前からずっと仕事の口が多かったから、という理由で職業を選ぶのは、あまり割のいい賭けではなくなるかもしれない。ただし問題なのは言うまでもなく、これはあなた個人には良いアドバイスだとしても、社会全体の解決策にはならないことだ。こうした移行が進んでいくにつれて、多くの人たちが取り残される可能性は高いだろうし、最終的にはその現実に対処するための政策が必要になってくると思う。

経済へのプラス効果

人工知能が雇用市場や経済格差に深刻な影響を及ぼすという懸念がある一方で、この技術が経済にも社会にも計り知れない恩恵をもたらすことはまちがいない。自動化が進めば生産効率は上昇し、商品やサービスの価格低下に直結する。つまりＡＩは、人々が良い暮らしをするのに必要なあらゆるものを豊富に、また手頃な値段にすることで、社会的貧困を軽減し、ひいてはなくしていくための重要なツールになるということだ。人工知能が研究やデザイン、開発に取り入れられれば、従来には考えられなかったまったく新しい製品やサービスが生み出されるだろう。新しい薬や治療法はほぼあらゆる人たちの幸福度を高めると同時に、劇的な経済利益をもたらすだろう。

二〇一八年末にマッキンゼー・グローバル・インスティテュートが発表したレポート[31]と、コンサルティング会社PwCが発表したもう一つのレポート[32]は、二〇三〇年までに人工知能が世界経済を大きく押し上げるだろうと強く主張した。マッキンゼーの分析は、AIは全世界の経済生産高を一三兆ドル増やすと予測し、PwCの試算では一五・七兆ドルとなっている。つまり、AIは今後一〇年ほどのあいだに、現在の中国のGDP一四兆ドルとおおよそ同等の経済的価値を世界に付与するだろうということだ。マッキンゼーの分析によると、これらの利益はS字型の曲線を描くような形でもたらされる。「(人工知能の)学習と配備に関連する多額の出費と投資のために、スタートはゆるやかだが、その後は競合の累積効果と補完能力の向上により加速していく[33]」。二〇三〇年には、テクノロジーの進歩とそれに伴う経済的利益がともに急激な上昇曲線に乗り、私たちはS字の急カーブの部分に位置するようになるだろう。

ただしこの二つの試算には、人工知能が長期的にもたらす最大の利益が含まれていない。第3章で言ったように、AIが持つ最も重要な可能性は、技術的停滞のこの時代から私たちが抜け出す手助けをしてくれることだ。人工知能の力を借りて、工学や医学といった科学の幅広い分野でのイノベーションに活を入れることができれば、投資に対して得られるリターンは計り知れないものになる可能性がある。

おそらく何より大事なのは、私たちが今後必ず直面する数々の難題、たとえば気候変動からクリーンエネルギーの新たな供給源、つぎに来る感染拡大への対応までのあらゆる事態に対処できるように、ぜひとも持てる知性と創造性を結集し高めていかなくてはならないということだ。こうした難題は経済分析で定量化するのは難しいけれど、その対処について考えるだけでも、こう主張できると私は思う。人工知能はいまや絶対不可欠なツールであり、たとえ前例のない経済的・社会的リスクを伴っていようと、放置しておいてよいものではないのだ。

私たちの目前にある重要な課題は、ＡＩへの投資を継続し、この技術がもたらす利点を十分に活用しながら、一方で技術の進化による失業や格差の拡大などのマイナス面に対処する方法を見つけていくことだ。これから直面することになる経済の根本的課題は、分配の問題だろう。人工知能によって経済的利益が得られるのは確実でも、その利益が国民全体に広く公平に行き渡る保証はどこにもない。

実際、なんの行動にも出なければ、その利益はほぼまちがいなく、所得分布の上位に位置するごく一部の層へ圧倒的に集中し、大半の人たちはおおむね取り残されるか、さらに苦しい境遇に置かれる可能性がある。そしてこれまで見てきたように、こうした状況では消費者需要が広範囲にわたって損なわれ、生産性の向上と経済成長がともに湿らされかねない。つまりＡＩが経済的にもたらすマイナス面に対処できなければ、ＡＩのプラス面も十分に引き出せなくなるだろうということだ。

こうした事態を避けるには、従来にはない思いきった政策的取り組みが必要になってくると思う。これまで何十年も実施されてきた解決策、つまり雇用再訓練プログラムや、なるべく大勢の人間を大学に進学させるという方針では、十分な効果は得られないだろう。人工知能がすでに高スキルの仕事に大きな影響を与えていて、技術力が高まるほどその傾向が強くなる一方だとすればなおさらだ。

分配の問題を解決するには

これは私見だが、人工知能の進歩でもたらされる分配の問題にどう対処するかとなったとき、最も直接的・効果的な方法は人々にお金を配ることだろう。つまり、最低限所得保障、負の所得税、ベーシックインカムといったもので、全国民または国民の大部分の所得を補うのだ。近年になって最も注目されている案は、無条件で給付されるユニバーサル・ベーシックインカム（ＵＢＩ）である。

ＵＢＩがＡＩによる自動化への政策対応として一気に注目を集めたのは、二〇一九年にアンドリュー・ヤンが大統領選へ打って出たのがきっかけだった。ヤンは民主党大統領候補として、アメリカ市民全員に毎月一〇〇〇ドルの「自由の配当」を支払うことを主政策に掲げて出馬した。民主党討論会に参加したヤンは、ＵＢＩを前面に押し出し、多くのアメリカ人の前にこのアイデアを初めて突きつけたのだった。

無条件のベーシックインカムの主な利点は、雇用形態を問わずにすべての人間に支給されるため、その当人が働いたり、追加の収入を生み出す起業活動を行ったりするインセンティブが損なわれないことにある。つまり従来からあるセーフティネットの最大の問題点の一つ、「貧困の罠」

が生じがちな状況を回避できるのだ。失業保険や生活保護といったプログラムは、その受給者が仕事を見つけて収入を得はじめると、段階的に外されるか、完全に除外されるため、職探しをするうえでの強い阻害要因となる。低賃金の仕事でも受け入れてしまえば、いまある収入がたちまち危険にさらされるからだ。その結果、人々がセーフティネット依存の罠にとらわれ、より良い未来に向けて小さな一歩を踏み出そうとする具体的なインセンティブを見いだせなくなりやすい。

対照的にユニバーサル・ベーシックインカムは、職に就いているいないの影響を受けないので、働くことを選択したり、副収入を得るためのちょっとしたビジネスを始めたりした人は、ただ家でじっと毎月UBIの支払いを待っている人と比べて暮らし向きが良くなる。UBIは絶対的な所得の下限を作り出すが、もっと稼ぎたいという強いインセンティブはつねに消えることがない。こうした利点があるにもかかわらず、多くの人々には、ただ単純にお金を人間に渡す、あるいは一部で言われるように「人間を生かすために金を支払う」ことへの強い嫌悪感がある。このような態度は、UBIを現実に実施するうえで大きな政治的障害となりつづけるだろう。

政策の選択肢はたしかに、他にもいくつかある。なかでもよく挙げられるのが雇用保障だ。ある人にどうしても仕事が必要なら、政府がその最後の雇い手になればいい――このアイデアは、表面的には魅力的かもしれないが、私は大きなマイナス面があると思う。雇用保障はベーシックインカムよりも行き渡る範囲がずっと狭く、誰よりも支援を必要とする人たちが大勢取り残されるのは避けられないだろう。こうしたシステムには巨大な官僚機構が必要になり、コストはかさむし、どんどん肥大化していく可能性も高い。管理担当者は、働き手がちゃんと割り当てられた仕事に就くように計らわなくてはならないし、あらゆる規律上の問題も必ず起こってくる。欠勤や仕事ぶりの悪さ、そして「ミー・トゥー」のような状況まで、何があってもおかしくない。指定された基準を満たさない働き手を譴責・解雇するという方針は物議をかもしかねないし、差別あるいは不平等のそしりを受ける恐れも出てくる。

政府は最終的に、二者択一を迫られるだろう。もし仕事ぶりが悪かったり、規則を破ったりする働き手を解雇するなら、その人物はセーフティネットから外れざるをえない。もしそれをしないのなら、この雇用プログラムは事実上、ひどく金がかかるうえに非効率なタイプの最低限所得保障に等しいものとなる。創出される職の大部分は十中八九「ブルシット・ジョブ（どうでもい い仕事）」だし、雇用保障ではベーシックインカムの場合とはちがい、より生産性の高い民間セクターの職に就けそうな労働者までそちらに引き寄せられてきてしまうだろう。対照的にベーシックインカムなら、官僚機構の手をわずらわせることはほとんどないし、社会保障制度などのプログラムを通じて小切手を送付する政府の既存の仕組みを利用することができる。

人工知能がユビキタスになったときに生じる分配の問題は、最終的にベーシックインカムがベストな解答になると私は思っているが、しかし万能の解答というわけでは決してない。むしろUBIは土台のようなもので、その上により効果的で政治的にも受け入れられやすい解決策を構築していくことになるだろう。最大の問題は、ベーシックインカムは人々の手にお金を届けるものの、それだけでは従来からの仕事と結びついたその他の重要な特質がついてこないことだ。有意義な仕事は目的と尊厳の意識をもたらす。人々の時間を埋め、昇給や昇進を目ざして一生懸命いい業績を収めようとするインセンティブを作り出す。また良い仕事に就きたいという願望は、個々の人間が教育や訓練を受けるきわめて重要なインセンティブとなる。

こうした特質を生み出すことは、ベーシックインカムのプログラムを修正することで、少なくとも部分的には可能になると思う。私は二〇〇九年に最初の著書 *The Lights in Tunnel: Automation, Accelerating Technology and the Economy of the Future*（『トンネルのなかの光――自動化、加速するテクノロジー、未来の経済』）を出して以来、インセンティブを直接組み込んだベーシックインカム制度を提唱してきた。誰もが最低限の支給を保証される一方で、自分から何かしらの活動をすることで追加の収入を得るチャンスもあってしかるべきだ。ここで断然重要になってくるのは、もっと高い教育を受けようとするインセンティブだろう。

誰もが一八歳、あるいは二一歳からまったく同じ額のＵＢＩを毎月受け取れる世界を想像してみてほしい。そんな状況だと、高校中退の危機にある生徒は、卒業証書のために必死に勉強する理由が見いだせなくなるかもしれない。そもそも何がどうなったところで、毎月の小切手の額は変わらないじゃないか。それにどうせ卒業証書を手にしても、いい仕事には就けないことは現実を見ればあきらかなのに、どうして無理をして学校にとどまるのか。若者がこんなふうにやる気をなくすのは不幸なことだし、ますます複雑きわまりない、難題や矛盾だらけの未来が目前に迫っているいま、きちんと教育を受けた人口が減っていくというぞっとする事態を招くわけにはいかない。だとしたら、高校を卒業した人には少し多めの額を支払う、というのはどうだろうか。

このようにベーシックインカムにインセンティブを組み込むアイデアは、さらに高度な教育や、地域への奉仕活動といった分野にも広げられるかもしれない。

究極の理想は、人々が有意義な時間を過ごし、達成感を得られるようにするための機会を作り出すことだ。ここで最も肝心なのは、もっと教育を受けようとするインセンティブに従った人たちには、就職や起業活動を通じてはるかにたくさんのチャンスを得る見込みが高まるということだろう。人工知能がさらに広く普及すると、個々の人たちがその強力なツールを使って小さなビジネスを始めたり、フリーランスの仕事で稼いだりできるようになるだろうが、そうしたチャンスを活用するには、少なくとも最低限の教育を受けていなくては始まらない。この社会のあらゆる層にいる人たちがみんな、それぞれの能力の範囲内で最高レベルの教育を受けようとするべきなのだ。各人がそういう強いインセンティブを保つことを、私たちの最も重要な目標の一つとしていかなくてはならない。

もう一つあるＵＢＩの大きな問題は、おそろしく金がかかることだ。アメリカの成人すべてに無条件で所得を分配するのは数兆ドルの出費になるし、すでに裕福になっている層にまで毎月小切手を送るなんて許せないという有権者も多いだろう。高所得層からＵＢＩをうまく段階的に、勤労意欲を削ぐことなしに、廃止していく道もあるのではないか。それには「受動的所得」にだけ審査を行って、ＵＢＩに制限をかけるのがいいかもしれない。たとえば年金や社会保障、多額の投資収入など、自分自身で働いたり活動したりしなくても自動的に入ってくる多額の収入がすでにある場合は、それに応じてＵＢＩの支払いを段階的に減らしたりなくしたりするのが妥当だろうと思う。

働いたり自ら事業を経営したりして得られる「能動的所得」は、よほどの高収入でもなければ、おそらくＵＢＩには影響しない。これを不公平だと思う人も多いだろうが、そもそもベーシックインカムの背景にあるのは、すべての人が少なくとも保証された最低下限所得を手にできるという考え方だ。すでにそうした支払いを受けているのなら、ＵＢＩが必要でないのは当然だろう。世界を完全に公平なものにできるような政治構想は存在しない。私たちが現実的に望めるのはせいぜい、格差を減らし、悲惨きわまりない物質的欠乏を起こさず、経済成長を持続できるだけの消費者収入を確保するプログラムなのだ。

　こうしたアイデアにはもちろん、それぞれに課題がある。ベーシックインカムの仕組みにインセンティブを組み込むとして、そのインセンティブがどんなものになるかをいったい誰が決めるのか？　横暴でおせっかいな子守国家（ナニーステート）が選択の自由を侵そうとする、われわれの日々の暮らしに押し入ってくる、という不安をかきたてられる人も大勢いるだろう。それでも、少なくとも最低限のインセンティブをつけるのは個人にも社会全体にもきっと有益だという合意は、ある程度得られると思う。ここで私があらためて言っておきたいのは、とにかく教育を受けようとするインセンティブが何より絶対に重要だということだ。

　これに関して気がかりな点は、ベーシックインカムのプログラムが政治利用されることである。政治家たちがこぞって「ＵＢＩの月々の支給額を増やします」と公約に掲げるようになる未来は容易に想像がつく。だとしたら、ベーシックインカムのプログラムの運営を政治家の手から引き離し、明確なガイドラインに従って運営される専門のテクノクラート機関、つまり連邦準備制度のような機関の手にゆだねるのが最も理にかなっていると思う。

ＵＢＩを導入するとしても、失業や不完全雇用、格差の拡大に対し、従来からある解決策をやめてしまうということではない。人工知能とロボットの影響が加速していく今後数年か数十年のあいだ、なるべく多くの労働者がうまくつぎの段階に移行していけるように、できることはなんでもやるべきだ。特にコミュニティカレッジや手頃な料金の職業訓練・見習いプログラムなどに投資するのがいい。いまのアメリカではこうした分野の多くが、強欲な営利優先の学校で占められているので、それに代わるものを提供しなくてはいけない。それでも最終的には、この種のプログラムでは対応しきれなくなるほど大規模なディスラプションが起こり、従来のものとはちがった解決策を採用する必要が出てくるだろう。

ベーシックインカム実現の前には政治的なハードルが立ちはだかりつづけるはずだから、まず最小限のレベルから始め、時間をかけて徐々に拡大していくのが現実的だろう。国家的なプログラムを定める前には、ＵＢＩに関してもっと多くのデータと、現実には何が起こるかという経験が必要になる。したがって、最適な政策パラメータを見つけるために設計された実験を始めるべきだ。そうした実験にはいずれ、インセンティブを組み込むという私の案も取り入れてもらえればと思う。ベーシックインカムの実験から得られるデータによって、効果的な規模のプログラムが生み出されるだろうし、未来がどんどんＡＩに規定されるようになっても、広範囲にわたって繁栄が続く助けになってくれるだろう。

テクノロジーがもたらす失業や格差拡大の可能性は、人工知能の台頭と相まって起こる大きな懸念の一つでしかない。つぎの二つの章では、すでに顕在化している、あるいはテクノロジーの進歩に伴って起きると考えられる、さまざまな危険に焦点を当てていく。

第7章　AI監視国家が台頭する

新疆ウイグル自治区は、中国の北西部に位置する辺境地域だ。テキサス州の約二・五倍の面積があり、中国を別にすると、北東はモンゴル、北はロシア、西はカザフスタン、キルギス、タジキスタン、アフガニスタン、パキスタン、インドの八カ国と国境を接している。気候と地形は厳しく、主に険しい山や砂漠からなるが、ところどころにオアシス都市が点在し、そこに地域の人口二四〇〇万人の大半が集まっている。伝説のシルクロード、といっても実際は複数のルートからなる「道」なのだが、それがこの地を通っているために、新疆は東西交易の中心地となり、ユーラシア大陸全土の文明の発展に貢献してきた。一三世紀後半にこの交易路を旅したマルコ・ポーロも、今日の新疆ウイグル自治区とおそらく同様の、にぎやかなバザールや荷を積んだラクダに出会っていただろう。

ただし新疆ウイグル自治区がにわかに注目を浴びるようになったのは、その豊かな歴史からではなく、この地域で最大の民族グループであるウイグル族に、オーウェルの小説を思わせる未来が押しつけられるようになったためだ。中国政府はカシュガルなどの都市部で、警察隊の大量配備や検問に先進技術を組み合わせることで、抑圧的な監視国家を作り上げた。市街では誰もがたえず見張られている。何千台ものカメラがあらゆる通りに沿って、建物や電柱に取り付けてある。住民が街のなかを移動すると、検問ごとに足止めされ、顔認識システムで本人確認をしてからでないと進むことを許されない。[1]

新疆ウイグル自治区は中国の監視体制構想の焦点であると同時に、次第にこの国全体へ配備されようとしているさまざまな手法や技術の実験場でもある。二〇二〇年までには三億台近い監視カメラが設置され、その多くが顔認識技術をはじめ、歩き方や服装から歩行者の身元を割り出すＡＩ搭載の各種追跡装置とつながっているのだ。

新疆ウイグル自治区では、あらかじめ定められた行動パターンから外れたり、コーランを読むなどの禁じられた行為に関与したウイグル族は、中国政府がこの地域に設置した大規模な「再教育キャンプ」へ送られる恐れがある。また国内の他の地域にも、政府は総合的な社会信用システムを配備し、全面的な行動修正を迫るという空恐ろしいビジョンを持っている。最終的にはある人物の生活のほぼすべての側面、たとえば買い物の中身、身体的な動き、ソーシャルメディアでの交流、他人との関係などが残らず監視、記録、分析される。そしてこれらの情報をもとに、個々人の総合的な社会信用システムを作り出すのだ。この点数が低い人たちは、公共交通機関の利用を禁じられる、子どもが学校に入学できなくなるなどの罰則を受けることになる。

こうした状況を加速させているのが、人工知能の研究開発での中国の急成長ぶりだ。中国はすでにこの分野で世界の大国となっている。いくつかの指標、たとえばＡＩの分野にいるコンピュータ科学者やエンジニアの数の多さや、発表された研究論文の量などでは、すでにアメリカを上回っているほどだ。国を挙げて大規模な投資を行い、人工知能を戦略的な国家課題に掲げてもいる。支配層の政治家たちも、ただ熱心というだけでなく知識も豊富なようだ。二〇一八年初め、習近平国家主席は自身の執務室からテレビ演説を行ったが、画面の背景にはＡＩや機械学習に関する書籍がちらほら映っていた。[2] また中国政府は何百ものスタートアップ企業の資金援助も行っていて、そうした企業の多くは評価額が数十億ドルとなり、自他ともに認める技術革新のリーダーとなっている。

中国がアメリカとともに、人工知能の研究開発における世界の二大中心の役割を担いはじめると、この分野で続いている西側世界との競争はますます激しくなるだろう。中国の新興ＡＩ産業はその大半が顔認識などの監視技術の開発に的をしぼり、中国だけでなく世界各国に良いお得意を持っている。またこれから見ていくように、ＡＩを使った監視技術は決して権威主義体制の国に限られたものではない。特に顔認識はアメリカをはじめ民主主義諸国でも広く導入されているが、すでにバイアスや悪用を指摘する声があがり、激しい議論を呼んでいる。こうした問題は、技術がより強力になるほど、また厳密に規制されないままユビキタスになるほど、解決が難しくなっていくだろう。

中国がＡＩ研究開発の最前線へ

二〇一八年六月にユタ州ソルトレークシティで、コンピュータビジョンをテーマにした大規模な会議が開催された。名高い二〇一二年のイメージネット・チャレンジからすでに六年、マシンビジョンの分野は劇的な進歩を遂げ、研究者たちは今回、またはるかに難しい問題の解決に力を注ごうとしていた。会議の目玉の一つとなったのが「ロバスト・ビジョン・チャレンジ」だ。アップルやグーグルなど大手企業が後援するこのコンテストで、世界中から集まった大学や研究所のチームが一連の課題をこなそうとたがいに競い合った。屋内や屋外の照明、異なる天候などさまざまな状況下で、画像をどれだけ確実に識別できるかが課題の内容である。[3] こうした能力は、多様な環境で作動する自動運転車やロボットなどのアプリケーションには不可欠なものだ。

このコンテストで特に重要な部門の一つは、ステレオマシンビジョン、つまり人間の目のように二つのカメラを使ったマシンビジョンに特化したものだった。人間の脳は、わずかに異なる視点からの視覚情報を解釈することで、ある場面の三次元表現を作り出せる。二つのカメラを適切に配置すれば、アルゴリズムでも同じようなことが可能なのだ。[4]

その優勝チームを目にしたとき、多くの人間が驚きの声をあげた。中国の国防科技大学の研究者グループだったのだ。この大学は一九五三年、人民解放軍のエンジニアリングの教育機関として創設され、研究とイノベーションで国から数々の賞を授与されてきた。特に力を入れているのがロボット工学だ。大学のウェブサイトには、「党の技術革新理論に基づいた教育により、忠実で能力の高い後継者を育成する」とある。[5] こうした例を見ても、中国の学術的または商業的なAI研究と、政治・軍事・安全保障組織とを分ける線は、控えめにいっても穴だらけだということがよく表れている。

もちろん中国では、政府が国内の経済・社会のほぼあらゆる側面に介入し、ある程度の統制をするのが常套だ。しかし近年、中国における人工知能の急速な発展は、中央政府が明確に打ち出した産業政策のおかげで著しく加速・組織化されている。

これは衆目の一致するところだが、中国共産党がAIに向ける関心が急激に高まったのは、二〇一六年三月の囲碁の対局がきっかけだった。華々しい前宣伝とともに行われた、ディープマインドの〈アルファ碁〉と囲碁界の最強棋士と言われる李世乭（イ・セドル）との一戦だ。囲碁の起源は二五〇〇年以上前の中国とされ、国民には熱狂的に愛されている。韓国のソウルで七日間にわたって行われた対局は、〈アルファ碁〉が四勝一敗で勝利したが、その模様は中国にも生中継されて二億八〇〇〇万人以上が視聴した。アメリカで二、三時間のスーパーボウル中継にチャンネルを合わせる平均視聴者のおよそ三倍に当たる数字だ。

中国の歴史と文化に深く根ざした知的ゲームにおいて、コンピュータが人間の第一人者を打ち負かすという恐るべき光景は、中国の一般人のみならず学者や技術者、政府官僚にも拭いがたい印象を残した。北京在住の作家で、ベンチャー投資家の李開復（リ・カイフ）は、この〈アルファ碁〉と李世乭の対局を評するにあたって、一九五〇年代のソ連でアメリカの宇宙開発計画への対抗心を盛り上げた人工衛星にちなみ、「中国のスプートニク的瞬間」と呼んだ。[6]

それからちょうど一年後、二度目の対局が中国の烏鎮で行われた。賞金一五〇万ドルを懸けた三番勝負で、〈アルファ碁〉は当時世界最強とされた柯潔(コ・ジェ)を相手に、一局も落とすことなく完勝した。しかしこのときは、中国政府がおそらく結果を予期していたのだろう、検閲指令を発して対局の生中継やテキストによる速報まで禁じた。[7]

柯潔が〈アルファ碁〉に敗れて二カ月後の二〇一七年七月、中国の中央政府はある計画を発表し、人工知能を国の戦略的優先事項とすることを明確に打ち出した。「次世代人工知能発展計画」と題するこの文書は、AIは「人類の社会と生活を変え、世界を変える」ものであると宣言し、さらに一歩ずつ段階を踏んでこのテクノロジーに熟達し、二〇三〇年までに世界で優位に立つという際立って野心的な展望を示した。

計画立案に当たった人物はこう書いている。二〇二〇年までに中国の「AIの技術および応用全般は世界の先進レベルと肩を並べ」「AI産業は新たに重要な経済成長点となっているだろう」。さらに「二〇二五年までにAIの基礎理論において大きなブレイクスルーを達成することにより、一部の技術と応用で世界を主導するレベルに達し、AIが中国の産業アップグレードと経済変革の主たる推進力となる」。そして最後に、「二〇三〇年までに中国のAI理論、技術、応用は世界を主導するレベルに達し、中国を世界の主要なAIイノベーションセンターとし、インテリジェントな経済と社会への応用で目に見える成果を上げ、イノベーション先進国、経済大国となるための重要な基盤を築く」。[(*)8]

＊言語翻訳にディープニューラルネットワークを応用したときの威力について、もし疑問がおありなら、これから紹介する中国の「次世代人工知能発展計画」の冒頭部分を翻訳した二つの文章を比較してみてほしい。一つは、中国政府による原文をグーグルが機械翻訳したもの。もう一つは、言語学者四人のチームがプロの手で翻訳したものだ。

以下がそれぞれの文書の一段落目となる。どちらがどちらか、おわかりだろうか？

A．The rapid development of artificial intelligence will profoundly change human society and the world. In order to seize the major strategic opportunities in the development of artificial intelligence, build the first-mover advantage in the development of artificial intelligence in China, and accelerate the construction of an innovative country and a world power of science and technology, this plan was formulated in accordance with the deployment requirements of the Party Central Committee and the State Council.

B．The rapid development of artificial intelligence (AI) will profoundly change human society and life and change the world. To seize the major strategic opportunity for the development of AI, to build China's first-mover advantage in the development of AI, to accelerate the construction of an innovative nation and global power in science and technology, in accordance with the requirements of the CCP Central Committee and the State Council, this plan has been formulated.

答えは、Bが人間の手になる翻訳である。

（日本語訳＝人工知能［AI］の急速な発展は、人間の社会と生活を、そして世界をすっかり変えるだろう。人工知能の発展における大きな戦略的機会を捉え、人工知能の発展における中国の先行者利益を構築し、科学技術における革新的国家と世界的強国の建設を加速させるために、本計画は党中央委員会と国務院の要請に基づいて策定された）

この文書の発表が重要なのは、中国中央政府が国全体にわたって人工知能の発展を直接、こと細かに管理できるという点ではない。政府が一つの全体的戦略を定義したという点、またさらに重要なのは、各地方政府に明確なインセンティブを与えたという点だ。中国の体制では、国の各地域や都市を統治する共産党高官に大きな権力がゆだねられる。党内での出世はおおむね実力主義で、高官のキャリアは特定の指標にのっとって評価される競争環境のなかでどういった働きをするかに大きく左右される。首尾よく頭角を現した者の前には、ほぼ無限といっていい未来が開ける。習近平もそのキャリアの多くを、福建省と浙江省、のちには上海市のトップ高官として過ごした。

中央政府が人工知能の導入を明確に打ち出す以前から、地方によってはすでに多額の投資を行って人工知能のスタートアップ企業を後押ししているところもあった。その多くは、南部の深圳や北京北西部の中関村といったハイテク回廊に集中していた。特に後者は中国の二大名門大学、北京大学と清華大学にほど近く、しばしば「中国のシリコンバレー」などと呼ばれる。

ところが、二〇一七年の戦略文書が発表されたことで、実質的に明確なＡＩ関連の指標が作り出され、地方の高官たちはそれに基づいて自分の働きが判断されるだろうと悟った。その結果、全国の各地域や都市がたちまち先を争って、経済特区やスタートアップ企業のインキュベーターを設置し、ＡＩスタートアップ企業に直接ベンチャー資金を出し、家賃補助もしはじめた。一都市が出資する総額はゆうに数十億ドル規模に達するほどだ。このようなイノベーションを中心とした、ゆるやかに連係するトップダウンの指令が出されるなど、アメリカではまず考えられない。アメリカでの地域間競争はだいたい、カリフォルニアにある企業をテキサス州が誘致する、各都市が大企業に働きかけて雇用の多い施設を作ってもらう見返りに大幅な税制優遇措置を講じるといった、はるかにゼロサム的な現象だ。

中国には人工知能の開発を推し進めるうえでの優位性がたっぷりある。この優位性の多くは自国の膨大な人口からくるものだ。二〇二〇年三月の時点で、インターネットを実際に利用している国民はおよそ九億人。これはヨーロッパとアメリカを合わせたよりも多く、全世界のインターネット人口のほぼ五分の一に当たる。[9] それでもインターネットアクセスは、アメリカが全人口の九〇パーセントなのに対し、中国はやっと六五パーセントに届いたばかり。[10] つまり中国にはずっと今後の伸びしろがあるということだ。

中国の一四億の人口には、頭が良く野心に富んだ高校や大学の学生がうようよいて、それぞれがディープラーニングなどのテクノロジーに熟達し、爆発的に増えつつある中国のＡＩスタートアップ企業（その多くが一〇億ドル以上の評価額を達成している）に入社したい、あるいは起業したいと意気込んでいる。こうした若者たちは、ＭＩＴやスタンフォードといったアメリカの一流大学が提供するオンライン課程でも、ひたむきで熱心な受講者だ。また欧米のトップＡＩ研究者たちが発表する論文もつぶさにチェックしている。その結果、中国ではまたたく間にすばらしく勤勉なエンジニアたちがたっぷり育ち、欧米発の最先端知識をたえず追い求めている。そして近い将来には、中国の経済・社会のほぼあらゆる面でＡＩを活用するようになるだろう。

しかし何より重要な優位性は、中国の経済活動から生み出されるデータの圧倒的な量と、加えてそのタイプにある。これまで発展途上国だった中国は、旧世代の古いインフラにはあまり金をかけてこなかった。その結果として、モバイルテクノロジーのまさに最前線へと一気に躍り出たのだ。中国の一般国民は欧米の平均と比較すると、おそろしく広い範囲でスマートフォンを使用している。こうした状況を特に推進したのが、テンセントのアプリ、ウィーチャット（微信）だ。二〇一一年に導入されたウィーチャットは、中国国内でも、他国に散らばった中国系移民のあいだでも絶大な人気を博した。

ウィーチャットの本質は、フェイスブックのワッツアップとおおむね似通ったメッセージアプリだ。しかしテンセントは早いうちにウィーチャットの機能を大幅に拡張し、サードパーティが「公式のアカウント」なるものを使って独自の機能を追加できるようにした。これらは基本的にミニアプリのようなものだが、ウィーチャットのデジタル決済機能と結びついていることもあり、あらゆるタイプの企業から圧倒的に支持されている。欧米諸国では、企業がそれぞれ自前のモバイルアプリを持っているのが普通だ。ところが中国では、進化したウィーチャットが「プラットフォームとしてのマスターアプリ」となり、数百万単位の企業や組織がウィーチャットを使うことで一般の国民とつながっている。誰もがウィーチャットを、コミュニケーションのためだけでなく、レストランでの支払い、医院の予約、オンラインデート、公共料金の支払い、タクシーの手配など、事実上あらゆるものに利用しているのだ。

ウィーチャットを通じて利用できるサービスの数も増える一方だ。アップルペイなどは商店主がお金を払って高価なPOS機器を入れなくてはならないが、そうしたシステムとはちがって、ウィーチャット経由のモバイル決済はバーコードを表示してお客にスキャンしてもらうだけです む。おかげで道端の屋台のような超零細事業者でも、簡単にデジタル決済が可能になる。ウィーチャットによる決済は中国全土でクレジットカードよりもはるかに普及していて、現金以上に使われることが多い。

その結果、中国では膨大なデジタル活動が行われ、経済全体のずっと奥深くまで浸透している。欧米ではオフラインで行われそうな取引まで、すごい勢いで引き寄せている。そして支払いや予約、はてはタクシー利用など、あらゆるタイプのやり取りがデータを生み出し、それが見事なまでに都合よくディープラーニングアルゴリズムに呑み込まれていくのだ。

このデータは豊富なだけでなく、中国のAI起業家にとっては概して非常にアクセスしやすい。データ保護規則は存在してはいるものの、アメリカや、特にヨーロッパに比べると、厳格というにはほど遠いものだ。また、一般の国民がこうした問題にことさら注目するという傾向もない。個人のプライバシーが侵される、アルゴリズムに人種的バイアスがありそうだといった懸念は、民主主義社会ではたちまち激しい怒りを引き起こすけれど、中国ではそうした反応は存在しないか、ごく小さなさざなみにしかならない。イギリスでは、もともとディープマインドと契約していたNHSのデータにグーグルがアクセスしていたことが発覚すると、大変な騒動になった。対して中国のハイテク企業はおおむね、医療や教育といった分野で人工知能を活用するとなったとき、その実装や収益への筋道がよりスムーズに行くという利点がある。データが新たな石油だとしたら、中国のＡＩ起業家は新時代の山師といえるだろう――相対的に規制のゆるいデジタル領域で有望そうな場所を片端から掘削し、ポンプを差し込んで価値を吸い上げているのだ。

ベンチャー投資家に後押しされたＡＩスタートアップ企業が爆発的に増える以前から、中国の大手テック企業、特にテンセント、アリババ、バイドゥなどは人工知能の研究開発に多額の投資をしていた。バイドゥは「中国のグーグル」とよく呼ばれる、中国最大のインターネット検索エンジンだ。音声認識や言語翻訳といった分野で深い専門知識を培ってきたが、他の分野にも積極的に進出している。

たとえば二〇一七年にバイドゥは、オープンソースの自律走行プラットフォーム「アポロ（Apollo）」を投入した。基本的には「自動運転車のためのアンドロイドＯＳ」のようなものだが、バイドゥはこれをきわめて細分化の進んだ中国の自動車製造業界に無料で公開したのだ。[11] ＢＭＷやフォード、フォルクスワーゲンなどの世界的な自動車メーカーに加え、エヌビディアなどの技術プロバイダーともパートナー契約を結んでいる。その見返りにバイドゥは、自動車から生み出されるデータへのアクセス権を入手し、それを使ってアルゴリズムを訓練できる。つまりバイドゥがとっているこの独自路線はいずれ、自社製のカメラ搭載車を何百万台も走らせているテスラと同じような優位性をもたらすかもしれないものだ。

中国で初期にＡＩが進歩を遂げていたころは、欧米諸国から知識や人材を輸入することが重要な推進力となっていた。とりわけ中国語に堪能なアメリカの研究者はスカウトの標的となった。たとえば二〇一四年、バイドゥはアメリカで最も注目を集めるディープラーニングの専門家、アンドリュー・ングを迎え入れた。ングは当時、グーグルが最初に大規模なディープニューラルネットワークを活用しようとした事業「グーグル・ブレイン」プロジェクトを指揮していた。ングは三年ほどバイドゥに在籍し、北京にバイドゥの主要な人工知能研究ラボを設立したあとで、シリコンバレーへ戻った。

その後二〇一七年にバイドゥは、マイクロソフトのAI担当ディレクターだったルー・チー（陸奇）を最高執行責任者（COO）に採用した。[12] ルーはカーネギーメロン大学で博士号を取得していた。中国からの移民には、アメリカの一流大学院で教育を受けたあと、中国のほうがAIがらみでのビジネスチャンスが多いと感じて帰国を選ぶ人たちが増えているが、ルーもその一人だ。実際に、豊かなビジネスチャンスと急速に変化する環境のために、才能ある中国系のAI専門家が職場をくるくる替わることは多い。ルーはバイドゥに一年だけ籍を置いたあと、現在は北京でスタートアップ企業のインキュベーターを運営している。

欧米での研究の成果やアルゴリズムを利用できることも、きわめて大きな意味があった。〈アルファ碁〉が最強棋士の柯潔を下してから約一年後、テンセントは自分たちの〈ファインアート（絶芸）〉という囲碁ソフトが再び柯潔を打ち負かすのに成功したと発表した。しかしテンセントのこのシステムは、ディープマインドが公開した研究成果から大きなヒントを得たものだろうし、あるいは直接コピーしたものであるかもしれない。私が話を聞いた欧米のAI研究者たちには、こうした知識移転のことを特に気にかけたり、国家同士の競争が進んでいるといった見方をする方はほとんどいなかった。研究のオープンな公開と自由な意見交換を重視する世界的なシステムを強く信じているのだ。

ディープマインドのCEOデミス・ハサビスに「中国とのAI競争」とされるものをどう考えているかと尋ねたところ、答えはこうだった。ディープマインドはオープンに研究発表を行っているし、自分も「テンセントが〈アルファ碁〉のクローンを作り出した」ことは承知しているが、「われわれは関係した研究者を全員知っていて、共同研究も数多く行っているので、そういった意味での競争」だとは見ていない。[13]

そしてどこから見ても、発表された論文という形でのAI研究に中国の研究者たちが大きく貢献しているのはまちがいない。二〇一九年初めのアレン人工知能研究所の分析では、二〇〇六年までに発表された人工知能に関する研究論文の総数で、中国はすでにアメリカを上回っていた。[14]ただし中国の論文の多くは、相対的に質が低いか、かなりゆるやかな進捗でも報告しているという意見がよく聞かれるので、アレン研究所はさらに少数にしぼりこみ、他の研究者から広く引用される発表論文に焦点を当てた分析を行った。

その結果、現在の傾向がこのまま続くと仮定した場合、中国は論文の発表数では二〇一九年末までに被引用数のトップ五カ国に入り、二〇二〇年には被引用数が上位一〇パーセントを占め、アメリカを追い越す。そして二〇二五年には、被引用数で上位一パーセントに入る真のエリート論文をアメリカよりも多く発表することになる。さらに別の指標では、人工知能関連の特許出願件数でも、中国はすでにアメリカを上回っている。

中国が人工知能の研究開発においてアメリカを超えつつある、という話を誰もが受け入れているわけではない。オックスフォード大学人類の未来研究所のＡＩガバナンスセンター研究員ジェフリー・ディンは、二〇一八年に米中両国のＡＩ能力を分析するのに以下の四つの指標に注目した――「ＡＩコンピューティングハードウェアの普及度」「機械学習に適したデータの入手しやすさ」「研究と高度なアルゴリズム開発の進歩」「商業的なＡＩ生態圏の強さ」。ディンはこれらのファクターに基づいて、自ら「ＡＩポテンシャル指数」と呼ぶものを導き出した。結果は中国の評価が17だったのに対し、アメリカは33だった。[15] たとえば、中国で出願されたＡＩ特許のうち、のちに他の国でも出願されたものは約四パーセントに過ぎない、これは中国のＡＩの質の低さを示すものだ、とディンは指摘している。二〇一九年六月のアメリカ議会委員会で証言したディンは、中国がＡＩの覇権を握ったと言われているのは誇大宣伝であって、アメリカは構造的に大きな優位を保ちつづけている、アメリカの政策はこの現状を維持することに重点を置くべきだと論じた。[16]

一方、李開復の考えは対照的だった。アメリカは人工知能の最先端の研究では優位を保ちつづけるだろう。だが中国は、経済全体にこのテクノロジーを応用し実装していく基本的・実際的な作業に優れているので、まもなくアメリカの優位も呑み込んでしまうだろう。ＡＩを商業分野で使えるものにするには、ビジョンに富んだ一流の研究者は必要でなく、単純に有能で勤勉なエンジニアが大勢いて、機械学習アルゴリズムの訓練に使う大量のデータに容易にアクセスできればいい、というのが李の持論である。[17]

また、人工知能のもたらす影響は決して商業セクターには限られない。そのあきらかな現実によって、米中間のＡＩ競争とされるものの重みはぐんと増す。ＡＩには軍事・国家安全保障にも広く応用できるという大きな利点があるのだ。中国政府もこのことを強く意識していて、商業と軍事の領域を分ける線を積極的に消しにかかっている。二〇一七年には習近平じきじきの首唱を受けて、中国憲法が改正され、商業セクターで生み出された技術進歩は人民解放軍と共有しなければならないと明示された。これは「軍民融合」の原則と呼ばれている。

二〇一八年にバイドゥは、中国の電子戦技術を専門とする軍事研究所と提携し、軍用のインテリジェントな指揮統制技術の開発プロジェクトを開始した。バイドゥ側の担当役員の殷志明（イン・ツィーミン）は、やはりＳＡＰやアップルなどの西側企業でたっぷり経験を積んだエンジニアの一人である。この提携を発表するイベントで、殷はこう宣言した。バイドゥと軍事研究所は「たがいに手を携えて、コンピューティング、データ、論理のリソースを連携させ、防衛分野における新世代ＡＩ技術の応用をさらに推し進めていく[18]」。

アメリカではこれと好対照な動きがあった。グーグルが米国防総省のクラウドコンピューティング契約「ＪＥＤＩ」に入札したときに、社員たちが不満を表し、入札を中止するよう社に迫った。また別の防衛構想である「プロジェクト・メイヴン」には、米軍のドローンから収集した画像の分析に使えるコンピュータビジョンアルゴリズムの開発も伴っていたため、グーグル社員たちのあいだにいっそう大きな怒りをかきたてた。そして二〇一八年、三〇〇〇人以上の社員がこのプロジェクトに反対する嘆願書に署名し、多くの技術専門家が社を去った[19]。やがてグーグルはＪＥＤＩのときと同じように、このプロジェクトを最終的に放棄することになった。

グーグルの社員たちに、自分の意見を表明する権利があることは言うまでもない。だがここで見られる米中の非対称性は、私には不穏なものに感じられる。バイドゥやテンセントの社員も抗議活動をすればいい、あるいはするだろうなどと考えるのは、率直に言ってどうかしている。これは避けては通れない議論だと思うが、民主主義国家の国民が享受している自由とは、ただ元からあって、好きなように行使できる権利というわけではない。権威主義体制の国と対峙しても守り抜かなければならない、政治と結びついた権利なのだ。人工知能テクノロジーにおける米中の総合的進歩の度合いが伯仲しつつあるなか、中国の企業は国の憲法に明記されるほど権威主義体制への協力義務をしっかりと負わされているというのに、グーグルのような企業がアメリカの軍事・安全保障機関との協力をしぶっていたら、アメリカが国家安全保障において伍していくことができるだろうか。

アメリカをはじめ西側諸国は、中国による人工知能開発の急速な発展をごくごく真剣に受けとめるべきだろう。だとすればまず、大学で行われる基礎研究への政府支援を強化する必要がある。特にアメリカは、自国の最も重要な強みを活用しつづけることが肝要だ。この国の大学やテック企業は世界中から人材を引き寄せてきた。アメリカが高スキルの移民を受け入れるべきであることは、私が二〇一八年の著書『人工知能のアーキテクトたち』でインタビューしたＡＩのトップ研究者たちの経歴を見れば一目瞭然だ。あの本で話を聞いた二三名中、一九名が現在もアメリカ国内で働いている。だがその一九名の半数以上は外国生まれなのだ。出身国を挙げていくと、オーストラリア、中国、エジプト、フランス、イスラエル、ローデシア（現ジンバブエ）、ルーマニア、そしてイギリス。アメリカがこの先も世界中から優秀なコンピュータ科学者を引き寄せることができなくなれば、アメリカのおよそ四倍の人口を持つ中国が教育への投資を増やし、優位に立つことは避けられないだろう。

監視国家・中国の出現

中国の権威主義的な政治体制と、起業家精神あふれる人工知能の生態圏とが組み合わさったとき、強力な相乗効果が生まれる。それが最も端的に現れているのが、顔認識技術に特化したスタートアップ企業の爆発的な増加だ。二〇二〇年初めの時点で、このカテゴリーの四つの企業——センスタイム（商湯科技）、クラウドウォーク（雲従科技）、メグビー（曠視科技）、イートゥー（依図科技）——が市場評価額一〇億ドルを超え、「ユニコーン」企業の仲間入りを果たした。[20] 中国が人工知能の技術全般でアメリカと肩を並べる域にまで近づいているかどうかは、アナリストのあいだで意見が分かれるだろうが、人間の顔などの属性を分析・認識するために配備されるディープラーニングアルゴリズムに限っていえば、中国企業が絶対的な最前線に立っているのはまずまちがいない。

中国で人工知能が配備されている他の分野と同じく、こうした進歩の重要な原動力となっているのが、機械学習アルゴリズムの訓練に使用できる大量のデータへのアクセスだ。二〇二〇年時点で中国全土に設置される監視カメラは三億台になると考えられるが、想像しうるすべての状況ですべての角度から撮影された人間の顔のデジタル写真が入手できるという点では、中国は世界でも断トツの先進国といえる。

顔認識技術のスタートアップ企業を支えているのは、権威主義国家である中国のあらゆる層から無限に生まれてくる監視技術へのあくなき需要だ。この技術をどこよりも熱心に買い入れているのが、それぞれの地域に特化した抑圧的な監視ネットワークの構築を進める地方警察である。新疆ウイグル自治区は中国の監視体制の中心地だが、ここでテストされて完成した技術は急速に全国へ広まっている。

多くの警察署が顔認識システムと他の技術、たとえばある一帯を通過する携帯電話すべての個体識別コードを取得できるスキャナー、自動車のプレートナンバーリーダー、指紋認識技術などを組み合わせ、オーウェル的なテクノロジーの網を張りめぐらしているが、時間とともにこうした技術の統合化も進んでいる。アルゴリズムはしばしば、たとえば携帯の識別コードと持ち主の顔を一致させて、ある個人の総合的な追跡・識別システムを作り上げることができる。こうしたシステムは、犯罪率が高いとされる地域に、あるいは犯罪と関わりのありそうな建物のエントランスなどに設置される。集合住宅へ立ち入るときにも、カードキーのようにあまり干渉的でない方法はとらずに、顔認識システムを使用するケースが多い。これによって建物の管理者や地元警察署が居住者や来客を追跡したり、アパートの違法な又貸しを防いだりしているのだ。[21]

また、鉄道の駅やスタジアム、観光地、イベント会場など、旅行者が多く訪れる場所や人が集まりやすい場所には監視カメラが集中的に設置されている。たとえば六万人もの人間が集まるコンサートやフェスティバルでも、顔認識アルゴリズムから一致が出たという報告を受け、それだけをもとに特定の人間を逮捕した例が数多く報告されている。[22] あるいは、まるでディストピアSF映画そのものだが、警官が実験的に開発された顔認識メガネをかけて被疑者を逮捕するという場面も見られる。このメガネは、ターゲットが数秒間静止していれば識別用の画像を生成でき、それが当該地域の顔認識データベースに登録される。さらにはターゲットが着ている服や、はては歩き方のくせまで分析して追跡できるAIシステムもある。

こうした技術の特に有名な使用例を見てみよう。湖北省襄陽市は交通量の多い交差点に、あるシステムを設置した。誰かが信号無視をしたときにその人間の写真を撮り、身元を特定してから大型スクリーンに表示して、公衆の前で恥をかかせたり噂の種にしたりするという試みだ。[23] また上海などの他の都市でも、同じようなシステムを使って罰金を科したりしている。もちろん、中国で使われている顔認識技術がすべて、監視を目的にしているわけではない。この国は顔認証の先進国であり、小売店での支払い、列車の切符の購入、航空機への搭乗にまで適用可能だ。しかしこの技術の日常的な使用から生み出されるデータは、警察署や治安機関にも利用できるようになるのはほぼまちがいない。

中国に行き渡っている監視システムの多くは、犯罪歴を持った個人から社会を守るための仕組みとして、少なくともある程度は擁護できる。しかし場合によっては、欧米では考えられないような形で倫理的な境界を踏み越えたりもする。たとえば一部の警察署は顔認識技術に、ただ個々の人間の顔ではなく、ウイグル族など「要注意人物たち」の人種的特徴に向けた設定を指定しているのだ。
中国の顔認識スタートアップ企業は、市場の需要を満たすべく動きを早めている。ニューヨーク・タイムズ紙のポール・モーザーによる二〇一九年四月の記事には、クラウドウォークが公開したオンラインマーケティング資料のスクリーンショットが転載されている。画面の文字は、この会社の技術を購入することを検討中の相手に、こんな確約をしていた。「ある地区にいる要注意の民族グループの数が増えたら（たとえば、もともとウイグル族一人が住んでいた場所に、二〇日以内に六人のウイグル族が現れる、など）、ただちに警報を送ります。それから法執行機関の職員が対応にあたり、住民に質問をして事態を収拾し、緊急時対応策を立てることになっています[24]」

ウェブサイトの写真に映った平和な立ち姿のウイグル族家族、列をなして武装警察の前を通り過ぎるウイグル族、そして内乱の場面らしい写真の横には、「要注意人物たちのいる近辺の統制および抑止」という見出しの下に、つぎの説明がある。「この近辺では、顔認識システムがこうした者たちの身元と顔のデータを収集すると同時に、ビッグデータプラットフォームのファイア・アイが要注意グループの身元、出入りの時間、人数などを収集します。そして警察に警告を発し、要注意グループの管理・統制という目的を遂行できるように計らいます[25]」

「ビッグデータプラットフォームのファイア・アイ」というクラウドウォークの製品ブランディングですら、ひときわ恐ろしげなＳＦ小説からそのまま引いてきたようなものに思える。一般に公開されている企業サイトなのに、この技術の意図を説明するのに、表現をごまかそうとか、ぼかそうとしている印象は一切ない。これは中国政府による反ウイグルキャンペーンがいかにあからさまに抑圧的なものかということだけでなく、人工知能がまちがった手に渡るといかにディストピア的な方法で活用されるかも、きわめて端的な形で示している。ここでの危険は決して中国に限った話ではない。進んだ顔認識技術は、人種、性別、髪やヒゲ、宗教的な服装といった属性を特定するようにシステムを設定すれば、特定のグループに対する兵器としても使用できるかもしれない。

さらに総合的な監視体制へ向かおうとする中国の動きの極致といえそうなものが、国が立案した社会的信用システムの全面的施行である。このプログラムは二〇一四年に、国民の「信用度」に報いるための方策として発表された。「信用度が高ければ天下の往来をどこでも歩きまわれるが、信用がない者は一歩進むのも大変にさせる」との意図があるという[26]。この社会的信用システムがまず基準にするのは、欧米で商業的に運営される信用システムや消費者評価システム、たとえば借金債務の支払い履歴に基づく評価、ウーバーやエアビーアンドビーなどのサービスで使われている評価システムとほぼ同じものだ。

ところが中国のシステムはさらに深く踏み込み、法律違反だけでなく、国が好ましくないと見なす行動にまで目を光らせるため、日常生活のほぼあらゆる面に侵入してくる可能性がある。そこには、請求書や罰金の支払期限を守らないといったことから、ゲームをやりすぎる、ソーシャルメディアに物議をかもすような投稿をする、好ましくない人間と付き合う、公共交通機関でものを食べたりゴミを捨てたり大音量で音楽をかけたりする、禁煙区域で煙草を吸う、はてはゴミをちゃんと分別しないといったことまでが含まれる。[27]

社会的信用度の数字には、ポジティブな行動も反映される。たとえば市民賞や従業員賞を受賞する、慈善活動に寄付をする、家族の世話や隣人の援助にひとかたならぬ力を尽くすといったことだ。さらにはどんな商品を買うかというごくごく私的な判断にまで、このシステムは入り込んでくる。たとえば、赤ちゃんのおむつなどプラスと見なされる買い物をすれば点数が上がり、アルコール飲料を買いすぎると点数が下がる。そして高い点数を得た人たちには、暖房にかかる費用が割安になる、病院や行政機関での待ち時間が短くなる、最高の雇用機会を優先的に得られるといった特典が与えられる。

一方で社会的信用度の点数が低いと、飛行機や列車のチケットが予約できない、子どもが入りたい学校に入れない、希望のホテルやリゾート地の予約ができないといった罰則がある。こんな総合的なシステムが完全に稼働すれば、中国の膨大な成人人口ほぼすべてに継続的に適用される、並外れて干渉的な統制のメカニズムができあがる。まさに人権団体のヒューマン・ライツ・ウォッチが呼ぶところの「寒気がする」アイデアだ。[28]

ただ、これはいわば究極のビジョンであって、いまの現実を見るかぎりははるかに一貫性に欠けている。実際にはこの社会的信用システムは、各都市や地方政府がさまざまな企業（アリババやテンセントのようにモバイル決済システムを持っているところ）の管理する商業的な評価システムと共同で行うそれぞれの実験的プログラムに応じて細かく分かれた状態だ。[29] なかには山東省栄成市のプログラムのように、まずまず透明性が高く、どう見ても違法な行為のみに罰則を科すことで好ましい結果をもたらし、市民から広い支持を集めているものもある。たとえば栄成市のドライバーたちは、交通違反が自分の社会的信用度に悪影響を及ぼすとわかると、歩行者を守るために横断歩道で停まるようになった。

実際に中国では、市民が航空チケットや高速鉄道チケットの発券を拒否される例が何百万回と見られるが、これはだいたいアルゴリズムが弾き出した点数の結果というより、ずっと以前から使われているブラックリストに当人たちの名前が載っているためだ。最高人民法院が管理する最重要のブラックリストには、主として未返済の借金がある、裁判で有罪になった、罰金を科せられたといった人たちが載っているが、ここにも中国のほぼすべての政府機能と同じ、ワイロや透明性の欠如という問題がある。やがて時間とともに、これらのシステムの統合化がぐんと進み、顔認識その他のＡＩ技術が市民の追跡・監視に使われることで、干渉の度合いが強まるのは避けられないだろう。そして最終的には包括的かつ入念に組織化された社会統制が行われ、真のオーウェル的システムと呼べるものが出現するかもしれない。

こうした事態は中国国内に限られてはいない。実際に監視技術の輸出は、中国の戦略全般に重要な役割を果たしている。この国の政府はいま、自国での製造を利益率の低いコモディティ商品から高価値の技術製品へと転換しようとしているところだ。中国は顔認識技術の世界市場の半分近くを支配しているが、その大半を牽引しているのが単体の中国企業である通信会社ファーウェイ（華為技術）である。カーネギー国際平和基金が二〇一九年九月に行った分析では、ファーウェイは顔認識を含む監視技術を少なくとも五〇カ国と二三〇の都市に販売している。これは他のどの単体企業より群を抜いて多い。比較していちばん肉薄するのは、アメリカの競合企業のIBM、パランティア、シスコだが、売れているのはそれぞれ多くて一〇カ国程度だ。[30]サウジアラビア、アラブ首長国連邦といった権威主義的な国の政府は、特に熱心なお得意として中国の技術を買い入れ、監視システムを自国の隅々にまで拡張しようとしている。これらの国では、顔認識がすでに日常生活の一部になっているところも多い。私は二〇一九年初めにアブダビを訪れた際、そのことを実感として知った。ある裕福な女性が高価な指輪をなくしたときの噂が広まっていたのだ。女性がその災難を訴え出ると、当局は関連のありそうな場所の監視カメラに記録された映像を顔認識ソフトウェアにかけた。そして事件発生から数時間以内に、その指輪を拾った人物の玄関先までやってきたという。

ファーウェイの監視機器類が販売されるときは、相手の国が中国政府から支援の融資を受けられるケースが多い。ケニア、ラオス、モンゴル、ウガンダ、ウズベキスタン、ジンバブエなどがそれで、なかには中国が世界的に展開中の、約七〇カ国のインフラ整備に資金を提供する「一帯一路」構想に加わっている国もある。アフリカは次第にその重要な拠点となりつつあり、いくつかの記事によると、中国製の顔認識システムがすでに大きな影響を及ぼしているという。たとえばファーウェイがケニアの首都ナイロビ周辺にその技術を導入したところ、二〇一五年には犯罪が四六パーセント減少したとされている。[31]

中国企業の開発した技術と、セキュリティおよび人権との関係は、すでにアメリカとのあいだに大きな軋轢をもたらしている。二〇一九年五月、ファーウェイは貿易制限の対象とされ、ソフトウェアやコンピュータチップなどのアメリカ国内の技術を同社に販売することが禁じられた。こうした背景には、激化する米中の貿易戦争に対するアメリカの姿勢に加え、ファーウェイの5G携帯電話のインフラ技術がアメリカで販売されてその設備が各地にできると、中国政府がアメリカ国内の通信にアクセスするようになるのではないかという長年の懸念があった。[32] アメリカは同盟国にも強く圧力をかけてファーウェイのデバイスの使用を禁止させようとしたが、その努力は限られた成功しか収めなかった。さらにファーウェイは、アメリカの対イラン経済制裁措置に違反していると非難され、中国政府から不適切な支援を受けていると名指しで指摘されていた。

その五カ月後、アメリカは貿易ブラックリストを拡大し、中国で最も重要な人工知能関連のスタートアップ企業数社と、中国の二〇の警察署および治安機関をリストに追加した。これら企業の技術がウイグル族などの少数民族に向けて配備された結果、人権侵害が起きたというのが表向きの理由だった。売買を禁じられたのは中国の顔認識ユニコーン企業四社のうち三社、音声認識システムを専門とするアイフライテック（科大訊飛）、カメラなどの監視用ハードウェアを製造する二社である。[33]

新型コロナウイルスの感染拡大を受けて、米中の緊張関係は著しく高まっている。そのためか、アメリカが中国製品に依存しすぎると、いざというときにごく重要な戦略物資のみならず、医療用品や医薬品も手に入らなくなりかねないという認識も広まりつつある。二〇〇六年に歴史学者ニーアル・ファーガソンは、米中経済の相乗効果と相互依存を指して「チャイメリカ」と呼んだが、そうした結びつきは今回の危機以前からすでに、あきらかに少しずつ弱まっていた。緊張がさらに高まり、両国の距離が広がりつづけるなら、人工知能の開発・配備を中心とする対立と競争が大きな意味を持つようになるのは避けられないだろう。そしてＡＩがシステム的にも戦略的にも重要な技術であることが明白になれば、米中の全面的ＡＩ軍拡競争というぞっとする事態が現実の危険としてのしかかってくる。

欧米での顔認識をめぐる論争

二〇一九年二月、インディアナ州警察はとある公園で起きた事件の捜査を行っていた。二人の男がけんかになり、一人が銃を出して相手の腹部を撃ち、現場から逃走したのだ。目撃者がその様子を携帯電話で録画していたので、州警察の担当刑事たちは犯人の顔の画像を、ちょうど実験的に使っていた新型の顔認識システムにかけようと決めた。一致する写真はすぐに出た。銃を撃った男はソーシャルメディアに投稿されていた動画に写っていて、その説明文のなかに本人の名前もあった。事件は発生から二〇分ほどで解決した。問題なのは、その被疑者にそれまで逮捕歴がなく、運転免許証も持っていなかったことだった。[34]

刑事たちは、クリアビューＡＩという正体不明の会社のモバイルアプリを通じて顔認識システムにアクセスしていた。このアプリで利用できる写真のデータベースはおそろしく膨大なものだった。クリアビューはパスポートや運転免許証や警察ファイルに紐づけられた公式の政府写真ではなく、ただ単にインターネットをあさってフェイスブックやユーチューブ、ツイッターなどさまざまなソースから画像を徹底的に調べ出して(スクレイピング)いたのだ。この会社のシステムが一致する写真を見つけると、アプリはその写真が表示されているウェブページやソーシャルメディアのプロフィールへのリンクを表示し、高い確率で本人の身元がただちに確認できる。

クリアビューの構築したデータセットに含まれる、スクレイピングされた画像はおよそ三〇億で、FBIが管理するアメリカ市民の公式写真データベースの七倍超に当たる。これは驚くべき事実だった。クリアビューAIという会社は、中国の顔認識に特化したユニコーン企業よりも段違いに小さく、少なくとも二〇二〇年一月まで法執行機関以外にはほとんど知られていなかったため、特に衝撃は大きかった。[35]

その同じ月にニューヨーク・タイムズ紙は、テクノロジー担当記者カシュミール・ヒルによる本格的な調査記事を掲載した。クリアビューAIの正体を克明に調べあげ、その業務に初めてスポットを当てる内容だった。判明した事実は以下のとおりだ。クリアビューは自社のリンクトインのページに、どこにも存在しない住所を所在地として記載していた。クリアビューの創業者はホアン・トンタットというオーストラリア国籍の連続起業家。このスタートアップ企業は、シリコンバレーのベンチャー投資家ピーター・ティールから二〇万ドルの着手資金を受け取った。ティールはパランティアの共同創業者でもあったが、同社はデータ分析および監視が専門の企業で、セキュリティ機関や警察署と密接な関係を保っていた。

クリアビューは、同社の技術は合法的な法執行機関と政府の安全保障機関にしか使用を認めていないと主張した。それでも理論上は、このシステムがいずれ一般の人間にも利用されるようになることを防ぐ手立てはなく、そのときプライバシーがほぼ完全に失われるという恐怖は現実になる。この技術が広く利用できるようになったら、事実上誰がどこにいても、たまたまクリアビューのアプリを使っている赤の他人から一瞬で特定されてしまう。ある人物の名前さえあれば、その自宅住所や勤務先など、あらゆるプライベートな情報を見つけるのも造作ない。結果としてストーキングや恐喝、ちょっとした不用意な行為のさらし上げなど、不正行為が爆発的に増えることも避けられないだろう。つまり監視過剰のディストピアが、アメリカの民間セクターから、それも政府の関与も監視もまったくなしに出現する可能性があり、またそれは中国で考えられているよりずっと干渉的で恐ろしいものかもしれないということだ。

クリアビューAIを支援する人間たちは、そうした可能性を特に気にかけてはいないようだった。「私はこう考えるようになったんだ。情報はたえず増えつづける、だからプライバシーはいずれ存在しなくなる、と」。早い段階で同社に投資をしたある人物は、ニューヨーク・タイムズ紙の取材にそう語った。「何が合法かは法律が決めるのだろうが、テクノロジーを禁じるわけにはいかない。たしかに、ディストピア的な未来やら何やらにつながるのかもしれないが、それでも禁じられるものじゃない」[36]

ニューヨーク・タイムズ紙の記事はクリアビューをめぐる論争の嵐を巻き起こし、ハッカーたちの注意も引きつけた。彼らはクリアビューのサーバーに侵入すると、この会社の有料顧客のほか、アプリの三〇日間無料トライアル版を使っていた見込み客の完全なリストを入手した。そしてクリアビューのユーザーには、FBI、インターポール、合衆国移民・関税執行局(ICE)、ニューヨーク州南地区連邦検事局といった主要な機関に加え、世界各地の数百の警察署が含まれていることが判明した。

しかもクリアビューが、信頼できる法執行機関としか連携していないと主張していたにもかかわらず、このアプリはベストバイ、メイシーズ、ライト・エイド、ウォルマートといった民間企業にも使用されていた。さらにまずいのは、民間企業の従業員が雇用主の許可を得ずにこのアプリを使っている証拠があったことだ。バズフィードの調査によると、ホーム・デポ関連の五つのアカウントがこのアプリを使って一〇〇件近い検索を行っていたことが判明した。ホーム・デポの経営陣は、社としてはなんら関知していないと主張している。[37] つまりこの技術の利用はすでに、より広い公共圏にまで浸透していたということになる。

こうした暴露はたちまち激しい反発を招いた。数週間以内にツイッター、フェイスブック、グーグルはクリアビューに対し、われわれのサーバーから写真をスクレイピングするのをやめて、すでにデータベースに入っている画像もただちに削除するようにとの停止命令を出した。[38] 二月末にはアップルが、クリアビューがアップストアを経由せずにアプリを販売したというサービス契約への違反行為を理由に、アイフォーンアプリの使用を無効にした。[39] それからまもなく、クリアビューは民間企業とのライセンス契約をすべて終了させ、法執行機関のみに契約相手をしぼると発表したが、それでは十分でないと各方面からはねつけられた。

五月にはアメリカ自由人権協会がクリアビューを提訴し、同社の技術は「悪夢のシナリオ」をもたらす、「これを食い止めなければ、われわれの知っているプライバシーはなくなってしまう」

と言明した。[40]それでもクリアビューは事業を継続し、同社にはインターネット上の写真をあさりまわる権利があると信じているし、そうしたアクセスを得るためにソーシャルメディア企業を相手どって法廷で争う用意がある、と申し立てた。

クリアビューＡＩの問題は、顔認識のみならず、人工知能全般への重要な教訓を示すものだ。これほど強力な技術が使えれば、ごく少数の専門家チームどころか、ただ一人の人間でも、ほとんど想像を絶する規模の社会的・経済的混乱を引き起こすことができる。そしてつぎの章でも見ていくように、そのリスクは決してＡＩを活用した監視技術の利用に限られたものではないのだ。

クリアビューへの猛烈な反発を踏まえれば、この会社の野望に制限がかけられる可能性は高そうに思える。しかし全体的に見ると、顔認識システムの配備は欧米諸国では一気に進んでいるし、それぞれの民主主義社会が自らの価値観に基づいて是か非かの判断を下すこと、この技術の使用に伴う倫理的な問題に向き合うことがますます急務となっている。ロンドンはすでに欧米一の監視都市となっていて、一人あたりのＣＣＴＶカメラの台数は同時期の北京よりも多く、[41]二〇二〇年初めには顔認識システムの導入が開始された。ロンドン警視庁は、このシステムは重犯罪や凶悪犯罪で指名手配中の人物を集めた「オーダーメイド」の監視リストのみに適用されるとしている。だが、行方不明の子どもや大人の捜索にも使用は可能であるという。[42]

アメリカではおよそ四分の一の警察署が、顔認識技術を利用できる態勢にある。空港でもこのシステムは、テロリストや犯罪者を探すために広く配備され、手荷物検査の本人確認に使われるケースも増えている。ロンドンのシステムと同じように、この技術もだいたいにおいて、特定の監視リストに載った人間だけを特定するために使用される。しかしクリアビューのアプリ騒動が表すように、いずれはほぼすべての人間が特定されてしまうような過剰なディストピアは次第に近づきつつあるのかもしれない。

ジョージタウン大学法科大学院のプライバシー・アンド・テクノロジーセンターが二〇一六年に行った分析によると、ＦＢＩが持っている写真データベースには、アメリカの成人人口の約半分に当たる約一億一七〇〇万人の画像が収められているという[43]。この画像の多くは州が管理する運転免許証の写真で、罪を犯した指名手配者や犯罪歴のある人間だけでなく、州発行の身分証明書を所持する住民すべてが含まれている。言うまでもないことだが、そうした写真をデータベースに入れるのに当事者から同意を得る必要はなく、個人がこのシステムから抜ける方法もない。

プライバシーが脅かされる恐れはたしかに否めないものの、ただし適切に、倫理に沿って使用される顔認識システムが確かなメリットをもたらすということも知っておくべきだろう。多くの危険な犯罪者がこの技術のおかげで逮捕されている。クリアビューの場合は、どんな利点があろうとあきらかにプライバシーの問題が上回っていると私も思うが、それでもこのアプリは危険な犯罪者の逮捕につながるものだし、特に性犯罪者や児童ポルノの業者を特定するのに役立つことがわかっている。公共の場に顔認識システムを配備すれば、犯罪率の低下という点でもたしかにメリットがある。ロンドン警視庁がこう言っているのは、決してまちがったことではない。「私たちはみな、安全な都市に暮らし、働きたいと願っている。市民は当然ながら、われわれが広く利用可能な技術を駆使して犯罪を阻止することに期待をかけているのだ[44]」

実際に、中国で広範囲にわたって配備されている監視システムは、欧米の視点からはあきらかに抑圧的だと映るものの、大半の中国国民は必ずしも否定的な見方をしてはいない。襄陽市の住民の多くは、信号無視を摘発するシステムを強く支持している。このシステムが実際に機能し、以前は危険だった交差点に秩序が戻ったからだ。私は大勢の中国に住む人たちと話をしてきたが、何度も出てくるのが、犯罪が減って安全になったという感覚、特に小さな子どものいる親たちの安心感だった。こうしたことの重要性を軽視してはいけない。自分の住む地域が安全だという感覚は、大勢の人間が高く評価するもので、実際に心身の健康とも相関関係がある。これは多くの点で、中国がアメリカを上回っていることの一つといっていい。

子どもにとって安全な環境は何より大切なものだ。作家で、ニューヨーク大学の教授を務めるジョナサン・ハイトは、「のびのび育児」を強く提唱している。アメリカでは子どもを過保護にする文化が生まれ、それが危険水域にまで達してしまった。子どもが自信を持った大人に育つには、管理されずにのびのび過ごす経験が必要なのに、そうした重要な機会が奪われてしまっている、というのがハイトの主張だ。[45] アメリカの大半の親にとっては、幼い子どもを歩いて学校に通わせたり、監視なしで近所の公園で遊ばせたりするのは考えるだに恐ろしいことで、実際に違法とされるところもある。

私が思うに、中国の子どもたちには、過剰なオーウェル的国家がどうのという意識は特にないだろう。それでも自分で歩いて学校へ通える、公園で遊べるといったことはわかっている。中国の抑圧的な監視システムによって、少なくとも幼い市民たちに明るい光が見えているのなら、じつに皮肉なことだとしかいいようがない。いずれそのおかげで、より冒険心に富んだ革新的な世代の若者たちが現れるかもしれないのだ。アメリカの国内で中国的なシステムを望む人はいないだろうが、ＡＩベースの監視技術が犯罪率を下げ、より安全な環境を作り出せるのだとしたら、この二つをどう天秤にかけるかは慎重に検討するべき問題だろう。

　顔認識が社会に大きなプラスをもたらすことができるとして、重要なのはこの技術が公平に適用されること、どの人口グループにも均等に影響が及ぶということだ。そしてそこにこそ、大きな問題がある。多くの調査で、顔認識システムには一貫して、ある程度の人種および性別のバイアスが示されているのだ。これはたしかに、明確にウイグル族を探し出す目的で作られた中国のアルゴリズムのようなものではなくて、ディープラーニングアルゴリズムの訓練に使われるデータセットに含まれた白人男性の顔が多いことが原因だ。ある一般的な訓練用データセットを見ると、八三パーセントが白人の顔、七七パーセントが男性の顔だった[46]。この問題はだいたい、非白人や女性の顔で「誤検知」の結果が出る可能性が高くなるという形で表れる。つまり女性や有色人種では不正確な検知結果が出てきやすいということだ。

　二〇一八年にアメリカ自由人権協会（ＡＣＬＵ）は、米国議会の議員五三八人すべての画像と、逮捕された人間の記録用に撮られた写真の大きなデータセットとを比較した。ＡＣＬＵが使用したのは、アマゾンウェブサービスで利用できる「レコグニション」だった。このシステムはきわめて低料金で利用できるため、警察署で使われるケースも次第に増えている。ＡＣＬＵがこの実験をするのにかかった料金は、わずか一二ドルほどだった。

そしてこのシステムは、国会議員のうち二八人の顔写真が、逮捕歴のある人たちのデータセットに含まれているという検知結果を出した。元逮捕者のなかに、実際に下院や上院の議員に選出された人間が一人もいないと仮定するなら、これらはすべて誤検知ということになる。エラーの数もさることながら、さらに気がかりなのは、システムによる誤検知が非白人の議員に大きく偏っていることだった。有色人種の議員は議会全体のおよそ二〇パーセントだが、誤検知全体に占める割合は三九パーセントもあった。

この結果に対してアマゾンは、ACLUはシステムを不正確に設定していた、写真の検知の信頼性をより適切な九五パーセントではなく、デフォルトの八〇パーセントにしたまま使っていたのだ、と主張した。するとACLUは、アマゾンは適切な設定についての具体的な指示を出していない、多くの警察署がシステムをデフォルト設定のままにしているだろうと反論した。[47]

二〇一九年には、米商務省に属する国立標準技術研究所（NIST）によって、より総合的な調査が行われた。ばらばらな企業九九社が開発した、一八九の顔認識システムを評価したのだ。[48]その結果、ほぼすべてのケースで、誤検知はヨーロッパ人の顔では最も少なく、アフリカ人やアジア人の顔ではぐんと高くなることがわかった。予測のつきそうな例外として、中国企業が開発したアルゴリズムでは、東アジア人の顔が最も正確な結果を出した。また、概して男性の顔のほうが女性の顔より精度が高かったが、その差は人種による差よりも小さかった。

人種による精度の差はきわめて大きいものだった。たとえば、黒人が誤検知に遭う見込みは白人の一〇〇倍以上も高い。つまりアフリカ系アメリカ人は、白人の一〇〇倍の確率で犯罪者の可能性ありという誤った疑いをかけられ、そのために不自由な目に遭ったり警官に声をかけられたり、場合によっては拘束されたりしかねないのだ。実世界でのアフリカ系アメリカ人はすでに、小売店で警備員につけまわされる、店員から妙な目で見られるといった目に何度も遭っているが、今度はそのシナリオがデジタル的に再現されているということだ。

理屈のうえでは、訓練用のデータセットにもっと多様な顔写真を入れるだけで、この問題には対処できるはずだ。しかし顔認識システムを開発する企業は、質の高い非白人の顔写真を合意の上で倫理的に入手するのにつまずくことが多い。つまりクリアビューのような、インターネット上の画像をスクレイピングする手法に頼らずにそうした画像を見つけるのは大変なのだ[49]。この問題を解決しようとすれば、ときとしてその方法自体が疑問視されるものになる。そしてこの分野では、倫理的な境界を進んで押し広げようとする企業がときとして優位性を得られたりもする。

二〇一八年に中国のユニコーン企業クラウドウォークは、ジンバブエで総合的な顔認識システムを構築するという物議をかもす契約を、同国政府と結んだ。契約の一環としてクラウドウォークは、ジンバブエ国民の写真のアクセス権が得られ、その写真を使用して機械学習アルゴリズムを訓練できるようになる。こうして生まれたシステムは、世界中のどこにでも配備される可能性があるが、もちろんジンバブエ国民にそのことを知らせ、同意を得る必要は一切ない[50]。

こうした問題に加え、クリアビューの騒動からも、規制されない民間セクターの手に顔認識をゆだねるわけにいかないことはあきらかだ。この技術の規制と監視は絶対に欠かせない。ニューヨーク・タイムズ紙による暴露がなければ、クリアビューの技術は、これはプライバシーへの脅威になりうると一般に知られるずっと以前に、なんの監視も受けないまま一般国民にまでその触手を伸ばしていたかもしれない。最低限でも、配備されるアルゴリズムの公平性を保証する明確な規制に加え、一般人のプライバシーを脅かすような形で監視システムが配備されないための予防策が必要になる。

一般基準が設けられないなか、たとえばサンフランシスコのように自ら率先して、警察や地方政府による顔認識技術の使用を全面的に禁じているところもある。だが、この措置は民間企業にまでは及んでいない。中国と同じように、大規模な住宅団地に立ち入るときの手続きに顔認識システムが導入されるケースが増え、一部の住民からプライバシーの侵害だとして訴訟を起こされたりもしている。小売店もほぼ制約なしに、顔認識技術を配備することができる。やはり全国レベルの規制によって、公的または私的に配備されるシステムに適用するべき基本ルールを定めなくてはならないのはあきらかだ。

プライバシー、監視、治安の重要性に対する姿勢はさまざまだし、顔認識などのＡＩベースの監視技術が持つリスクと価値をどう評価するかは、個々の国や地域、都市によってちがってくる可能性はきわめて高い。民主主義社会においては、一般市民の声を取り入れた透明性の高いプロセスをとるべきだし、テクノロジーは関係者すべての権利を守る基本原則によって管理される必要がある。

中国とのＡＩ軍拡競争が現実となる可能性、個人のプライバシーへのかつてない脅威、新しい形の差別などは、人工知能の技術が容赦なく進歩しつづけるなかで噴出している危険のほんの一部に過ぎない。つぎの章では、ＡＩに内在するいくつかのリスクをより広い視野で捉え、どの危険に至急注意を払わなければならないか、どの危険は遠い将来にしか起こりえないかといった点を論じていこう。

第8章　AIがはらむリスク

それは一一月の初め、合衆国大統領選挙投票日まであと二日となったときだった。その民主党の女性候補は、アメリカの公民権をめぐる闘いに身を投じ、マイノリティたちのコミュニティの保護を拡大することに政治家人生の大半を捧げてきた。その点に関して彼女の経歴には一点の曇りもないはずだった。だからこそ、この候補者がプライベートでかわした会話の録音だとされる音声がネット上に現れ、たちまちウイルスのようにソーシャルメディアに広がり出すと、アメリカ中が驚天動地の大騒ぎになった。問題の会話のなかで、女性候補はあきらかにレイシスト的な言辞を弄しているばかりか、自分がその偏見を隠しつづけたおかげで成功したことをあからさまに認め、それを笑い飛ばしてさえいたのだ。

その音声クリップが出回り出してから一時間もたたないうちに、あれは嘘っぱちだと候補者が猛抗議を始めた。私をよく知る人たちは誰一人も、あれが私の口から出た言葉だなどとは信じない、と。そして著名人たちが続々と何十人も、その候補者を支持すると表明した。だが、彼女を信じる人たちもやはり、きわめて不快な現実に直面しないわけにはいかなかった。あれは彼女の声だった。少なくともほとんどの人の耳には、たしかに彼女がしゃべっているように聞こえた。ある単語やフレーズを発音するときの特徴的なくせ、話すときの調子、どれもまぎれもなく、もうすぐ合衆国大統領に選出されるのをみんなが期待している女性のものだったのだ。

その録音がインターネット上で爆発的に再生され、ケーブルテレビでも繰り返し流されると、ソーシャルメディアは混乱と怒りに沸き立った。この候補者は熾烈な予備選を闘った末に大統領選への指名を得ていたのだが、そのときの対立候補の支持者たちから怒りの声があがり、立候補を辞退しろという要求が始まった。

陣営はただちに独立した専門家パネルを雇って、音声ファイルの検証を依頼した。専門家たちは一日がかりで分析を行い、この録音はどうやら「ディープフェイク」だと思われると発表した。つまり機械学習アルゴリズムが候補者の発言をもとに訓練され、そこから生成された音声だということだ。ディープフェイクについての警告は何年も前からあるにはあったが、これまで出てきたのは稚拙な、すぐに偽物とわかるものばかりだった。ところが今回はちがっていた。この技術はあきらかに長足の進歩を遂げていた。専門家パネルにすら、問題の音声ファイルはフェイクであって実際の録音ではない、と絶対の確信をもって断定することはできなかった。

専門家パネルの決定に基づき、陣営はオンライン上にある音声ファイルの大半を削除させることに成功した。だがそれでも、何百万という人間があの声と言葉を聞いてしまっていた。投票日の朝になると、重大な疑問の数々が立ち現れてきた。あの録音を聞いた人たちは全員、あれが十中八九フェイクだということを知っているのか？　録音が捏造だと聞かされた人たちも、記憶にくっきりと刻み込まれてしまったヘイト発言を「聞かなかった」ことにできるのだろうか？　特にあの会話でヘイトの標的となっていたグループにたまたま属している人たちは？　あの音声クリップは民主党の候補者が最も頼りにしているコミュニティ内の人たちを打ちのめすだろうか？もしこの候補者が敗れたら、アメリカ国民の大多数は選挙が盗まれたと感じるだろうか？　そのときにいったい何が起きるのか？

以上のシナリオはもちろんフィクションだ。だが、現実にこれと似たようなことが起こったとしてもおかしくはない――それもおそらく数年以内に。もし信じられないとおっしゃるなら、二〇一九年七月、サイバーセキュリティ企業のシマンテックが発表した事件のことを考えてみてほしい。ある三つの企業（名前は未公表）がディープフェイクの音声を悪用した犯人から数百万ドルを騙し取られていたというのだ。[1]この三件すべてで、犯人はＡＩで生成された企業ＣＥＯの声の音声データを使い、財務担当のスタッフに電話で命じて不正な銀行口座へ金を移させていた。企業のＣＥＯはたいてい、さっきの大統領候補の例と同様、オンライン上に音声データ（スピーチやテレビでの発言など）がたっぷり出回っているものだが、これは機械学習アルゴリズムの訓練に利用できる。いまの技術ではまだ、本当に高質な音声を作り出すところまでは行っていないため、この事件で犯人はわざと、背景にノイズ（交通音など）を入れてあやしい箇所を隠していた。だが、ディープフェイクの質が今後数年で飛躍的に高まることは確実だし、いずれは真実とフィクションの区別がほぼつけられなくなるところまで行くと見られる。

ディープフェイクを使えば音声データだけでなく、写真や動画、さらには首尾一貫した文章を作り出すこともできる。そうしたものの悪用は、人工知能の進化に伴って私たちが直面する重大なリスクの一つでしかない。前の第7章では、AIによる監視や顔認識技術が個人のプライバシーという概念そのものを破壊し、私たちをオーウェル的未来へと連れていく恐れがあることを見た。この章では、AIがさらに強力になるにつれて生じてくるその他の主な懸念がどんなものかを見ていこう。

何が現実で、何が幻？――ディープフェイクとセキュリティへの脅威

ディープフェイクは基本的に、敵対的生成ネットワーク（GAN）と呼ばれる進歩したディープラーニングから生み出される。GANは二つのニューラルネットワークをゲームのように容赦なく競い合わせ、より高質のシミュレーションされたメディアを生み出させるものだ。たとえば、偽の写真を作り出すよう設計されたGANには、統合された二つのディープニューラルネットワークが含まれている。一つは生成ネットワークと呼ばれる、偽の画像を作り出すもの。もう一つは本物の写真を集めたデータセットで訓練されるもので、識別ネットワークと呼ばれる。

生成ネットワークが合成した偽の画像は、本物のいろいろな写真と混ぜて識別ネットワークに与えられる。この二つのネットワークがたえず相互にやり取りを続け、生成ネットワークが作っ

た写真を識別ネットワークが一つひとつ評価して本物か偽物かを判断していく。生成ネットワークは偽の写真を与えて識別ネットワークを騙そうとし、識別ネットワークはそれを見破ろうとする。こうして二つのネットワークが繰り返し競争しつづけるうちに、画像の質はどんどん向上し、やがてある種の平衡状態に達する。識別ネットワークが画像を分析しても、本物か偽物かはほとんど当てずっぽうで決めるしかなくなるほどになるのだ。

この手法で作り出された偽物の画像は、目を見張るほどの出来映えだ。ウェブで「GANフェイク顔」と打ち込んで検索すれば、まったく実在しない人物の高解像度の画像の実例がたくさん見つかる。識別ネットワークになったつもりで目をこらしてほしい。どの写真もまったく本物に見えるが、すべてまがい物だ――デジタルの世界から召喚された幻なのだ。

敵対的生成ネットワークを考案したのは、当時モントリオール大学の学生だったイアン・グッドフェローである。二〇一四年のある晩、グッドフェローは友人数人とともに地元のバーへ出かけた。そして高品質の画像を生成するディープラーニングシステムは可能だろうかという議論を始めた。もうビールを何杯空けたかわからなくなったころ、グッドフェローは敵対的生成ネットワークの基本コンセプトを披露したが、そんなもの無理に決まっているという集中砲火を浴びた。それから家へ帰るとすぐに、グッドフェローはコード書きにとりかかった。そうして数時間でちゃんと機能する最初のGANを生み出したのだ。

この功績のおかげで、グッドフェローはディープラーニングのコミュニティの伝説的存在となった。フェイスブックでチーフAIサイエンティストを務めるヤン・ルカンは、敵対的生成ネットワークは「過去二〇年で最もすばらしいアイデアだ」と言っている。[2] グッドフェローはモントリオール大学で博士号を取得したあと、グーグルのプロジェクト「グーグル・ブレイン」とオープンAIで働き、現在はアップルの機械学習ディレクターを務めている。また、ディープラーニングを扱った第一級の大学用教科書の主著者でもある。

敵対的生成ネットワークはいろいろポジティブな用途にも使用できる。特に合成画像などのメディアは、他の機械学習システムの訓練に使用可能だ。たとえばGANで作られた画像が、自動運転車用のディープニューラルネットワークを訓練するのに使われたりする。また顔認識システムの人種バイアスの問題を克服するのに、現実の非白人の顔の高品質の画像が倫理上の問題からなかなか入手できない場合、非白人の顔を合成した画像を用いて訓練すればいいという案も出ている。

GANを音声合成に応用すれば、発話能力を失った人がコンピュータで合成された本人そっくりの声で話すのにも利用できる。故スティーヴン・ホーキング博士が、神経変性疾患のALS（ルー・ゲーリック病）で声を失ったあと、コンピュータ合成の独特の声で話したのは有名な話だ。もっと最近では、NFLプレーヤーのティム・ショーをはじめとするALS患者が、病気になる前に録音していた音声でディープラーニングシステムを訓練し、自然な声を取り戻したりもしている。

とはいっても、この技術が悪用される可能性は否定できないし、すでに技術に敏い人間がつぎつぎとその誘惑に屈しているという証拠もある。ユーモアや啓蒙のつもりで作り出され、広く出回っているディープフェイクの動画を見れば、どんなことが可能かは一目瞭然だ。たとえばマーク・ザッカーバーグのような有名な人物が、少なくとも人前では言いそうにないことをしゃべっているフェイク動画などが数多く見つかる。

最も有名な実例を挙げてみよう。俳優でありコメディアンで、バラク・オバマの声まねでも有名なジョーダン・ピールが、バズフィードと協力して作り出したものだ。これはディープフェイクの脅威を一般に知らせるための公的な動画なのだが、そのなかでオバマは「トランプ大統領はまったく、どうしようもない愚か者だ」などと言っている。[3] この例だと、声はピールがオバマ大統領をまねたもので、すでにある動画のなかのオバマの口の動きをピールの言葉と一致するように操作する手法が用いられている。いずれはそんなふうに、声もディープフェイクで作られた偽物であるような動画が出回りはじめるだろう。

特によく見られるディープフェイクの手法は、ある人物の顔をデジタル処理して本物の動画に出ている別の人物の顔と入れ替えるものだ。スタートアップ企業のセンシティ（旧・ディープトレース）はディープフェイクの検出ツールを提供しているが、その分析では、二〇一九年にネット上に投稿されたディープフェイクによる捏造は少なく見ても一万五〇〇〇件、前年比八四パーセントの増加だという。[4] そのうちなんと九六パーセントがポルノの画像もしくは動画で、ポルノ俳優の顔と有名人の顔（ほぼ必ず女性）が移し替えられたものだった。[5] いまのところはテイラー・スウィフトやスカーレット・ヨハンソンといった有名人が主なターゲットだが、技術がさらに進歩してディープフェイクを作るツールがより入手しやすく、使いやすくなれば、いずれ誰もがこうしたデジタル虐待のターゲットになってもおかしくない。

ディープフェイクの品質がどんどん向上するにつれ、偽造された音声や動画のメディアが本当に恐ろしい影響を及ぼす可能性は、もはや避けがたい脅威としてのしかかってきている。この章の初めに紹介した架空のエピソードが示すように、本物とほとんど区別できないディープフェイクは、文字どおり歴史の流れを変えてしまいかねない。そうしたフェイクを作り出す手段はまもなく、政治工作員や外国政府、はてはいたずら好きな十代の子どもの手に渡ってもおかしくないのだ。

しかも被害が及ぶのは政治家や有名人だけではない。バイラル動画やソーシャルメディアによるさらし上げ、一度の失敗で当人のすべてが否定される「キャンセル・カルチャー」がはびこるこの時代には、ほぼ誰もがディープフェイクのターゲットになり、公私ともにどん底に突き落とされる恐れがある。人種的不平等の歴史のあるアメリカは、組織立った社会的・政治的破壊工作にはとりわけ脆弱といえるかもしれない。警察の残忍な行為を撮影したバイラル動画がまたたく間に広範囲な抗議活動や社会不安をもたらすという例が何度となくあった。将来のいつかに、この国の社会構造そのものを揺るがすほど扇動的な動画が、それも外国の情報機関によって捏造されるという事態も決してありえなくはない。

攻撃や妨害を意図した動画や音声クリップだけにとどまらず、ただ金儲けがしたいだけの人間の前にも、ほぼ無限のチャンスが広がるだろう。金融詐欺や保険詐欺から株式市場の操作まで、あらゆる犯罪にこの技術を悪用しようとするだろう。企業のＣＥＯがありもしない発言をしたり、常軌を逸したまねをする動画が広まれば、その企業の株価は急落する。ディープフェイクは法システムまでも混乱させかねない。捏造されたメディアが証拠として提出されれば、いずれ裁判官も陪審員も、目の前で見たものが本当に真実なのかどうか知ることが難しい、あるいは不可能な世界に投げ込まれてしまうかもしれない。

もちろん、この問題の解決に取り組む賢明な人たちもいる。たとえば前述したセンシティからは、ディープフェイクの大多数を検出できるとするソフトウェアが市販されている。とはいえ技術が進歩すれば、いたちごっこはどうしても避けられない。それは新しいコンピュータウイルスを作る人間たちと、その対策ソフトを売る会社との関係に似ていなくもないが、そこでは悪意のある側が必ず多少の優位に立つ。イアン・グッドフェローは、ある画像が本物か偽物かを、ただ「画素を見る」だけで知ることはできないだろうと言っている。[6]

そうして最終的に私たちは、なんらかの認証メカニズムに頼らざるをえなくなるだろう。写真や動画のデジタル署名もその一例だ。いずれすべてのカメラや携帯電話が記録したメディアにデジタル署名が付くようになるだろう。トゥルーピックというスタートアップ企業がすでにこの種の機能を持ったアプリを出している。主な顧客は大手保険会社だ。保険会社は顧客から送られてくる写真を頼りに、建物から宝石や高価な装身具まであらゆるものの値段を記録しなくてはならない立場にある。[7]

それでもグッドフェローの見解では、ディープフェイクの問題を技術的に完全に解決する方法はおそらく現れない。私たちは今後、見るものや聞くものがつねに幻であってもおかしくないという、かつてなかった新たな現実をなんとか乗り切っていくことを学ばなくてはならないだろう。

ディープフェイクは人間を騙すことを意図したものだが、これに関連して出てくるのが、機械学習のアルゴリズムを騙したり掌握したりすることを意図した悪意あるデータ捏造だ。こうした「敵対的攻撃」では、特別に設計した入力によって機械学習システムにエラーを起こさせ、攻撃側が望むとおりの出力を出させるようにする。これがマシンビジョンの場合だと、たとえば視野のなかにニューラルネットワークの画像解釈を歪めるようなものを置いたりするのだ。

有名な例を挙げると、ディープラーニングシステムがおよそ五八パーセントの精度で正しく認識したパンダの写真があった。研究者たちはこの写真に、入念に作った視覚的ノイズを加えることでシステムを騙し、これはパンダではなくテナガザルだと九九パーセント以上のケースで思い込ませた。[8] 特にぞっとする実演にはこういうものもある。一時停止の標識の上に、黒と白の小さな長方形のシールを四枚貼るだけで、自動運転車に搭載される画像認識システムを、あれは時速四五マイルの制限標識だと信じ込ませた。[9] つまり、敵対的攻撃はたやすく生死に関わる結果をもたらすということになる。

いま挙げた二つのケースでは、人間が自分の目で見ていたとしたら、画像にこっそり付け足された情報には気づきもしないかもしれないし、決して混乱させられはしないだろう。このことは現在のディープニューラルネットワーク内部の理解がいかに浅く脆弱であるかを如実に示すものだ。

敵対的攻撃はＡＩ研究者のコミュニティ内では深刻に受けとめられ、重大な脆弱性と見なされている。イアン・グッドフェローは機械学習システムの内部にあるセキュリティ問題の研究と、セーフガードの役割を果たせるものの開発にキャリアの多くを費やしてきた。敵対的攻撃に遭っても堅固でいられるAIシステムを構築するのは容易ではない。そこで考えられるアプローチに、いわゆる「敵対的学習」がある。つまり、訓練用データにわざと敵対し合う事例を含めることで、システム導入後にニューラルネットワークが敵対的な攻撃を識別できるようにするのだ。だがやはりディープフェイクと同じように、攻撃側がつねに優位であるような軍拡競争がはてしなく続くことになるだろう。グッドフェローが指摘するように、「多種多様なタイプの敵対的アルゴリズムの攻撃に対抗できるような、本当に強力な防御アルゴリズムはまだ誰も設計できていません[10]」。

敵対的攻撃は機械学習システムに限定されてはいるが、それでもコンピュータの脆弱性リストに新しい重要な項目がまた一つ加わり、サイバー犯罪者やハッカー、外国の情報機関に悪用される恐れが生まれる。人工知能が普及していき、モノのインターネット化によってデバイスと機械とインフラの相互接続がさらに進めば、必然的にセキュリティ問題がぐっと深刻になり、サイバー攻撃がより頻繁に起こることはほぼまちがいない。AIが広く配備されることで、結果的にシステムの自律性が高まり、人間が関与しなくなるために、サイバー攻撃の標的としてどんどん魅力的になっていくのだ。たとえば将来的に、自動運転トラックが食料品や医薬品などの重要物資を運ぶようになったとしよう。こうした車両を攻撃して停止させたり、大幅な遅延を発生させたりできれば、命に関わるような影響を容易に作り出すことができる。

つまるところ、人工知能が利用しやすくなってＡＩへの依存度が増せば、どうしてもシステムとセキュリティリスクは隣り合わせになる。そこには重要なインフラとシステムへの、社会秩序と経済への、ひいては民主主義制度への脅威までが含まれてくるだろう。セキュリティリスクは人工知能の台頭に伴って起こる、近い将来の最も重要な危険なのだ。だからこそ、堅固なＡＩシステムの構築に重点を置いた研究への投資を惜しまず、ゆゆしい脆弱性が生まれてこないうちに、政府と商業セクターが効果的に連携して適切な規制と保護措置を策定することが不可欠となる。

自動式リーサル・ウェポン

何百機もの小型ドローンの群が連邦議会議事堂の上空に飛来し、いっせいに攻撃を仕掛ける。ドローンは顔認識技術を駆使してある人物たちを特定すると、まっしぐらに標的まで飛んでいってカミカゼ攻撃を敢行し、銃弾並みの殺傷効果を持つ小型爆弾を破裂させる。議事堂は大混乱に陥るが、のちにあることが判明する。標的となった議員の全員が特定の一つの政党に所属していたのだ。

これは二〇一七年作の短編映画『スローターボッツ』に描かれた恐るべきシナリオの一つだ。[11]自律型の殺傷兵器という目前に迫った危機を警告するため、カリフォルニア大学バークレー校のコンピュータ科学教授スチュアート・ラッセルらのチームが制作した。近年のラッセルは多くの時間を費やして、人工知能の進化に伴う固有のリスクに取り組んでいる。彼の考えでは、自律型殺傷兵器は国連が定義する「人間の介入なしに人間の標的を見つけ、選択し、排除できる」兵器であり[12]、新しいタイプの大量破壊兵器として分類するべきものである。つまり、このようなＡＩ搭載の兵器システムは、最終的には化学兵器か生物兵器、あるいは核兵器にも匹敵する破壊をもたらしうるということだ。

この主張の主な根拠は、人間が直接的に制御し殺傷の許可を与える手続きがなくなってしまうと、こうした兵器がもたらす破壊の規模が格段に上がるという点にある。あらゆるドローンは兵器として使用可能で、一度に何百機も飛ばすことができるが、遠隔操作だと操縦者が何百人も必要だ。しかしドローンが完全自律型だったら、少人数のチームで大規模な群を配備し、想像を絶するほどの大量殺戮を実行できる。ラッセルは私にこう語った。「誰かが攻撃を仕掛けるとしたら、たとえば司令室にいる五人の人間が一〇〇〇万機の兵器を発進させ、どこかの国の一二歳から六〇歳までの男性を残らず抹殺することができます。つまりは大量破壊兵器になりうるし、そうしたスケーラビリティを特性として持っているのです[13]」。さらに顔認識アルゴリズムが民族、性別、服装などを区別できることを考えあわせれば、自動化された民族浄化、かつては想像もできなかったほどの冷酷さと速さで実行される政敵の大量暗殺といった、身の毛もよだつシナリオが容易に想像できる。

もし仮に、本物のディストピア的な可能性をすべて度外視して、この技術を正当な軍事活動だけに使うように限っても、自律型兵器にはやはり重大な倫理的問題が生じてくる。たとえそれでターゲット効率が高まり、罪のない第三者が巻き添えになることが減ったとしても、機械に単独で人間の命を奪う力を付与することが倫理的に許容できるのか？　また、人間の直接的なコントロールの及ばない状態で、過誤による殺傷が起こった場合、誰が責任をとるべきなのか？

自分たちの取り組んでいる技術がそういった兵器として配備される恐れがあるとなれば、人工知能研究者たちの多くは危機感をつのらせる。四五〇〇人以上の科学者個人のほか数百の企業・団体・大学が、私たちは自律型兵器の開発を行わないと宣言し、そうした技術の全面禁止を呼びかける公開書簡に署名した。国連の特定通常兵器使用禁止制限条約でも、化学・生物兵器がすでに禁じられているのと同様の扱いで、完全自律型の殺人機械を禁止しようとする取り組みが進められている。

だが、進捗は芳しくない。国連による禁止措置を求めるアドボカシーグループ「キラーロボット反対キャンペーン」によると、二〇一九年の時点で自律型兵器技術の完全禁止を正式に求めているのは二九カ国で、そのほとんどが中小国や発展途上国だ。主な軍事大国は乗り気でない。例外は中国で、兵器の現実の使用のみを禁止し、開発や製造は認めるという条件つきで署名している。[14]アメリカとロシアはともに禁止に反対しているため、この兵器が近いうちに完全非合法化される見込みは低そうだ。[15]

私自身の見方はかなり悲観的なものだ。主要国同士の競争力学、そして信頼関係の欠如のために、完全自律型兵器が開発されるのはほぼ確実だろう。実際にアメリカの各軍をはじめ、ロシア、中国、イギリス、韓国などがスウォーム（群）攻撃の能力を持ったドローンを積極的に開発している。[16]米陸軍は小型戦車のような武装ロボットを導入中で、[17]空軍は人間が操縦する戦闘機を空中戦で打ち負かせるＡＩ搭載の無人戦闘機を開発中ということだ。[18] 中国、ロシア、イスラエルなどの国も同様の技術を配備もしくは開発している。[19]

これまでアメリカをはじめとする主要国の軍隊には、人間の意思を必ず介在させる、機械が人命の失われかねない攻撃を行う前には特別な許可が必要になる、といった合意があった。しかし現実的には、戦闘の完全自動化は大きな戦術的優位をもたらす。人間には人工知能に匹敵するスピードで反応したり判断したりすることはできない。完全自律型兵器はいまは非公式に禁止されているだけなので、ある国がそれを破って配備を始めれば、競合する国の軍はたちまち追随するだろう。さもないと自分たちが決定的に不利になってしまう。アメリカ、中国、ロシアがそろって自律型兵器システムの開発・製造の公式禁止に反対しているのは、そんなふうに後れをとるのが怖いからだろう。

こんな状況がどういうふうに展開するかは、もう一つ別のタイプの戦争を見ればある程度予想がつくのではないか――ウォール街で繰り広げられている、ＡＩを搭載したトレーディングシステム同士の戦いだ。現在の主要な証券取引所ではアルゴリズム取引が日々の売買を支配していて、アメリカでは取引量全体の八〇パーセントを占めている。少し前の二〇一三年、物理学者グループが金融市場を研究し、その結果をネイチャー誌に発表した。その論文は、「捕食的アルゴリズムの〝群〟を備えた機械が競合する、新たな生態系が現れつつあり」、アルゴリズム取引はすでに、システムを設計した人間にも制御できない、あるいは理解できないところまで進んでいるだろうと言っている。[20]

そうしたアルゴリズムはいまもＡＩの最新の成果を取り入れながら、市場に及ぼす影響を格段に増しつづけている。アルゴリズムが相互にどう作用しているかは、神のみぞ知る領域だ。たとえばアルゴリズムの多くには、ブルームバーグやロイターといった企業が提供する機械判読の可能なニュースソースを利用し、その情報をもとにごくわずかな時間で取引を行う能力が備わっている。時々刻々と変化する短期的取引となると、アルゴリズムを出し抜こうとすることはおろか、何がどうなっているのかを人間が理解しようとするのも不可能だ。いずれは戦場で起こる衝突の多くにも同じことがいえるようになるのではないかと思う。

自律型の戦場技術が主要な軍隊だけに配備されたとしても、きわめて確実な危険がある。ロボットによる戦闘はとにかく目まぐるしく展開し、軍や政府の上層部が戦況を十分に把握したり抑制したりする能力を上回ってしまいかねない。つまり、比較的小さな事件がいつのまにか大きな戦争に発展してしまうリスクが大幅に高まるのだ。もう一つ心配なのは、ロボットがロボットと戦い、人間の命がただちに危険にさらされることがまれになった世界では、戦争をすることのコストが不自然に低く感じられるのではないかということである。

これはアメリカではすでに問題化していることだが、軍の徴兵制を廃止してすべて志願制にしたために、アメリカ社会のエリート層がわが子を軍隊に入れることがごくまれになった。その結果、最も強い力を持った人間たちが痛みを分かち合おうとしなくなった。軍事行動が直接、個人のコストとして跳ね返ってくるのを免れられるからだ。思うにこの断絶が、アメリカが何十年ものあいだ中東に関わってきたことの少なからぬ理由なのではないか。たしかに、機械が危険な場所へ行くことで兵士の命が守れるのなら、それはいいことにちがいない。しかし戦争に加わるかどうかの決断を下すとなったときには、リスクが低いという認識から影響を受けないよう十分に注意を払う必要が出てくる。

危険の最たるものは、自律型の殺傷技術が製造されたあとで、合法的な政府や軍隊がその管理を続けられなくなることだ。世界にはマシンガンなどの小型の武器をテロリストや傭兵、ならず者国家に売りさばく非合法の武器商人がいるが、自律型兵器もそうした連中の手で売買されることになるかもしれない。この兵器が広い範囲で使われるようになれば、『スローターボッツ』のビデオに描かれた悪夢のシナリオがたやすく現実のものとなるだろう。

またこうした兵器は、たとえ直接買い入れるのは無理だとしても、他の大量破壊兵器と比べれば、技術開発の障壁ははるかに低い。特にドローンの場合、ビジネスや趣味といった用途での技術なり部品なりが簡単に手に入り、それが兵器に転用される可能性がある。核兵器の製造は、国が持つリソースがあったとしても大変な難事業だが、少数の自律型ドローンの群の設計・配備なら、地下室で数人が作業をするだけで実現できるかもしれない。これはウイルスとまったく同じ理屈で、自律型兵器の技術がいったん環境のなかへ拡散すると、防御や封じ込めがきわめて困難になり、やがてカオスが始まる。

メディアのせいで勘違いされがちなことだが、私たちは自律型殺傷兵器の脅威を、『ターミネーター』などの映画で見るSFのシナリオとよくごっちゃにしてしまう。これはいわばカテゴリーエラーで、こうした兵器が近い将来にもたらす現実の危険から目をそらさせる恐れがある。いまあるリスクは、機械が何かしらの形で人間のコントロールから解き放たれ、自らの意思で人間を攻撃することではない。そうなるには汎用人工知能が必要だが、それは少なくとも数十年先の話だろう。むしろ心配しなければならないのは、アイフォーンほどにも「インテリジェント」でないにもかかわらず、標的を容赦なく識別・追跡・殺傷できる武器を前にして、人類がどんな選択をするかということだ。この懸念は断じて遠い未来のものではない。

スチュアート・ラッセルが『スローターボッツ』の結末で語っているように、この映画は「私たちがすでに持っている技術を統合し、小型化した結果」をドラマ化したものだ。つまりこの兵器は今後数年のうちに登場する可能性があり、それを阻止しようとするなら「行動を起こせる猶予の期間は急速に短くなろうとしている」[21]。国連が承認する兵器の無条件禁止がすぐには実現しない可能性を考えると、国際社会はただちに、最低限こうした兵器がテロリストや非国家主体の手に渡り、民間人に向けて使用されることのないよう注意を払わなくてはならない。

機械学習アルゴリズムのバイアス、公平性、透明性

人工知能や機械学習がますます広く普及していくなかで、どうしても不可欠になるのは、そうしたアルゴリズムが生み出す結果やレコメンド（推奨）の内容がちゃんと公平だと感じられること、またその根拠となる理由が適切に説明されるということだ。たとえばあなたが、産業用機械のエネルギー効率を最大化するためにディープラーニングシステムを使うとしたら、アルゴリズ

ムにはただ最適な結果を出すように求めるだけで、なぜそうなるのかといった細かな点は特に気にしないだろう。しかしそれが、刑事裁判や雇用の決定、住宅ローン申請の処理など、人間としての権利や将来の幸福に直接の影響を及ぼすような分野となると、話はちがってくる。そうしたのっぴきならない決定に機械学習が適用されるのなら、アルゴリズムの結果が人口統計上のどの集団に対してもバイアスがないことを示し、またその結果を導き出した分析が透明かつ公平であることが絶対必要となる。

バイアスは機械学習ではよくあるもので、たいていはアルゴリズムの訓練に使われるデータに問題があることが原因となる。前の章で見たように、欧米で開発された顔認識アルゴリズムは、訓練用データセットに含められる白人の顔のほうがずっと多いために、有色人種に対するバイアスを示す傾向がある。さらに一般的な問題は、アルゴリズムの訓練に使われるデータの多くは、人間の行動、決定、および行為の直接の結果であるということだ。だからもし、データを生成した人間自身になんらかのバイアス、たとえば人種や性別の偏向があれば、そのバイアスは自動的に訓練用データセットに保存されてしまうだろう。

一例として、ある大企業の求人に応募してきた書類をスクリーニングするための機械学習アルゴリズムを考えてみよう。このシステムを訓練するには、過去に同じような求人に送られてきた履歴書すべてと、その履歴書一つひとつに採用担当者が下した判断とがデータセットとして使われるだろう。機械学習アルゴリズムはデータに残らず目を通し、こんな特徴があれば合格、次回の面接行きとなりやすい、こんな特徴があったら不合格、もう検討の必要なしとなりやすい、といったことを理解する。これを効率的にこなし、ほどほどの数のトップ候補者リストを作り出せるアルゴリズムは、何百何千という応募者をふるい落とさなくてはならない人事部の手間を大幅に軽減できるとあって、大企業を中心に人気を集めつつある。

だがこのときに、アルゴリズムを訓練する材料になった過去の雇用決定に、採用担当者による明確な、もしくは無意識的な人種差別や性差別が多少なりとも反映されていたとしよう。そうした場合に機械学習システムは、通常の訓練プロセスを進めていくなかで、自動的にそのバイアスを拾い上げてしまう。アルゴリズムを作成した人間の側にはなんら悪意はない。バイアスは訓練用データに存在するのだ。そして結果的に、すでにある人間のバイアスを定着させ、さらには強めるような、有色人種や女性に対してあきらかに不公平なシステムができあがることになる。

これとよく似たケースが、二〇一八年にアマゾンで起こった。技術職の求人に送られてきた履歴書のスクリーニングに女性に対するバイアスがあることがわかり、アマゾンは機械学習システムの開発を中止した。履歴書に「women's」という言葉が含まれる、つまり女性のクラブやスポーツのことが書かれていたり、応募者が女子大学を卒業していたりした場合、システムがその履歴書に低い点数をつけ、結果的に女性が不利になることが判明したのだ。ここで見つかった問題点をアマゾンの開発者が修正したとしても、他にも性別を表すように機能する変数があるかもしれず、もうこのアルゴリズムにはなんのバイアスもないと保証することは難しかった。[22]

大事なことなので記しておくが、これは必ずしも、雇用決定に先立って露骨な性差別があったといった話ではない。ただ単に、技術職にはもともと女性の数が少ない、つまり雇用の大多数は男性で占められるものだというだけの理由で、バイアスがかかるようにアルゴリズムが訓練されたのかもしれない。アマゾンによれば、このアルゴリズムはまだ開発段階のもので、実際に履歴書のスクリーニングに使用されてはいなかったとのことだが、もし導入されていたとしたら、技術職に就いている女性が不自然に少ないという傾向がより強められていたことはまちがいない。

さらにのっぴきならない状況が起こるのは、刑事裁判のシステムに機械学習システムが使われたときだ。こうしたアルゴリズムは、保釈、仮釈放、判決などの決定を支援するために使用されるケースが多い。これらのシステムには、州や地方自治体が開発するものも、民間企業が設計・販売するものもある。二〇一六年五月に非営利の調査報道機関「プロパブリカ」は、COMPASというアルゴリズムの分析を行い、その結果を発表した。[23] このシステムは、ある個人が釈放されたあとに再犯を犯すリスクを予測するために広く使用されているものだ。そしてプロパブリカの分析結果には、アフリカ系アメリカ人の被告人は白人の被告人よりリスクが高いという不当な評価をされていたことが示されている。実際にこの結果を裏づけるようなエピソードもあった。

プロパブリカの記事にはこんな話が紹介されている。ある一八歳の黒人女性が、その体には小さすぎる子ども用自転車に乗って短い距離を走り、持ち主の子に抗議されて自転車を乗り捨てた。つまり本気で盗もうとしたのではなく、ただのいたずらのようにも見える行動だった。にもかかわらずこの若い女性は逮捕され、出廷を待つために勾留された時点でCOMPASが適用された。するとこのシステムは、彼女が再び罪を犯すリスクが、すでに武装強盗の前科があって五年間服役していた四一歳の白人男性よりずっと高いと判定したのだ。[24]

ＣＯＭＰＡＳを販売しているノースポイントという企業は、プロパブリカの分析結果に異議を唱えていて、このシステムが実際にどの程度のバイアスを含むものであるかについては議論が続けられている。ただし気がかりなのは、この会社が自分たちのアルゴリズムの計算についての詳細を、所有権があるからという口実で公開しようとしないことだ。つまり、このシステムのバイアスや正確さを第三者がくわしく監査するすべがないのだ。人間が生きていくうえでこれほど重大な影響を及ぼす判断をアルゴリズムに下させるというなら、透明性の高さと監視が必要なのはあきらかなはずなのに。

機械学習システムに不公平が生じるとき、最も一般的なのは訓練用データにバイアスがあるせいだが、それだけが原因ではない。アルゴリズムの設計自体がバイアスをもたらしたり、強めたりすることもある。たとえば顔認識システムを訓練するのに、アメリカの人口分布を正確に反映したデータセットを使ったとしよう。アフリカ系アメリカ人は人口全体の一三パーセントほどしかいないので、システム自体に黒人に不利なバイアスがかかってしまう可能性がある。これがどこまで問題になるのか、また問題が強められるのか弱められるのかは、アルゴリズムの設計段階でどのような技術上の決定を下すかに左右されるだろう。

一ついい知らせがある。透明かつ公平な機械学習システムの設計がいま、ＡＩ研究の主要な焦点になっていることだ。大手テック企業が軒並みこの分野に多額の投資を行っていて、グーグル、フェイスブック、マイクロソフト、ＩＢＭから、開発者が機械学習アルゴリズムに公平性を組み込むことを支援するためのソフトウェアツールが発表されている。ディープラーニングシステムを説明可能で透明な、出てきた結果を監査可能なものにすることが特に重要な理由は、ディープニューラルネットワークの構造にある。入力データの分析と理解が人工ニューロン同士の何百万もの接続にわたって分配されるために、一種の「ブラックボックス」になりがちだからだ。

また、ディープラーニングシステムの公平性を評価・保持することはきわめて難しく、技術的にも高度な課題となる。アマゾンの履歴書スクリーニングシステムで判明したように、ただアルゴリズムを微調整して人種や性別などのパラメータを無視させるだけでは、適切な解決にはならない。システムが代わりに別のパラメータに注意を向ける可能性があるからだ。たとえば、求職者のファーストネームが性別を示していたり、地区名や郵便番号が人種の記号になっているかもしれない。AIを公平にするアプローチとして、特に有望なのが「反実仮想」の活用だろう。この手法では、人種、性別、性的指向などのデリケートな変数が異なる値に変更されたときに、システムが同じ結果を出すかどうかを検証する。とはいえ、これらの分野の研究はまだ始まったばかりで、本当に公平な機械学習システムを一貫して作り出せるような技術を開発するには、まだまだ多くの研究が必要だろう。

のっぴきならない判断を下すためにAIが導入される場合、究極の目標となるのは、人間よりもバイアスが少なく、正確な判断を確実に下すことができる技術だ。アルゴリズムのバイアスを修正するのは難題だとしても、人間に対して同じことをするよりはだいたいにおいてずっと簡単だろう。マッキンゼー・グローバル・インスティテュート会長のジェームズ・マニカは私にこう語った。「一方で機械システムは、人間特有のバイアスや誤りを克服するのに役立ちますが、また一方で、それ自体がより大きな問題を引き起こす可能性もあるのです」[25]。そうした公平性の問題をなくすかできるかぎり減らすことは、人工知能という分野が抱える最大かつ喫緊の課題の一つだ。

そうした結果を実現するには、ＡＩアルゴリズムを構築し、テストし、配備する開発者たちが多様なバックグラウンドを持っていることも重要になる。人工知能は私たちの経済や社会を規定していくものだけに、その技術を最もよく理解し、したがってその方向性に最も影響を及ぼせる立場の専門家は、社会全体を代表する人たちでなくてはならない。しかしこの目標へ向けての進展は、これまでのところ芳しくない。二〇一八年の調査によると、主要な人工知能研究者に占める女性の割合はわずか約一二パーセントで、マイノリティの割合はさらに低いという。スタンフォード大学のフェイフェイ・リーが言っているように、「まわりを見渡してみると、企業のＡＩグループでも、大学のＡＩ担当教授でも、ＡＩの博士課程の学生でも、トップレベルのＡＩ関連会議での発表者でも、どこを切り取っても同じです。多様性が足りません。女性がいないし、マイノリティもいないのです」[26]。

大学や大手テック企業、そしてほぼすべてのトップＡＩ研究者たちが、この状況を変えようと固く決意している。特に有望なのは、リーが共同創設者になっているＡＩ４ＡＬＬという取り組みだ。この組織は才能のある高校生を対象としたサマーキャンプを行って、若い女性たちやマイノリティのグループを人工知能の分野に引き入れようと努力している。いまでは急速な拡大を遂げて、アメリカ国内の一一の大学のキャンパスでサマープログラムを提供しているほどだ。やるべきことはまだまだあるとはいえ、ＡＩ４ＡＬＬのようなプログラムに加えて、業界全体が広範囲にわたるＡＩ人材の獲得に力を入れることで、今後数年から数十年のあいだにはずっと多様性に富んだ研究者を輩出できるようになるだろう。この分野にもっと幅広い視点を取り入れることは、より効果的で公正な人工知能システムへと直接つながっていくと思う。

スーパーインテリジェンスが人類の存亡を脅かす？

最後にＡＩのリスクのなかでも、飛び抜けて重大なものがある。いつか人間を超えた知能を持つ機械が私たちの直接的な支配から逃れ、最終的に人類の存亡を脅かす行動をとるという可能性だ。セキュリティ問題、兵器化、アルゴリズムのバイアスといったものは当面の、つまり近い将来の危険を示している。これらの問題にはいますぐ、手遅れになる前に取り組んでいかなくてはならない。しかしスーパーインテリジェンス（超知能）が人類の脅威になるといった話は、ずっと先の、ほぼまちがいなく数十年か一〇〇年以上も未来の話だ。それでもこうしたリスクは多くの著名人の想像力をかきたて、メディアで大々的に取り上げられ、注目を集めている。

人類の存亡に関わるＡＩのリスクが本格的な議論の対象となったのは、二〇一四年のことだった。この年の五月、ケンブリッジ大学の宇宙論学者スティーヴン・ホーキング博士、ＡＩ専門家スチュアート・ラッセル、物理学者マックス・テグマーク、フランク・ウィルチェックらの科学者グループは、イギリスのインディペンデント紙に掲載された公開書簡のなかで、スーパーインテリジェンスの出現は「人類史上最大の出来事になる」、人間を超えた知的能力を持つコンピュータは「金融市場を出し抜き、人間の研究者を先回りし、人間の指導者を操り、われわれの理解を超えた兵器を開発する」ことができるだろうと言明した。そしてまた、迫りくるこの危険を真剣に受けとめようとしなければ、それは「人類史上最悪の過ち」になるかもしれないと警告している。[27]

同年末、オックスフォード大学の哲学者ニック・ボストロムが出した著書 *Superintelligence: Paths, Dangers, Strategies*（邦題『スーパーインテリジェンス――超絶ＡＩと人類の命運』）は、またたく間に驚きのベストセラーとなった。ボストロムはこの本の冒頭でこう述べている。人間が地球を支配しているのは、純粋に優れた知性のおかげだ。他にもっと速くて強く、獰猛な動物はたくさんいるが、人間の頭脳が覇権に導いたのだ。もし他の存在が私たち人間の知的能力を大きく上回れば、立場は簡単に逆転してしまう。「ゴリラたちの運命がいまや、ゴリラたち自身よりもわれわれ人間にかかっているように、人間という種の運命は、機械であるスーパーインテリジェンスの行動にかかってくるだろう」[28]

ボストロムの著書の影響力はすさまじく、特にシリコンバレーのエリート層を大きくゆさぶった。出版から一年以内にイーロン・マスクは、「人工知能を開発することで、われわれは悪魔を召喚している」、ＡＩは「核兵器より危険なものになりうる」と言明するようになった。そして一年後にマスクはオープンＡＩの共同創業者となり、「友好的な」人工知能を作り出すという具体的なミッションを掲げた。[29]

ボストロムの主張に特に深く影響された人たちのなかでは、ＡＩがいつか人類の存亡を脅かすという考えがほぼ確実なものとして——そしていずれは、気候変動や世界的パンデミックといった平凡な懸念よりはるかにずっと恐ろしく重大な危険になると受けとめられはじめた。神経科学者で哲学者のサム・ハリスは、五〇〇万回以上再生されているＴＥＤトークでこう主張している。「われわれが（人工知能の進歩によって）滅ぼされない、あるいは自らを滅ぼすよう駆りたてられない未来を見るのは、きわめて難しい」。そして、友好的でコントロール可能なＡＩを構築するすべを見つけ出すことでその結末を回避しようとする「マンハッタン計画のようなものが必要だ」と提言している。[30]

言うまでもないが、こうした心配が現実に近づいてくるのは、人間と同等の認知能力を備えた本物の思考機械が作れるようになってからの話だ。第５章で見たように、汎用人工知能の実現までの道のりには数知れない高いハードルがあり、その目標に達するためのブレイクスルーが起きるまであと何十年もかかるだろう。拙著『人工知能のアーキテクトたち』で話を聞いたＡＩ研究者たちが予測した、ＡＧＩが実現するまでの年数は平均でだいたい八〇年、つまり今世紀末だったことを思い出してほしい。

だが、いったん人間レベルのＡＩが現実のものになったら、その後に続いてスーパーインテリジェンスが現れるのはまずまちがいない。実のところ、機械が人間レベルの学習能力と推論能力を持つようになれば、その知能はすでに私たちより優れたものだろう。なぜならそうした機械には、コンピュータがすでに人間を上回っている点——たとえば理解を超えたスピードで情報を計算・操作したり、ネットワークを介して他の機械と直接やり取りしたりする能力などがすべて備わっているだろうからだ。

この点に加え、AI専門家の多くはこう考える。そうした機械知能はすぐに、その知的エネルギーを自分自身の設計を改善するほうへ向けようと決めるだろう。そうして容赦ない改良が繰り返され、システムはますます賢くなり、自らの人工的知性の再設計に熟達していく。その結果、必然的に「知性の爆発」が起こる――レイ・カーツワイルのようなテクノプティミスト（技術革新信者）が、そのときこそシンギュラリティと新時代の幕開けになると信じている現象だ。

AIの進化がいつか機械知能の爆発的向上を生み出すという議論は、ムーアの法則がもたらしたコンピュータハードウェアによってそうした可能性が夢物語でなくなった時期よりずっと以前からあった。一九六四年に数学者I・J・グッドは、「最初のウルトラインテリジェントマシンに関する推測」と第する論文を発表し、以下のような概念を説明している。

ウルトラインテリジェントマシンとは、どれほど優れた人間の知的活動であっても、それをはるかに上回ることが可能な機械だと定義しよう。機械の設計もそうした知的活動の一つなのだから、スーパーインテリジェントマシンもさらに優れた機械を設計することができる。すると当然ながら「知能の爆発」が起こり、人間の知性ははるか後ろへ取り残されてしまうだろう。したがって最初のスーパーインテリジェントマシンは、人間が生み出さなくてはならない最後の発明となる。ただしそれは、機械がずっとわれわれのコントロール下に置かれる方法を自ら教えてくれるほど従順だとしての話だ。[31]

スーパーインテリジェントマシンは人間が生み出さなくてはならない最後の発明となる、という言明は、シンギュラリティ信奉者たちの楽観論にそのまま通じるものだ。一方で、その機械がずっと人間のコントロール下に置かれるほど従順でなければならないという条件は、人類存亡の脅威への懸念でもある。このスーパーインテリジェンスの暗黒面は、AIコミュニティでは「コントロール問題」または「価値整合問題」と呼ばれている。

コントロール問題は、映画『ターミネーター』で描かれているような悪意に満ちあふれた機械への恐れからきているわけではない。AIシステムはすべて、目的関数を中心に設計されている。目的関数とは要するに、システムが達成しようとするなんらかの目標を数学的に表現したものだ。ここで心配なのは、スーパーインテリジェントなシステムがそうした目的を与えられ、それをひたすら達成しようとして使った手段が、意図しない、あるいは予期しない結果をもたらし、それが人間の文明に有害な、あるいは致命的な影響を及ぼすようになりはしないかということだ。

こうした論点を説明するのによく使われるのが、「ペーパークリップ・マキシマイザー」と呼ばれる思考実験だ。ペーパークリップの製造を最適化するという具体的な目的をもって設計されたスーパーインテリジェンスがあると想像してほしい。するとスーパーインテリジェントマシンは、その目的をひたすら達成しようとするうちにどんどん新たな技術を発明し、地球上の資源をほぼ残らずペーパークリップに変えてしまうかもしれない。このシステムは知的能力の点で人間をはるかに超えているだろうから、外から停止させようとしたり行動方針を変えようとしたりしても、巧みに回避してしまうだろう。実際のところ、外部からの妨害の試みはシステムの目的機能に反するものなので、それを阻止する明確なインセンティブがあるはずだ。

この例はあきらかに、一種の戯画としての表現だろう。実際に未来に起こりうるシナリオは、おそらくずっと微妙なもので、起こりうる結果を前もって予測することははるかに困難だろうし、たぶん不可能かもしれない。意図せざる結果がどれほど社会にデメリットをもたらすものか、そのことを示す重要な例がすでに存在する。ユーチューブ、フェイスブックといったテック企業が使う機械学習アルゴリズムは総じて、プラットフォームでのユーザーエンゲージメント（ユーザーとの結びつき）を最大化するという目的を与えられている。それがオンライン広告からの収入増加につながるからだ。しかしあることがあきらかになった。この目的を達成しようとするアルゴリズムはすぐに、人々をエンゲージさせつづける最高の手段は、これまでになく政治的に偏ったコンテンツを見聞きさせたり、怒りや恐怖といった感情を直接利用したりすることだと心得るようになったのだ。

たとえば、ユーチューブでたびたび言及される「ウサギ穴」の現象がある。何か差し障りのない動画が再生されたあとに、もっと刺激の強いコンテンツを続けてレコメンド（おすすめ）することでユーザーの感情を刺激し、プラットフォームへのエンゲージメントを持続させようとするのだ。[32] これはプラットフォーム側が収益を上げるには都合がいいかもしれないが、私たちの社会的・政治的環境にはどう見ても良いものではない。もしもスーパーインテリジェントシステムが目的を達成しようとしてこれと同じような判断違いをすれば、もはやコントロールを取り戻すのは不可能かもしれない。

コントロール問題を解決しようとする試みは、各大学の学術研究のほか、オープンＡＩ、ニック・ボストロムが所長を務めるオックスフォード大学の人類の未来研究所、カリフォルニア州バークレーにある機械知能調査研究所といった民間出資による専門組織でも重要なテーマとなっている。スチュアート・ラッセルは二〇一九年の著書*Human Compatible: Artificial Intelligence and the Problem of Control*（『人類との共存――人工知能とコントロール問題』）のなかでこう言っている。この問題のベストな解決策は、高度なＡＩシステムには明示的な目的関数を一切組み込まないということだ。そしてこのシステムは「人間の好むことを最大限に実現する」ように設計されるべきである[33]。

機械知能は、そうした好みや意図がどういうものかよくわからないので、人間の行動を研究することで自分の目的を策定し、進んで人間と対話をして、人間からの指示を受け入れることになるだろう。こういったシステムは、止めようのないペーパークリップ・マキシマイザーとはちがい、そうすることが人間の好みに沿っているのだと信じられれば、自分がシャットダウンされることにも従うだろう。

これは、現在のＡＩシステム構築のアプローチとは大きくかけ離れたものだ。ラッセルはこう説明する。

このようなモデルを現実に実用化するには、大変な量の研究を行わなくてはなりません。そして意思決定のためには、「極力干渉的でない」アルゴリズムが必要です。というのも、機械には世界のある部分の価値がよく理解できないので、そうしたところには手を出させないようにしなくてはならない。それにわれわれ人間が、未来がどうなっていくことを本当に望んでいるのかをもっと学習できる機械も必要でしょう。こうした機械は、昔ながらの道徳哲学の問題に直面することになります。つまり、相反する欲求を持つ別々の個人のあいだで、利益とコストをどのように分配すればいいのか。

これだけのことを実現するのに一〇年はかかるでしょう――またそうなったときにも、安全だと証明できるシステムが採用され、適合しないシステムは確実に棄てられるような規制が必要です。これは簡単なことではない。それでも重要な分野に導入されたAIシステムの能力が人間を超えてしまう前に、このモデルが配備されるようにしなければならないのはあきらかです。[34]

注目すべきなのは、人類存亡の脅威を警告する人たちの顔ぶれだ。スチュアート・ラッセルは人工知能に関する第一級の大学教科書を共同で書いているほどの人物だが、それを別にすると、最も著名な声のほとんどがAI研究やコンピュータ科学の分野以外から来ている。主だったところでは、サム・ハリスのような社会派の知識人、イーロン・マスクのようなシリコンバレーの大立物、ホーキング博士やMITの物理学者マックス・テグマークのような他分野の科学者たちだ。

しかし実際にＡＩの研究に携わっている専門家たちは、もっと楽観的に構える傾向がある。私が『人工知能のアーキテクトたち』を書くために二三名のエリート研究者から話を聞いたときは、人類存亡に関わる脅威という話を真剣に受けとめている研究者も若干名いたものの、大多数はかなり否定的だった。そのときに何度も耳にしたのは、スーパーインテリジェンスの出現はあまりに遠い話で、解決すべき問題の具体的なパラメータも漠然としているため、この問題を追求することには大して意味がないということだ。

グーグルやバイドゥでＡＩ研究グループを率いていたアンドリュー・ングは、「ＡＩの人類存亡に関わる脅威を心配するのは、火星の人口過剰を心配するようなものだ」と発言したことで知られる。ロボット工学者のロドニー・ブルックスもそれと同じ考えだ。スーパーインテリジェンスははるか遠い未来の話で、「現在とまったく同じ世界のなかに出現するというのではなく、ＡＩのスーパーインテリジェンスがその真ん中に存在するような世界がやってくるということでしょう」と言う。「そのとき世界（やスーパーインテリジェントなＡＩシステム）がどんなものになっているか、私たちにはまったくわかりません。ＡＩの未来を予測するのは、現実の世界から切り離された学者たちのマウントの取り合いに過ぎない。そうしたテクノロジーが出現しないというのではなく、実際に現れる前にどんなものになるかは知りようがないということです」[35]

ＡＩが人類の脅威になると唱える一派は、この問題は何十年もたってからでないと起こらないものだから重要ではないしどうしようもない、という意見には強く反発する。そして、最初のスーパーインテリジェンスが誕生する前にコントロール問題を解決しなくてはならない、でないと手遅れになると主張するのだ。スチュアート・ラッセルはたとえ話として、地球外生命体の到来をよく引き合いに出す。たとえば宇宙のどこかから、異星人が五〇年後に地球へやってくるという信号を受け取ったとしよう。私たちはおそらく、そのときに備えようとして、ただちに世界規模での努力を始めるだろう。いつかスーパーインテリジェンスが到来するときのためにも同じことをするべきだと、ラッセルは考えているのだ。

私自身は、ＡＩがもたらす脅威の可能性を真剣に受けとめるべきだという見方をとる。オックスフォード大学人類の未来研究所のような組織がこの問題に積極的に取り組んでいるのはとてもいいことだと思う。だがそれも、リソースを適切に割り振るという意味でのことで、少なくとも現時点では、静かな学術研究の場でこの問題に取り組むのがベストではないだろうか。いまの段階で、政府が出資する「マンハッタン計画」並みの規模で何かをすることが正当だとは見なされないだろう。

またこの問題を、すでに機能不全に陥っているアメリカの政治へ持ち込もうとするのも得策とは思えない。このテクノロジーについての理解がないに等しい政治家たちが、スーパーインテリジェントマシンの危険性をツイートしたりするのが本当に望ましいことだろうか。特に米国政府の能力がひどく限られていることを考えると、遠い未来の脅威を大げさに言いたてたり政治問題化したりすることは、もっと現実的で差し迫ったＡＩのリスクから目をそらさせることになりかねないと思う。ＡＩの兵器化、セキュリティ、バイアスといった目前のリスクにこそ、私たちはいますぐ多くのリソースを投入して取り組みはじめるべきなのだ。

規制は絶対に必要になる

この章で見てきた数々のリスクから汲み取れそうな、重要なことが一つある。ＡＩが進歩を続け、よりユビキタスになっていくなかでは、政府による規制があきらかに重要な役割を果たすだろうということだ。しかし人工知能の研究全般に行きすぎた規制や制限を加えるのは、はなはだしい見当違いだと私は思う。人工知能の研究は世界中で行われているのだから、規制したところで世界規模での効果は見込めないだろう。そして前の章で見たとおり、特に中国は欧米諸国に熾烈な競争を挑みながら、人工知能のフロンティアを押し広げている。基礎研究に制限をかけることは私たちにとって著しく不利になるのはあきらかだし、こうした重要な技術の最先端に立とうとするときに中国に後れをとっている余裕はないのだ。

まず重点を置くべきなのは、人工知能の具体的なアプリケーションへの規制だろう。自動運転車やＡＩ医療診断ツールなどの分野では、そうしたアプリケーションがすでに実施されている規制の枠組みと交わるため、すでにルールが策定されている。しかしさらに広範囲にわたる監視が必要だ。人工知能はいずれ、ほぼあらゆるものに触れるようになるだろうが、これまで見てきたように、顔認識のような技術や刑事裁判システムで使用されるアルゴリズムは、効果的かつ公正に配備されているかどうかの保証もほとんどないまま、ごくごく重大な決定を下すために使われている。

人工知能の進歩スピードと、ＡＩがらみの諸問題の複雑さを考えれば、アメリカ議会が、というよりどこの議会組織でも、詳細な規制をタイミングよく起草・制定することは期待できそうにない。最良の方策はおそらく、人工知能の応用に特化した規制権限を持つ独立した政府機関を作ることだろう。これは大ざっぱに、米国食品医薬品局、連邦航空局、証券取引委員会などに相当するような機関となる。こうした機関はどれも、他の地域の同様の機関、たとえば欧州医薬品庁と同じように、深い組織内の専門知識を育み、その範囲内での問題に対処することができる。人工知能の分野でもそれと同じものを作るのだ。このＡＩの規制機関は、議会から広範な権限と予算を与えられるだろうが、具体的な規制を策定する権限を持ち、議会よりずっと迅速かつ効果的に実行することができるだろう。

リバタリアンに近い一派たちからは、そんな機関はこの国にある他の規制機関がすでに抱えているのと同じ非効率性に悩まされることになるという指摘があるかもしれないし、その反論はおそらく正しい。ＡＩ規制機関はあきらかに大手テック企業と密接な関係を持ち、昔から言われる「回転ドア」となって、そこを産業界と政府の人間が行き来するようになるだろう。テック産業の側が規制機関を取り込んだり、不当な影響力を持ったりするリスクも高いだろう。懸念はたしかにあるが、それでもこうした機関はまずまちがいなく、私たちが手にできる最適な解決策だと思う。

もし代わりの方策がただ何もしないことだというなら、それは必ずはるかに悪い結果を生むだろう。実のところ、規制機関とＡＩ技術を開発・配備する企業との密接な関係が生まれるとしたら、それはバグでもあるが特徴・仕様でもある、と言うべきところだと思う。政府がＡＩの優秀な人材を雇い入れようとしても、競合するテック業界では常識的な高給や持分報奨を出せることは現実的にありえないのだから、民間セクターとの協力こそ、この分野の最新の進歩についていくための唯一の道ではないか。どの解決策も完璧ということはありえない。それでも、正しい方向へと物事を進められるだけの専門知識を備えた規制機関を軸に、産・学・官の三者が加わる生産的な関係が生まれれば、ＡＩが安全かつ包括的、公正に配備されるのに大いに役立つだろう。

結論　ＡＩの二つの未来

人工知能が進歩を続け、私たちの暮らしのさらに多くの面へ浸透していこうとしているいま、この技術に伴うリスクにも早急に注意を向ける必要がある。二〇二〇年には新型コロナ禍と社会的な動乱が重なった結果、こうした問題の少なくとも一部が公の議論の場で大きく取り上げられるようになった。五月のミネアポリスの警察官によるジョージ・フロイド殺害事件をめぐって全米規模の抗議活動が起こり、それをきっかけに顔認識技術に存在する人種的なバイアスが一躍クローズアップされた。するとアマゾンは、アメリカ議会にこの顔認識技術の規制を検討する猶予を与えるため、レコグニションの法執行機関への販売を一年間停止すると発表した。マイクロソフトも法律ができるまでのあいだ同じ措置をとると発表し、ＩＢＭは顔認識の市場から完全に撤退した。[1]

またコロナ禍が引き金となって、従来にはなかった政策対応が新たに受け入れられはじめた。

経済活動の停止によって恐ろしい規模の雇用喪失が起こり、議会はほんの数カ月前なら即座に否決されていたような政策を迅速に進めることができた。たとえば、納税者に一二〇〇ドルの直接給付金を送付する、失業保険の支払額を一時的ながら大幅に増やす、プログラムを拡大してギグ・エコノミーの働き手まで含める、といったものだ。この先、人工知能とロボットが雇用市場に及ぼす影響が加速していくなか、こうした案はつねに俎上に載せられるだろう。実際すでに、経済危機の期間中は月々の給付金——実質的なベーシックインカム——を支払うべきだという声があがっている。[2]

だが、ＡＩが台頭しつづけるのに伴って必然的に起こる危機には、さらに総合的で一貫した対応が不可欠だ。それには政府と民間セクターの効果的な連携と、この分野の急速な進歩に対応するための専門知識と対になった規制の枠組みの創出が求められる。しかもこうした措置すべてを、すでに後手に回りかけているいまこそ始めなくてはならない。

実際、どの問題も深刻なものだが、それでも人工知能がもたらす利点はリスクをはるかに上回ると私は強く信じている。それどころか今後数十年で私たちが直面することになる数々の難題を考えれば、人工知能はなくてはならないものになるだろう。この技術的停滞の時期を脱して広範なイノベーションの新時代へいたるには、否応なしに人工知能が必要なのだ。

最も目に見えて迫っている脅威は、世界的な気候変動である。二〇一八年に「気候変動に関する政府間パネル」が発表した分析結果によると、世界に壊滅的被害が及ぶのを阻止するためには地球の気温上昇を摂氏一・五度以内にとどめなければならず、そのためには二〇五〇年までに炭素の純排出量をゼロにする必要があるという。これを現実的なレベルで達成するには、二〇三〇年までにおよそ四五パーセントの削減が求められるのだ。[3]

これがどれほどの難事業であるかが、新型コロナウイルスの感染拡大のなかで図らずも浮き彫りにされた。コロナ禍はかつて例を見ない大規模な実験となった。ビル・ゲイツが二〇二〇年八月のブログで指摘したように、今回の世界的なシャットダウンで、航空機の運航がほぼ停止し、市街や高速道路やオフィスビルが空っぽになった。それでも排出量の減少はおよそ八パーセントにとどまったのだ。しかもこの一時的な削減は、地球上のほぼすべての国での莫大な経済損失と急激な失業率の増大という犠牲と引き換えだった。つまり、環境保護を重視する政策や、通勤手段を公共交通機関に切り替えるなどの行動上の変化だけで、今後一〇年間に二酸化炭素排出量を五〇パーセント削減することは、控えめにいっても現実的ではない。ゲイツが言うように、「フライトやドライブを減らすだけでは、ゼロエミッションはまず達成できない」のだ。[4]

成否は何よりまず、イノベーションにかかっている。発電と自動車の動力源をクリーンな再生可能エネルギーへ移行させるだけではまだ足りない。発電所と交通機関が総排出量に占める割合は半分にも満たない四〇パーセントほど。[5]あとの出どころは農業や製造業、建物やその他もろもろだ。地球規模の排出量を大幅に削減するには、こうしたすべての分野で技術的なブレイクスルーが必要になる。

加えてほかにも、世界的に深刻になりつつある水不足や次回のパンデミックといった難題があり、あらゆる分野で是が非でもイノベーションの波が望まれていることは確かだ。しかし第3章で見たとおり、新たなアイデア創出のペースは、過去数十年のあいだむしろ鈍っている。アメリカ国内のイノベーションを研究するスタンフォード大学とマサチューセッツ工科大学のエコノミストたちは、こう書いている。「どこに目を向けても、新たなアイデアと、そこから生まれる指数関数的な成長はなかなか見つけられなくなっている」[6]

この状況を変えるにあたっては、人工知能が触媒の役目を果たしてくれる。こうした難題に直面したとき、人間の知性と創造性を劇的に高められるユビキタスで手頃な公益サービスは、ほかにはありえない重要な存在だ。ここでカギとなるのは、あらゆる手を尽くしてこの新しいリソースの開発を加速させる一方で、社会的セーフティネットと規制の枠組みを進化させ、ＡＩに伴うリスクを軽減し、その恩恵を広く包括的に共有できるようにすることである。

この道を進んでいった先に私たちが築く未来は、最終的には両極にある二つのフィクションのあいだのどこかに位置するのではないかと思う。最も楽観的なシナリオは『スター・トレック』にあやかったものだ。このＳＦドラマに描かれる脱希少性経済の世界では、高度な技術のおかげで物質的には豊かで、貧困は解消され、環境問題も対策が進み、病気もほぼ治癒する。誰もただ食い扶持を稼ぐために、つまらない仕事に就いてあくせくする必要はない。この世界ではみんなが高い教育を受け、やりがいがあると感じられる仕事に挑戦している。従来あった職がなくなっても怠惰に陥ったり、生きる意味や尊厳を失ったりはしない。『スター・トレック』の宇宙では、人々の価値は経済的に何を生み出すかというより、本質的な人間性で決まるのだ。『スター・トレック』のなかで描かれるテクノロジーは、その多くが実現不可能か、少なくともはるか未来のものではある。それでも私は、このドラマは高度な技術が広範囲に繁栄をもたらし、人類が地球上の問題を解決して、宇宙へと旅立てるようになる未来を巧みに描き出していると思う。

もう一つの、はるかにディストピア的な未来は、『マトリックス』に近いものになるのではないか。私が不安なのは、人工知能が人間を奴隷にするといったことではなく、現実の世界の格差があまりに広がり、普通の人たちが将来への展望を持てなくなるせいで、人口の大半が仮想的な現実へ逃げ込んでしまうことだ。今後の数十年でＡＩとバーチャルリアリティの技術がさらに進めば、その両者が組み合わさっておそろしく真に迫った魅力的なシミュレーションが作り出され、自分がいる現実の世界よりずっといいと感じる人が多くなるだろう。実際に二〇一七年、エコノミストのグループが行った分析では、労働市場から離脱した若い男性の数が次第に増えていて、みんなほとんどの時間をビデオゲームに費やしていることがわかった。[7] テクノロジーはまもなく、こうしたバーチャルな環境の中毒性を高め、一種の麻薬と見なしてもおかしくないほどのものにするかもしれない。

人工知能とロボットの進化のために雇用市場が大きな変化をこうむり、雇用機会が消えたり雇用の質が低下したりすれば、政府はいずれ社会秩序を維持するために、なんらかの形で——おそらくベーシックインカムで——国民を支援せざるをえなくなるはずだ。しかしそこでやるべきことを怠り、国民が教育を優先して目的意識を持ちつづけるようにさせられなければ、結果的に無気力と無関心が蔓延するだろう。そして社会は分裂し、少数のエリート層だけが現実世界につなぎ止められる一方、大衆はどんどんテクノロジーによるファンタジーへ逃げ込むか、犯罪やら何やらに引き込まれてしまうかもしれない。そうなれば教育を受けた人口が減少し、民主主義が包括的かつ効果的に機能しなくなり、イノベーションの速度も低下するだろう。特に優秀な人たちの多くがさらに魅力的になったバーチャルな領域へ引き入れられ、もう現実の世界での成功を目ざす強いインセンティブがなくなってしまうからだ。このシナリオでは、経済的・社会的な逆風のために私たちが直面する世界的な難題を克服するのがずっと難しくなる。

目ざすべきは『スター・トレック』の未来である――それはほぼ誰もが同意するところだと思う。しかしただほうっておいても実現する、というものではない。その目的地へ向けて軌道修正を行うための明確な政策を作り出す必要がある。きっと長い長い道のりになるだろうが、しかしまずは所得分配の問題を解決することから始めつつ、人々が教育を受けたり意義のある挑戦をするための強力なインセンティブを保つことができれば、私たちは正しい方向へ向かっていけるだろう。

謝辞

私が人工知能のことを理解できたとすれば、過去数年にわたって話をうかがい、テクノロジーの実演を見せてくださったじつに多くの方たちのおかげだ。なかでも『人工知能のアーキテクトたち』に収録されたインタビューに応じてくださった二三名の傑出した研究者、起業家の方々に、心から感謝を申し上げたい。誰もがＡＩ分野における最高の知性であって、本書の内容の多くはその知見と予測に拠っている。

アメリカのわが編集者、Ｔ・Ｊ・ケラーとイギリスのサラ・カロは、私が議論を精緻にし、草稿を最適な形に仕上げるのに尽力してくれた。エージェントのドン・フェアーは今回のプロジェクトでも、ベーシック・ブックスというすばらしい出版元を見つけてくれた。

私が本書の執筆に費やしたおおよそ八カ月の時間は、新型コロナウイルスの感染拡大とそれに伴うシャットダウンの時期と一致していた。そのあいだ安全な自宅にとどまり、執筆に専念することができたのは、得がたい幸運だった。医療従事者の方々に、またそんな贅沢が許されない最前線の労働者の方々に、深く感謝したい。

最後に、私がこのプロジェクトに没頭しているあいだ、いつも励まし支えてくれた妻のシャオシャオ、娘のエレーンに感謝を。

原注

第1章　迫りくる創造的破壊

1. Ewen Callaway, "'It will change everything': DeepMind's AI makes gigantic leap in solving protein structures," *Nature*, November 30, 2020, www.nature.com/articles/d41586-020-03348-4.
2. Andrew Senior, Demis Hassabis, John Jumper and Pushmeet Kohli, "Al phaFold: Using AI for scientific discovery," DeepMind Research Blog, January 15, 2020, deepmind.com/blog/article/AlphaFold-Using-AI-for-scientific-discovery.
3. Ian Sample, "Google's DeepMind predicts 3D shapes of proteins," The Guardian, December 2, 2018, www.theguardian.com/science/2018/dec/02/google-deepminds-ai-program-alphafold-predicts-3d-shapes-of-proteins.
4. Lyxor Robotics and AI UCITS ETF, stock market ticker ROAI.
5. たとえば以下を参照。Carl Benedikt Frey and Michael Osborne, "The future of employment: How susceptible are jobs to computerisation?," Oxford Martin School, University of Oxford, Working Paper, September 17, 2013, www.oxfordmartin.ox.ac.uk/downloads/academic/future-of-employment.pdf, p. 38.
6. Matt McFarland, "Elon Musk: 'With artificial intelligence we are summoning the demon,'" *Washington Post*, October 24, 2014, www.washingtonpost.com/news/innovations/wp/2014/10/24/elon-musk-with-artificial-in-

telligence-we-are-summoning-the-demon/.

7. Anand S. Rao and Gerard Verweij, "Sizing the prize: What's the real value of AI for your business and how can you capitalise?," PwC, October 2018, www.pwc.com/gx/en/issues/analytics/assets/pwc-ai-analysis-sizing-the-prize-report.pdf.

第2章　AIは第二の電気となる

1. "Neuromorphic computing," Intel Corporation, accessed May 3, 2020, www.intel.com/content/www/us/en/research/neuromorphic-computing.html.
2. Sara Castellanos, "Intel to release neuromorphic-computing system," *Wall Street Journal*, March 18, 2020, www.wsj.com/articles/intel-to-release-neuromorphic-computing-system-11584540000.
3. Linda Hardesty, "WikiLeaks publishes the location of Amazon's datacenters," SDXCentral, October 12, 2018, www.sdxcentral.com/articles/news/wikileaks-publishes-the-location-of-amazons-data-centers/2018/10/.
4. "RightScale 2019 State of the Cloud Report from Flexera," Flexera, 2019, resources.flexera.com/web/media/documents/rightscale-2019-state-of-the-cloud-report-from-flexera.pdf, p. 2.
5. Pierr Johnson, "With the public clouds of Amazon, Microsoft and Google, big data is the proverbial big deal," *Forbes*, June 15, 2017, www.forbes.com/sites/johnsonpierr/2017/06/15/with-the-public-clouds-of-amazon-microsoft-and-google-big-data-is-the-proverbial-big-deal/.
6. Richard Evans and Jim Gao, "DeepMind AI reduces Google data centre cooling bill by 40%," DeepMind Research Blog, July 20, 2016, deepmind.com/blog/article/deepmind-ai-reduces-google-data-centre-cooling-bill-40.
7. Urs Hölzle, "Data centers are more energy efficient than ever," Google Blog, February 27, 2020, www.blog.google/outreach-initiatives/sustainability/data-centers-energy-efficient/.

8. Ron Miller, "AWS revenue growth slips a bit, but remains Amazon's golden goose," *TechCrunch*, July 25, 2019, techcrunch.com/2019/07/25/aws-revenue-growth-slips-a-bit-but-remains-amazons-golden-goose/.

9. John Bonazzo, "Google exits Pentagon 'JEDI' project after employee protests," *Observer*, October 10, 2018, observer.com/2018/10/google-pentagon-jedi/.

10. Annie Palmer, "Judge temporarily blocks Microsoft Pentagon cloud contract after Amazon suit," *CNBC*, February 13, 2020, www.cnbc.com/2020/02/13/amazon-gets-restraining-order-to-block-microsoft-work-on-pentagon-jedi.html.

11. Lauren Feiner, "DoD asks judge to let it reconsider decision to give Microsoft $10 billion contract over Amazon," *CNBC*, March 13, 2020, www.cnbc.com/2020/03/13/pentagon-asks-judge-to-let-it-reconsider-its-jedi-cloud-contract-award.html.

12. "TensorFlow on AWS," Amazon Web Services, accessed May 4, 2020, aws.amazon.com/tensorflow/.

13. Kyle Wiggers, "Intel debuts Pohoiki Springs, a powerful neuromorphic research system for AI workloads," *VentureBeat*, March 18, 2020, venturebeat.com/2020/03/18/intel-debuts-pohoiki-springs-a-powerful-neuromorphic-research-system-for-ai-workloads/.

14. Jeremy Kahn, "Inside big tech's quest for human-level A.I.," *Fortune*, January 20, 2020, fortune.com/longform/ai-artificial-intelligence-big-tech-microsoft-alphabet-openai/.

15. Martin Ford, Interview with Fei-Fei Li, in *Architects of Intelligence: The Truth about AI from the People Building It*, Packt Publishing, 2018, p. 150.

16. "Deep Learning on AWS," Amazon Web Services, accessed May 4, 2020, aws.amazon.com/deep-learning/.

17. Kyle Wiggers, "MIT researchers: Amazon's Rekognition shows gender and ethnic bias," *VentureBeat*, January 24, 2019, venturebeat.com/2019/01/24/amazon-rekognition-bias-mit/.

18. "New schemes teach the masses to build AI," *The Economist*, October 27, 2018, www.economist.com/

business/2018/10/27/new-schemes-teach-the-masses-to-build-ai.
19. Chris Hoffman, "What is 5G, and how fast will it be?," *How-to Geek*, January 3, 2020, www.howtogeek.com/340002/what-is-5g-and-how-fast-will-it-be/.

第3章 「誇張」されるAI――リアルな現状

1. Tesla, "Tesla Autonomy Day (video)," YouTube, April 22, 2019, www.youtube.com/watch?reload=9&v=Ucp0TTmvqOE.
2. Sean Szymkowski, "Tesla's full self-driving mode under the watchful eye of NHTSA," *Road Show*, October 22, 2020, www.cnet.com/roadshow/news/teslas-full-self-driving-mode-nhtsa/.
3. Rob Csongor, "Tesla raises the bar for self-driving carmakers," NVIDIA Blog, April 23, 2019, blogs.nvidia.com/blog/2019/04/23/tesla-self-driving/.
4. Jeffrey Van Camp, "My Jibo is dying and it's breaking my heart," *Wired*, March 9, 2019, www.wired.com/story/jibo-is-dying-eulogy/.
5. Mark Gurman and Brad Stone, "Amazon is said to be working on another big bet: Home robots," *Bloomberg*, April 23, 2018, www.bloomberg.com/news/articles/2018-04-23/amazon-is-said-to-be-working-on-another-big-bet-home-robots.
6. Martin Ford, Interview with Rodney Brooks, in *Architects of Intelligence: The Truth about AI from the People Building It*, Packt Publishing, 2018, p. 432.（邦題『人工知能のアーキテクトたち――AIを築き上げた人々が語るその真実』）
7. "Solving Rubik's Cube with a robot hand," OpenAI, October 15, 2019, openai.com/blog/solving-rubiks-cube/. (Includes videos.)

8. Will Knight, "Why solving a Rubik's Cube does not signal robot supremacy," *Wired*, October 16, 2019, www.wired.com/story/why-solving-rubiks-cube-not-signal-robot-supremacy/.

9. Noam Scheiber, "Inside an Amazon warehouse, robots' ways rub off on humans," *New York Times*, July 3, 2019, www.nytimes.com/2019/07/03/business/economy/amazon-warehouse-labor-robots.html.

10. Eugene Kim, "Amazon's $775 million deal for robotics company Kiva is starting to look really smart," *Business Insider*, June 15, 2016, www.businessinsider.com/kiva-robots-save-money-for-amazon-2016-6.

11. Will Evans, "Ruthless quotas at Amazon are maiming employees," *The Atlantic*, November 25, 2019, www.theatlantic.com/technology/archive/2019/11/amazon-warehouse-reports-show-worker-injuries/602530/.

12. Jason Del Ray, "How robots are transforming Amazon warehouse jobs — for better and worse," *Recode*, December 11, 2019, www.vox.com/recode/2019/12/11/20982652/robots-amazon-warehouse-jobs-automation.

13. Michael Sainato, "'I'm not a robot': Amazon workers condemn unsafe, grueling conditions at warehouse," *The Guardian*, February 5, 2020, www.theguardian.com/technology/2020/feb/05/amazon-workers-protest-unsafe-grueling-conditions-warehouse.

14. Jeffrey Dastin, "Exclusive: Amazon rolls out machines that pack orders and replace jobs," *Reuters*, May 13, 2019, www.reuters.com/article/us-amazon-com-automation-exclusive/exclusive-amazon-rolls-out-machines-that-pack-orders-and-replace-jobs-idUSKCN1SJ0X1.

15. Matt Simon, "Inside the Amazon warehouse where humans and machines become one," *Wired*, June 5, 2019, www.wired.com/story/amazon-warehouse-robots/.

16. James Vincent, "Amazon's latest robot champion uses deep learning to stock shelves," *The Verge*, July 5, 2016, www.theverge.com/2016/7/5/12095788/amazon-picking-robot-challenge-2016.

17. Jeffrey Dastin, "Amazon's Bezos says robotic hands will be ready for commercial use in next 10 years," *Reuters*, June 6, 2019, www.reuters.com/article/us-amazon-com-conference/amazons-bezos-says-robotic-hands-

will-be-ready-for-commercial-use-in-next-10-years-idUSKCN1T72JB.

18. *Tech Insider*, "Inside a warehouse where thousands of robots pack groceries (video)," YouTube, May 9, 2018, www.youtube.com/watch?reload=9&v=4DKrcpa8Z_E.
19. James Vincent, "Welcome to the automated warehouse of the future," *The Verge*, May 8, 2018, www.theverge.com/2018/5/8/17331250/automated-warehouses-jobs-ocado-andover-amazon.
20. Ibid.
21. "ABB and Covariant partner to deploy integrated AI robotic solutions," ABB Press Release, February 25, 2020, new.abb.com/news/detail/57457/abb-and-covariant-partner-to-deploy-integrated-ai-robotic-solutions.
22. Evan Ackerman, "Covariant uses simple robot and gigantic neural net to automate warehouse picking," IEEE Spectrum, January 29, 2020, spectrum.ieee.org/automaton/robotics/industrial-robots/covariant-ai-gigantic-neural-network-to-automate-warehouse-picking.
23. Jonathan Vanian, "Industrial robotics giant teams up with a rising A.I. startup," *Fortune*, February 25, 2020, fortune.com/2020/02/25/industrial-robotics-ai-covariant/.
24. Alexander Lavin, J. Swaroop Guntupalli, Miguel Lázaro-Gredilla, et al., "Explaining visual cortex phenomena using recursive cortical network," Vicarious Research Paper, July 30, 2018, www.biorxiv.org/content/biorxiv/early/2018/07/30/380048.full.pdf.
25. Tom Simonite, "These industrial robots get more adept with every task," *Wired*, March 10, 2020, www.wired.com/story/these-industrial-robots-adept-every-task/.
26. Adam Satariano and Cade Metz, "A warehouse robot learns to sort out the tricky stuff," *New York Times*, January 29, 2020, www.nytimes.com/2020/01/29/technology/warehouse-robot.html.
27. Matthew Boyle, "Robots in aisle two: Supermarket survival means matching Amazon," *Bloomberg*, December 3, 2019, www.bloomberg.com/features/2019-automated-grocery-stores/.

28. Ibid.
29. Nathaniel Meyersohn, "Grocery stores turn to robots during the coronavirus," *CNN Business*, April 7, 2020, www.cnn.com/2020/04/07/business/grocery-stores-robots-automation/index.html.
30. Shoshy Ciment, "Walmart is bringing robots to 650 more stores as the retailer ramps up automation in stores nationwide," *Business Insider*, January 13, 2020, www.businessinsider.com/walmart-adding-robots-help-stock-shelves-to-650-more-stores-2020-1.
31. Jennifer Smith, "Grocery delivery goes small with micro-fulfillment centers," *Wall Street Journal*, January 27, 2020, www.wsj.com/articles/grocery-delivery-goes-small-with-micro-fulfillment-centers-11580121002.
32. Nick Wingfield, "Inside Amazon Go, a store of the future," *New York Times*, January 21, 2018, www.nytimes.com/2018/01/21/technology/inside-amazon-go-a-store-of-the-future.html.
33. Spencer Soper, "Amazon will consider opening up to 3,000 cashierless stores by 2021," *Bloomberg*, September 29, 2018, www.bloomberg.com/news/articles/2018-09-19/amazon-is-said-to-plan-up-to-3-000-cashierless-stores-by-2021.
34. Paul Sawyers, "SoftBank leads $30 million investment in Accel Robotics for AI-enabled cashierless stores," *VentureBeat*, December 3, 2019, venturebeat.com/2019/12/03/softbank-leads-30-million-investment-in-accel-robotics-for-ai-enabled-cashierless-stores/.
35. Jurica Dujmovic, "As coronavirus hits hard, Amazon starts licensing cashier-free technology to retailers," *MarketWatch*, March 31, 2020, www.marketwatch.com/story/as-coronavirus-hits-hard-amazon-starts-licensing-cashier-free-technology-to-retailers-2020-03-31.
36. Eric Rosenbaum, "Panera is losing nearly 100% of its workers every year as fast-food turnover crisis worsens," *CNBC*, August 29, 2019, www.cnbc.com/2019/08/29/fast-food-restaurants-in-america-are-losing-100percent-of-workers-every-year.html.

37. Ibid.
38. Kate Krader, "The world's first robot-made burger is about to hit the Bay Area," *Bloomberg*, June 21, 2018, www.bloomberg.com/news/features/2018-06-21/the-world-s-first-robotic-burger-is-ready-to-hit-the-bay-area.
39. John Elflein, "U.S. health care expenditure as a percentage of GDP 1960-2020," *Statista*, June 8, 2020, www.statista.com/statistics/184968/us-health-expenditure-as-percent-of-gdp-since-1960/.
40. "Healthcare expenditure and financing," OECD.stat, accessed May 15, 2020, stats.oecd.org/Index.aspx?DataSetCode=SHA.
41. William J. Baumol and William G. Bowen, *Performing Arts, The Economic Dilemma: A Study of Problems Common to Theater, Opera, Music and Dance*, MIT Press, 1966.（邦題『舞台芸術――芸術と経済のジレンマ』）
42. Michael Maiello, "Diagnosing William Baumol's cost disease," *Chicago Booth Review*, May 18, 2017, review.chicagobooth.edu/economics/2017/article/diagnosing-william-baumol-s-cost-disease.
43. "7 healthcare robots for the smart hospital of the future," Nanalyze, April 6, 2020, www.nanalyze.com/2020/04/healthcare-robots-smart-hospital/.
44. Daphne Sashin, "Robots join workforce at the new Stanford Hospital," *Stanford Medicine News*, November 4, 2019, med.stanford.edu/news/all-news/2019/11/robots-join-the-workforce-at-the-new-stanford-hospital-.html.
45. Diego Ardila, Atilla P. Kiraly, Sujeeth Bharadwaj et al., "End-to-end lung cancer screening with three-dimensional deep learning on low-dose chest computed tomography," *Nature Medicine*, volume 25, pp. 954-961 (2019), May 20, 2019, www.nature.com/articles/s41591-019-0447-x.
46. Karen Hao, "Doctors are using AI to triage COVID-19 patients. The tools may be here to stay," *MIT Technology Review*, April 23, 2020, www.technologyreview.com/2020/04/23/1000410/ai-triage-covid-19-patients-health-care.
47. Creative Distribution Lab, "Geoffrey Hinton: On radiology (video)," YouTube, November 24, 2016, www.youtube.

com/watch?reload=9&v=2HMPRXstSvQ. (Part of the Machine Learning and the Market for Intelligence 2016 conference.)

48. Alex Bratt, "Why radiologists have nothing to fear from deep learning," *Journal of the American College of Radiology*, volume 16, issue 9, Part A, pp. 1190-1192 (September 2019), April 18, 2019, www.jacr.org/article/S1546-1440(19)30198-X/fulltext.

49. Ray Sipherd, "The third-leading cause of death in US most doctors don't want you to know about," *CNBC*, February 22, 2018, www.cnbc.com/2018/02/22/medical-errors-third-leading-cause-of-death-in-america.html.

50. Elise Reuter, "Study shows reduction in medication errors using health IT startup's software," *MedCity News*, December 24, 2019, medcitynews.com/2019/12/study-shows-reduction-in-medication-errors-using-health-it-startups-software/.

51. Adam Vaughan, "Google is taking over DeepMind's NHS contracts — should we be worried?," *New Scientist*, September 27, 2019, www.newscientist.com/article/2217939-google-is-taking-over-deepminds-nhs-contracts-should-we-be-worried/.

52. Clive Thompson, "May A.I. help you?," *New York Times*, November 14, 2018, www.nytimes.com/interactive/2018/11/14/magazine/tech-design-ai-chatbot.html.

53. Blair Hanley Frank, "Woebot raises $8 million for its AI therapist," *VentureBeat*, March 1, 2018, venturebeat.com/2018/03/01/woebot-raises-8-million-for-its-ai-therapist/.

54. Ariana Eunjung Cha, "Watson's next feat? Taking on cancer," *Washington Post*, June 27, 2015, www.washingtonpost.com/sf/national/2015/06/27/watsons-next-feat-taking-on-cancer/.

55. Mary Chris Jaklevic, "MD Anderson Cancer Center's IBM Watson project fails, and so did the journalism related to it," *Health News Review*, February 23, 2017, www.healthnewsreview.org/2017/02/md-anderson-cancer-centers-ibm-watson-project-fails-journalism-related/.

56. Mark Anderson, "Surprise! 2020 is not the year for self-driving cars," *IEEE Spectrum*, April 22, 2020, spectrum.ieee.org/transportation/self-driving/surprise-2020-is-not-the-year-for-selfdriving-cars.
57. Alex Knapp, "Aurora CEO Chris Urmson says there'll be hundreds of self-driving cars on the road in five years," *Forbes*, October 29, 2019, www.forbes.com/sites/alexknapp/2019/10/29/aurora-ceo-chris-urmson-says-therell-be-hundreds-of-self-driving-cars-on-the-road-in-five-years/.
58. Lex Fridman, "Chris Urmson: Self-driving cars at Aurora, Google, CMU, and DARPA," *Artificial Intelligence Podcast*, episode 28, July 22, 2019, lexfridman.com/chris-urmson/. (Video and audio podcast available.)
59. Stefan Seltz-Axmacher, "The end of Starsky Robotics," Starsky Robotics 10-4 Labs Blog, March 19, 2020, medium.com/starsky-robotics-blog/the-end-of-starsky-robotics-acb8a6a8a5f5.
60. Sam Dean, "Uber fares are cheap, thanks to venture capital. But is that free ride ending?," *Los Angeles Times*, May 11, 2019, www.latimes.com/business/technology/la-fi-tn-uber-ipo-lyft-fare-increase-20190511-story.html.
61. Darrell Etherington, "Waymo has now driven 10 billion autonomous miles in simulation," *TechCrunch*, July 10, 2019, techcrunch.com/2019/07/10/waymo-has-now-driven-10-billion-autonomous-miles-in-simulation/.
62. Waymo website, accessed May 20, 2020, waymo.com/.
63. Ray Kurzweil, "The Law of Accelerating Returns," Kurzweil Library Blog, March 7, 2001, www.kurzweilai.net/the-law-of-accelerating-returns.
64. Tyler Cowen, *The Great Stagnation: How America Ate All the Low-Hanging Fruit of Modern History, Got Sick, and Will (Eventually) Feel Better*, Dutton, 2011.（邦題『大停滞』）
65. Robert J. Gordon, *The Rise and Fall of American Growth: The U.S. Standard of Living Since the Civil War*, Princeton University Press, 2016.（邦題『アメリカ経済――成長の終焉』）
66. Nicholas Bloom, Charles I. Jones, John Van Reenen and Michael Webb, "Are ideas getting harder to find?" *American Economic Review*, volume 110, issue 4, pp. 1104-1144 (April 2020), www.aeaweb.org/articles?

id=10.1257/aer.20180338, p. 1138.

67. Ibid., p. 1104.

68. Ibid., p. 1104.

69. Sam Lemonick, "Exploring chemical space: Can AI take us where no human has gone before?," *Chemical and Engineering News*, April 6, 2020, cen.acs.org/physical-chemistry/computational-chemistry/Exploring-chemical-space-AI-take/98/i13.

70. Ibid.

71. Delft University of Technology, "Researchers design new material using artificial intelligence," Phys.org, October 14, 2019, phys.org/news/2019-10-material-artificial-intelligence.html.

72. Beatrice Jin, "How AI helps to advance new materials discovery," Cornell Research, accessed May 22, 2020, research.cornell.edu/research/how-ai-helps-advance-new-materials-discovery.

73. Savanna Hoover, "Artificial intelligence meets materials science," *Texas A&M University Engineering News*, December 17, 2018, engineering.tamu.edu/news/2018/12/artificial-intelligence-meets-materials-science.html.

74. Kyle Wiggers, "Kebotix raises $11.5 million to automate lab experiments with AI and robotics," *VentureBeat*, April 16, 2020, venturebeat.com/2020/04/16/kebotix-raises-11-5-million-to-automate-lab-experiments-with-ai-and-robotics/.

75. Simon Smith, "230 startups using artificial intelligence in drug discovery," BenchSci Blog, updated April 8, 2020, blog.benchsci.com/startups-using-artificial-intelligence-in-drug-discovery.

76. Ford, Interview with Daphne Koller, in *Architects of Intelligence*, p. 388.

77. Ned Pagliarulo, "AI's impact in drug discovery is coming fast, predicts GSK's Hal Barron," *BioPharma Dive*, November 21, 2019, www.biopharmadive.com/news/gsk-hal-barron-ai-drug-discovery-prediction-daphne-koller/567855/.

78. Anne Trafton, "Artificial intelligence yields new antibiotic," *MIT News*, February 20, 2020, news.mit.edu/2020/artificial-intelligence-identifies-new-antibiotic-0220.
79. Richard Staines, "Exscientia claims world first as AI-created drug enters clinic," *Pharmaphorum*, January 30, 2020, pharmaphorum.com/news/exscientia-claims-world-first-as-ai-created-drug-enters-clinic/.
80. Matt Reynolds, "DeepMind's AI is getting closer to its first big real-world application," *Wired*, January 15, 2020, www.wired.co.uk/article/deepmind-protein-folding-alphafold.
81. Semantic Scholar website, accessed May 25, 2020, pages.semanticscholar.org/about-us.
82. Ibid.
83. Khari Johnson, "Microsoft, White House, and Allen Institute release coronavirus data set for medical and NLP researchers," *VentureBeat*, March 16, 2020, venturebeat.com/2020/03/16/microsoft-white-house-and-allen-institute-release-coronavirus-data-set-for-medical-and-nlp-researchers/.
84. "CORD-19: COVID-19 Open Research Dataset," Semantic Scholar, accessed May 6, 2020, www.semanticscholar.org/cord19.

第４章　インテリジェントマシン構築の試み

1. Samuel Butler, "Darwin among the machines, a letter to the editors," *The Press*, Christchurch, New Zealand, June 13, 1863.
2. Alan Turing, "Computing machinery and intelligence," *Mind*, volume LIX, issue 236, pp. 433-460 (October 1950).
3. J. McCarthy, M. L. Minsky, N. Rochester and C. E. Shannon, "A proposal for the Dartmouth Summer Research Project on Artificial Intelligence," August 31, 1955, raysolomonoff.com/dartmouth/boxa/dart564props.pdf.

4. Brad Darrach, "Meet Shaky, the first electronic person: The fascinating and fearsome reality of a machine with a mind of its own," *LIFE*, November 20, 1970, p. 58D.

5. Ibid.

6. Warren McCulloch and Walter Pitts, "A logical calculus of ideas immanent in nervous activity," *Bulletin of Mathematical Biophysics*, volume 5, issue 4, pp. 115-133 (December 1943).

7. Martin Ford, Interview with Ray Kurzweil, in *Architects of Intelligence: The Truth about AI from the People Building It*, Packt Publishing, 2018, p. 228.

8. Marvin Minsky and Seymour Papert, *Perceptrons: An Introduction to Computational Geometry*, MIT Press, 1969.（邦題『パーセプトロン』）

9. Ford, Interview with Yann LeCun, in *Architects of Intelligence*, p. 122.

10. David E. Rumelhart, Geoffrey E. Hinton and Ronald J. Williams, "Learning representations by back-propagating errors," *Nature*, volume 323, issue 6088, pp. 533-536 (1986), October 9, 1986, www.nature.com/articles/323533a0.

11. Ford, Interview with Geoffrey Hinton, in *Architects of Intelligence*, p. 73.

12. Dave Gershgorn, "The data that transformed AI research — and pos-sibly the world," *Quartz*, July 26, 2017, qz.com/1034972/the-data-that-changed-the-direction-of-ai-research-and-possibly-the-world/.

13. Ford, Interview with Geoffrey Hinton, in *Architects of Intelligence*, p. 77.

14. Email from Jurgen Schmidhuber to Martin Ford, January 28, 2019.

15. Jürgen Schmidhuber, "Critique of paper by 'Deep Learning Conspiracy' (Nature 521 p.436)," June 2015, people.idsia.ch/~juergen/deep-learning-conspiracy.html.

16. John Markoff, "When A.I. matures, it may call Jürgen Schmidhuber 'Dad,'" *New York Times*, November 27, 2016, www.nytimes.com/2016/11/27/technology/artificial-intelligence-pioneer-jurgen-schmidhuber-

overlooked.html.

17. Robert Triggs, "What being an 'AI first' company means for Google," *Android Authority*, November 8, 2017, www.androidauthority.com/google-ai-first-812335/.

18. Cade Metz, "Why A.I. researchers at Google got desks next to the boss," *New York Times*, February 19, 2018, www.nytimes.com/2018/02/19/technology/ai-researchers-desks-boss.html.

第5章　ディープラーニングとAIの未来

1. Martin Ford, Interview with Geoffrey Hinton, in *Architects of Intelligence: The Truth about AI from the People Building It*, Packt Publishing, 2018, pp. 72-73.

2. Matt Reynolds, "New computer vision challenge wants to teach robots to see in 3D," *New Scientist*, April 7, 2017, www.newscientist.com/article/2127131-new-computer-vision-challenge-wants-to-teach-robots-to-see-in-3d/.

3. Ashlee Vance, "Silicon Valley's latest unicorn is run by a 22-year-old," *Bloomberg Businessweek*, August 5, 2019, www.bloomberg.com/news/articles/2019-08-05/scale-ai-is-silicon-valley-s-latest-unicorn.

4. Volodymyr Mnih, Koray Kavukcuoglu, David Silver et al. "Playing Atari with deep reinforcement learning," *DeepMind Research*, January 1, 2013, deepmind.com/research/publications/playing-atari-deep-reinforcement-learning.

5. Volodymyr Mnih, Koray Kavukcuoglu, David Silver et al., "Human-level control through deep reinforcement learning," *Nature*, volume 518, pp. 529-533 (2015), February 25, 2015, www.nature.com/articles/nature14236.

6. Tu Yuanyuan, "The game of Go: Ancient wisdom," *Confucius Institute Magazine*, volume 17, pp. 46-51 (November 2011), confuciusmag.com/go-game.

7. David Silver and Demis Hassabis, "AlphaGo: Mastering the ancient game of Go with machine learning," Google AI Blog, January 27, 2016, ai.googleblog.com/2016/01/alphago-mastering-ancient-game-of-go.html.
8. Matt Schiavenza, "China's 'Sputnik Moment' and the Sino-American battle for AI supremacy," Asia Society Blog, September 25, 2018, asiasociety.org/blog/asia/chinas-sputnik-moment-and-sino-american-battle-ai-supremacy.
9. John Markoff, "Scientists see promise in deep-learning programs," *New York Times*, November 23, 2012, www.nytimes.com/2012/11/24/science/scientists-see-advances-in-deep-learning-a-part-of-artificial-intelligence.html.
10. Dario Amodei and Danny Hernandez, "AI and Compute," OpenAI Blog, May 16, 2018, openai.com/blog/ai-and-compute/.
11. Will Knight, "Facebook's head of AI says the field will soon 'hit the wall,'" *Wired*, December 4, 2019, www.wired.com/story/facebooks-ai-says-field-hit-wall/.
12. Kim Martineau, "Shrinking deep learning's carbon footprint," *MIT News*, August 7, 2020, news.mit.edu/2020/shrinking-deep-learning-carbon-footprint-0807.
13. "General game playing with schema networks," *Vicarious Research*, August 7, 2017, www.vicarious.com/2017/08/07/general-game-playing-with-schema-networks/.
14. Sam Shead, "Researchers: Are we on the cusp of an 'AI winter'?," *BBC News*, January 12, 2020, www.bbc.com/news/technology-51064369.
15. Filip Piekniewski, "AI winter is well on its way," Piekniewski's Blog, May 28, 2018, blog.piekniewski.info/2018/05/28/ai-winter-is-well-on-its-way/.
16. Ford, Interview with Jeffery Dean, in *Architects of Intelligence*, p. 377.
17. Ford, Interview with Demis Hassabis, in *Architects of Intelligence*, p. 171.
18. Andrea Banino, Caswell Barry, Dharshan Kumaran and Benigno Uria, "Navigating with grid-like represen-

tations in artificial agents," DeepMind Research Blog, May 9, 2018, deepmind.com/blog/article/grid-cells.

19. Ford, Interview with Demis Hassabis, in *Architects of Intelligence*, p. 173.

20. Andrea Banino, Caswell Barry, Benigno Uria et al., "Vector-based navigation using grid-like representations in artificial agents," *Nature*, volume 557, pp. 429-433 (2018), May 9, 2018, www.nature.com/articles/s41586-018-0102-6.

21. Will Dabney and Zeb Kurth-Nelson, "Dopamine and temporal difference learning: A fruitful relationship between neuroscience and AI," DeepMind Research Blog, January 15, 2020, deepmind.com/blog/article/Dopamine-and-temporal-difference-learning-A-fruitful-relationship-between-neuroscience-and-AI.

22. Tony Peng, "Yann LeCun Cake Analogy 2.0," *Synced Review*, February 22, 2019, medium.com/syncedreview/yann-lecun-cake-analogy-2-0-a361da560dae.

23. Ford, Interview with Demis Hassabis, in *Architects of Intelligence*, pp. 172-173.

24. Jeremy Kahn, "A.I. breakthroughs in natural-language processing are big for business," *Fortune*, January 20, 2020, fortune.com/2020/01/20/natural-language-processing-business/.

25. Ford, Interview with David Ferrucci, in *Architects of Intelligence*, p. 409.

26. Ibid. p. 414.

27. *Do You Trust This Computer?*, released April 5, 2018, Papercut Films, doyoutrustthiscomputer.org/.

28. Ford, Interview with David Ferrucci, in *Architects of Intelligence*, p. 414.

29. Ray Kurzweil, *The Singularity Is Near: When Humans Transcend Biology*, Penguin Books, 2005.（邦題『シンギュラリティは近い――人類が生命を超越するとき』

30. Ray Kurzweil, *How to Create a Mind: The Secret of Human Thought Revealed*, Penguin Books, 2012.

31. Ford, Interview with Ray Kurzweil, in *Architects of Intelligence*, pp. 230-231.

32. Mitch Kapor and Ray Kurzweil, "A wager on the Turing test: The rules," Kurzweil AI Blog, April 9, 2002,

www.kurzweilai.net/a-wager-on-the-turing-test-the-rules.

33. Sean Levinson, "A Google executive is taking 100 pills a day so he can live forever," *Elite Daily*, April 15, 2015, www.elitedaily.com/news/world/google-executive-taking-pills-live-forever/1001270.

34. Ford, Interview with Ray Kurzweil, in *Architects of Intelligence*, pp. 240-241.

35. Ibid., p. 230.

36. Ibid., p. 233.

37. Alec Radford, Jeffrey Wu, Dario Amodei et al., "Better language models and their implications," OpenAI Blog, February 14, 2019, openai.com/blog/better-language-models/.

38. James Vincent, "OpenAI's latest breakthrough is astonishingly powerful, but still fighting its flaws," *The Verge*, July 30, 2020, www.theverge.com/21346343/gpt-3-explainer-openai-examples-errors-agi-potential.

39. Gary Marcus and Ernest Davis, "GPT-3, Bloviator: OpenAI's language generator has no idea what it's talking about," *MIT Technology Review*, August 22, 2020, www.technologyreview.com/2020/08/22/1007539/gpt3-openai-language-generator-artificial-intelligence-ai-opinion/.

40. Ford, Interview with Stuart Russell, in *Architects of Intelligence*, p. 53.

41. "OpenAI Founder: Short-Term AGI Is a Serious Possibility," *Synced*, November 13, 2018, syncedreview.com/2018/11/13/openai-founder-short-term-agi-is-a-serious-possibility/.

42. Connie Loizos, "Sam Altman in conversation with StrictlyVC (video)," YouTube, May 18, 2019, youtube/TzcJlKg2Rc0, location 39:00.

43. Luke Dormehl, "Neuro-symbolic A.I. is the future of artificial intelligence. Here's how it works," *Digital Trends*, January 5, 2020, www.digitaltrends.com/cool-tech/neuro-symbolic-ai-the-future/.

44. Ford, Interview with Yoshua Bengio, in *Architects of Intelligence*, p. 22.

45. Ford, Interview with Geoffrey Hinton, in *Architects of Intelligence*, pp. 84-85.

46. Ford, Interview with Yann LeCun, in *Architects of Intelligence*, p. 123.
47. Anthony M. Zador, "A critique of pure learning and what artificial neural networks can learn from animal brains," *Nature Communications*, volume 10, article number 3770 (2019), August 21, 2019, www.nature.com/articles/s41467-019-11786-6.
48. Zoey Chong, "AI beats humans in Stanford reading comprehension test," *CNET*, January 16, 2018, www.cnet.com/news/new-results-show-ai-is-as-good-as-reading-comprehension-as-we-are/.
49. ウィノグラード・スキーマの例はすべて、以下から採っている。Ernest Davis, "A collection of Winograd schemas," New York University Department of Computer Science, September 8, 2011, cs.nyu.edu/davise/papers/WSOld.html.
50. Ford, Interview with Oren Etzioni, in *Architects of Intelligence*, pp. 495-496.
51. Ibid.
52. Ford, Interview with Yoshua Bengio, in *Architects of Intelligence*, p. 21.
53. Ford, Interview with Yann LeCun, in *Architects of Intelligence*, pp. 126-127.
54. Ibid., p. 130.
55. Ford, Interview with Judea Pearl, in *Architects of Intelligence*, p. 364.
56. Ford, Interview with Joshua Tenenbaum, in *Architects of Intelligence*, pp. 471-472.
57. Ford, Interview with Judea Pearl, in *Architects of Intelligence*, p. 366.
58. Will Knight, "An AI pioneer wants his algorithms to understand the 'why,'" *Wired*, October 8, 2019, www.wired.com/story/ai-pioneer-algorithms-understand-why/.
59. Graham Allison, *Destined for War: Can America and China Escape Thucydides's Trap?*, Houghton Mifflin Harcourt, 2017.（邦題『米中戦争前夜』）
60. The AlphaStar team, "AlphaStar: Mastering the real-time strategy game *StarCraft II*," DeepMind Research

Blog, January 24, 2019, deepmind.com/blog/article/alphastar-mastering-real-time-strategy-game-starcraft-ii.

61. Ford, Interview with Oren Etzioni, in *Architects of Intelligence*, p. 494.

62. Ford, *Architects of Intelligence*, p. 528.

63. “AI timeline surveys,” AI Impacts, accessed June 27, 2020, aiimpacts.org/ai-timeline-surveys/.

第6章　消えゆく雇用とAIが経済にもたらすもの

1. David Axelrod, “Larry Summers,” The Axe Files (podcast), episode 98, November 21, 2016, omny.fm/shows/the-axe-files-with-david-axelrod/ep-98-larry-summers.

2. Sam Fleming and Brooke Fox, “US states that voted for Trump most vulnerable to job automation,” *Financial Times*, January 23, 2019, www.ft.com/content/cbf2a01e-1f41-11e9-b126-46fc3ad87c65.

3. Carol Graham, “Understanding the role of despair in America’s opioid crisis,” Brookings Institution, October 15, 2019, www.brookings.edu/policy2020/votervital/how-can-policy-address-the-opioid-crisis-and-despair-in-america/.

4. たとえば以下を参照。Carl Benedikt Frey and Michael A. Osborne, “The future of employment: How susceptible are jobs to computerisation?,” Oxford Martin School Programme on Technology and Employment, Working Paper, September 17, 2013, www.oxfordmartin.ox.ac.uk/downloads/academic/future-of-employment.pdf, p. 38.

5. U.S. Bureau of Labor Statistics, “Unemployment rate (UNRATE),” retrieved from Federal Reserve Bank of St. Louis, July 18, 2020, fred.stlouisfed.org/series/UNRATE; Greg Rosalsky, “Are we even close to full employment?” NPR Planet Money, July 2, 2019, www.npr.org/sections/money/2019/07/02/737790095/are-we-even-close-to-full-employment.

6. Organization for Economic Co-operation and Development, “Activity rate: Aged 25-54: Males for the United States (LRAC25MAUSM156S),” retrieved from Federal Reserve Bank of St. Louis, July 17, 2020, fred.stlouisfed.org/series/LRAC25MAUSM156S.
7. “Trends in Social Security Disability Insurance,” Social Security Office of Retirement and Disability Policy, Briefing Paper No. 2019-01, August 2019, www.ssa.gov/policy/docs/briefing-papers/bp2019-01.html.
8. U.S. Bureau of Labor Statistics, “Labor force participation rate (CIVPART),” retrieved from Federal Reserve Bank of St. Louis, July 17, 2020, fred.stlouisfed.org/series/CIVPART.
9. U.S. Bureau of Labor Statistics, “Business sector: Real output per hour of all persons (OPHPBS),” retrieved from Federal Reserve Bank of St. Louis, July 22, 2020, fred.stlouisfed.org/series/OPHPBS; U.S. Bureau of Labor Statistics, “Business sector: Real compensation per hour (PRS84006151),” retrieved from Federal Reserve Bank of St. Louis, July 22, 2020, fred.stlouisfed.org/series/PRS84006151.
10. World Bank, “GINI index for the United States (SIPOVGINIUSA),” retrieved from Federal Reserve Bank of St. Louis, July 20, 2020, fred.stlouisfed.org/series/SIPOVGINIUSA.
11. Martha Ross and Nicole Bateman, “Low-wage work is more pervasive than you think, and there aren't enough 'good jobs' to go around,” Brookings Institution, November 21, 2019, www.brookings.edu/blog/the-avenue/2019/11/21/low-wage-work-is-more-pervasive-than-you-think-and-there-arent-enough-good-jobs-to-go-around/.
12. “The U.S. Private Sector Job Quality Index (JQI),” accessed July 15, 2020, www.jobqualityindex.com/.
13. Gwynn Guilford, “The great American labor paradox: Plentiful jobs, most of them bad,” *Quartz*, November 21, 2019, qz.com/1752676/the-job-quality-index-is-the-economic-indicator-weve-been-missing/.
14. Elizabeth Redden, “41% of recent grads work in jobs not requiring a degree,” *Inside Higher Ed*, February 18, 2020, www.insidehighered.com/quicktakes/2020/02/18/41-recent-grads-work-jobs-not-requiring-degree.

15. "The Phillips curve may be broken for good," *The Economist*, November 1, 2017, www.economist.com/graphic-detail/2017/11/01/the-phillips-curve-may-be-broken-for-good.

16. Jeff Jeffrey, "U.S. companies are rolling in cash, and they're growing increasingly fearful to spend it," *The Business Journals*, December 12, 2018, www.bizjournals.com/bizjournals/news/2018/12/12/u-s-companies-are-hoarding-cash-and-theyre-growing.html.

17. Martin Ford, *Rise of the Robots: Technology and the Threat of a Jobless Future*, Basic Books, 2015, pp. 206-212.（邦題『ロボットの脅威——人の仕事がなくなる日』）

18. Martin Ford, Interview with James Manyika, in *Architects of Intelligence: The Truth about AI from the People Building It*, Packt Publishing, 2018, pp. 285-286.

19. Nir Jaimovich and Henry E. Siu, "Job polarization and jobless recoveries," National Bureau of Economic Research, Working Paper 18334, issued in August 2012, revised in November 2018, www.nber.org/papers/w18334.

20. Jacob Bunge and Jesse Newman, "Tyson turns to robot butchers, spur red by coronavirus outbreaks," *Wall Street Journal*, July 9, 2020, www.wsj.com/articles/meatpackers-covid-safety-automation-robots-coronavirus-11594303535.

21. Miso Robotics, "White Castle selects Miso Robotics for a new era of artificial intelligence in the fast food industry," Press Release Newswire, July 14, 2020, www.prnewswire.com/news-releases/white-castle-selects-miso-robotics-for-a-new-era-of-artificial-intelligence-in-the-fast-food-industry-301092746.html.

22. James Manyika, Susan Lund, Michael Chui, et al., "Jobs lost, jobs gained: What the future of work will mean for jobs, skills, and wages," McKinsey Global Institute, November 28, 2017, www.mckinsey.com/featured-insights/future-of-work/jobs-lost-jobs-gained-what-the-future-of-work-will-mean-for-jobs-skills-and-wages.

23. Ferris Jabr, "Cache cab: Taxi drivers' brains grow to navigate London's streets," *Scientific American*, Decem-

ber 8, 2011, www.scientificamerican.com/article/london-taxi-memory/.

24. Kate Conger, "Facebook starts planning for permanent remote workers," *New York Times*, May 21, 2020, www.nytimes.com/2020/05/21/technology/facebook-remote-work-coronavirus.html.

25. Alexandre Tanzi, "Gloom grips U.S. small businesses, with 52% predicting failure," *Bloomberg*, May 6, 2020, www.bloomberg.com/news/articles/2020-05-06/majority-of-u-s-small-businesses-expect-to-close-survey-says.

26. Alfred Liu, "Robots to cut 200,000 U.S. bank jobs in next decade, study says," *Bloomberg*, October 1, 2019, www.bloomberg.com/news/articles/2019-10-02/robots-to-cut-200-000-u-s-bank-jobs-in-next-decade-study-says.

27. Jack Kelly, "Artificial intelligence is superseding well-paying Wall Street jobs," *Forbes*, December 10, 2019, www.forbes.com/sites/jackkelly/2019/12/10/artificial-intelligence-is-superseding-well-paying-wall-street-jobs/.

28. "Top healthcare chatbots startups," *Tracxn*, October 20, 2020, tracxn.com/d/trending-themes/Startups-in-Healthcare-Chatbots.

29. Celeste Barnaby, Satish Chandra and Frank Luan, "Aroma: Using machine learning for code recommendation," Facebook AI Blog, April 4, 2019, ai.facebook.com/blog/aroma-ml-for-code-recommendation/.

30. Will Douglas Heaven, "OpenAI's new language generator GPT-3 is shockingly good — and completely mindless," *MIT Technology Review*, July 20, 2020, www.technologyreview.com/2020/07/20/1005454/openai-machine-learning-language-generator-gpt-3-nlp/.

31. Jacques Bughin, Jeongmin Seong, James Manyika, et al., "Notes from the AI frontier: Modeling the impact of AI on the world economy," McKinsey Global Institute, Discussion Paper, September 2018, www.mckinsey.com/~/media/McKinsey/Featured%20Insights/Artificial%20Intelligence/Notes%20from%20the%20frontier%20Modeling%20the%20impact%20of%20AI%20on%20the%20world%20economy/MGI-Notes-from-the-AI-frontier-Modeling-the-impact-of-AI-on-the-world-economy-September-2018.ashx.

32. Anand S. Rao and Gerard Verweij, "Sizing the prize: What's the real value of AI for your business and how can you capitalise?," PwC, October 2018, www.pwc.com/gx/en/issues/analytics/assets/pwc-ai-analysis-sizing-the-prize-report.pdf.
33. Bughin et al., "Notes from the AI frontier: Modeling the impact of AI on the world economy," p.3.

第7章　AI監視国家が台頭する

1. Chris Buckley, Paul Mozur and Austin Ramzy, "How China turned a city into a prison," *New York Times*, April 4, 2019, www.nytimes.com/interactive/2019/04/04/world/asia/xinjiang-china-surveillance-prison.html.
2. James Vincent, "Chinese netizens spot AI books on president Xi Jin-ping's bookshelf," *The Verge*, January 3, 2018, www.theverge.com/2018/1/3/16844364/china-ai-xi-jinping-new-years-speech-books.
3. Tom Simonite, "China is catching up to the US in AI research — fast," *Wired*, March 13, 2019, www.wired.com/story/china-catching-up-us-in-ai-research/.
4. Robust Vision Challenge website, accessed July 25, 2020, www.robustvision.net/rvc2018.php.
5. National University of Defense Technology website, accessed July 25, 2020, english.nudt.edu.cn/About/index.htm.
6. Nicolas Thompson and Ian Bremmer, "The AI Cold War that threatens us all," *Wired*, October 23, 2018, www.wired.com/story/ai-cold-war-china-could-doom-us-all/.
7. Alex Hern, "China censored Google's AlphaGo match against world's best Go player," *The Guardian*, May 24, 2017, www.theguardian.com/technology/2017/may/24/china-censored-googles-alphago-match-against-worlds-best-go-player.
8. China's State Council, "New Generation Artificial Intelligence Development Plan," issued by China's State

Council on July 20, 2017, translated by Graham Webster, Rogier Creemers, Paul Triolo and Elsa Kania, New America Foundation, August 1, 2017, www.newamerica.org/cybersecurity-initiative/digichina/blog/full-translation-chinas-new-generation-artificial-intelligence-development-plan-2017/. (Original Chinese government document: www.gov.cn/zhengce/content/2017-07/20/content_5211996.htm.)

9. Lai Lin Thomala, "Number of internet users in China 2008-2020," *Statista*, April 30, 2020, www.statista.com/statistics/265140/number-of-internet-users-in-china/.

10. Lai Lin Thomala, "Penetration rate of internet users in China 2008-2020," *Statista*, April 30, 2020, www.statista.com/statistics/236963/penetration-rate-of-internet-users-in-china/.

11. Rachel Metz, "Baidu could beat Google in self-driving cars with a totally Google move," *MIT Technology Review*, January 8, 2018, www.technologyreview.com/2018/01/08/146351/baidu-could-beat-google-in-self-driving-cars-with-a-totally-google-move/.

12. Jon Russell, "Former Microsoft executive and noted AI expert Qi Lu joins Baidu as COO," *TechCrunch*, January 17, 2017, techcrunch.com/2017/01/16/qi-lu-joins-baidu-as-coo/.

13. Martin Ford, Interview with Demis Hassabis, in *Architects of Intelligence: The Truth about AI from the People Building It*, Packt Publishing, 2018, p. 179.

14. Field Cady and Oren Etzioni, "China may overtake US in AI research," Allen Institute for AI Blog, March 13, 2019, medium.com/ai2-blog/china-to-overtake-us-in-ai-research-8b6b1fe30595.

15. Jeffrey Ding, "Deciphering China's AI dream: The context, components, capabilities, and consequences of China's strategy to lead the world in AI," Future of Humanity Institute, University of Oxford, March 2018, www.fhi.ox.ac.uk/wp-content/uploads/Deciphering_Chinas_AI-Dream.pdf.

16. Jeffrey Ding, "China's current capabilities, policies, and industrial ecosystem in AI: Testimony before the U.S.-China Economic and Security Review Commission Hearing on Technology, Trade, and Military-Civil

Fusion: China's Pursuit of Artificial Intelligence, New Materials, and New Energy," June 7, 2019, www.uscc.gov/sites/default/files/June%207%20Hearing_Panel%201_Jeffrey%20Ding_China%27s%20Current%20Capabilities%2C%20Policies%2C%20and%20Industrial%20Ecosystem%20in%20AI.pdf.

17. Kai-Fu Lee, "What China can teach the U.S. about artificial intelligence," *New York Times*, September 22, 2018, www.nytimes.com/2018/09/22/opinion/sunday/ai-china-united-states.html.

18. Kathrin Hille and Richard Waters, "Washington unnerved by China's 'military-civil fusion,'" *Financial Times*, November 7, 2018, www.ft.com/content/8dcb534c-dbaf-11e8-9f04-38d397e6661c.

19. Scott Shane and Daisuke Wakabayashi, "'The Business of War': Google employees protest work for the Pentagon," *New York Times*, April 4, 2018, www.nytimes.com/2018/04/04/technology/google-letter-ceo-pentagon-project.html.

20. Tom Simonite, "Behind the rise of China's facial-recognition giants," *Wired*, September 3, 2019, www.wired.com/story/behind-rise-chinas-facial-recognition-giants/.

21. Paul Mozur and Aaron Krolik, "A surveillance net blankets China's cities, giving police vast powers," *New York Times*, December 17, 2019, www.nytimes.com/2019/12/17/technology/china-surveillance.html.

22. Amy B. Wang, "A suspect tried to blend in with 60,000 concert goers. China's facial-recognition cameras caught him," *Washington Post*, April 13, 2018, www.washingtonpost.com/news/worldviews/wp/2018/04/13/china-crime-facial-recognition-cameras-catch-suspect-at-concert-with-60000-people/.

23. Paul Mozur, "Inside China's dystopian dreams: A.I., shame and lots of cameras," *New York Times*, July 8, 2018, nytimes.com/2018/07/08/business/china-surveillance-technology.html.

24. Paul Moser, "One month, 500,000 face scans: How China is using A.I. to profile a minority," *New York Times*, April 14, 2019, www.nytimes.com/2019/04/14/technology/china-surveillance-artificial-intelligence-racial-profiling.html.

25. Ibid.
26. Simina Mistreanu, "Life inside China's social credit laboratory," *Foreign Policy*, April 3, 2018, foreignpolicy.com/2018/04/03/life-inside-chinas-social-credit-laboratory/.
27. Echo Huang, "Garbage-sorting violators in China now risk being punished with a junk credit rating," *Quartz*, January 8, 2018, qz.com/1173975/garbage-sorting-violators-in-china-risk-getting-a-junk-credit-rating/.
28. Maya Wang, "China's chilling 'social credit' blacklist," Human Rights Watch, December 12, 2017, www.hrw.org/news/2017/12/13/chinas-chilling-social-credit-blacklist.
29. Nicole Kobie, "The complicated truth about China's social credit system," *Wired*, June 7, 2019, www.wired.co.uk/article/china-social-credit-system-explained.
30. Steven Feldstein, "The global expansion of AI surveillance," Carnegie Endowment for International Peace, September 17, 2019, carnegieendowment.org/2019/09/17/global-expansion-of-ai-surveillance-pub-79847.
31. Yuan Yang and Madhumita Murgia, "Facial recognition: How China cornered the surveillance market," *Financial Times*, December 6, 2019, www.ft.com/content/6f1a8f48-1813-11ea-9ee4-11f260415385.
32. Russell Brandon, "The case against Huawei, explained," *The Verge*, May 22, 2019, www.theverge.com/2019/5/22/18634401/huawei-ban-trump-case-infrastructure-fears-google-microsoft-arm-security.
33. Will Knight, "Trump's latest salvo against China targets AI firms," *Wired*, October 9, 2019, www.wired.com/story/trumps-salvo-against-china-targets-ai-firms/.
34. Kashmir Hill, "The secretive company that might end privacy as we know it," *New York Times*, January 18, 2020, www.nytimes.com/2020/01/18/technology/clearview-privacy-facial-recognition.html.
35. Ibid.
36. Ibid.
37. Ryan Mac, Caroline Haskins and Logan McDonald, "Clearview's facial recognition app has been used by the

Justice Department, ICE, Macy's, Walmart, and the NBA," *BuzzFeed News*, February 27, 2020, www.buzzfeednews.com/article/ryanmac/clearview-ai-fbi-ice-global-law-enforcement.

38. Alfred Ng and Steven Musil, "Clearview AI hit with cease-and-desist from Google, Facebook over facial recognition collection," *CNET*, February 5, 2020, www.cnet.com/news/clearview-ai-hit-with-cease-and-desist-from-google-over-facial-recognition-collection/.

39. Zack Whittaker, "Apple has blocked Clearview AI's iPhone app for vio-lating its rules," *TechCrunch*, February 28, 2020, techcrunch.com/2020/02/28/apple-ban-clearview-iphone/.

40. Nick Statt, "ACLU sues facial recognition firm Clearview AI, calling it a 'nightmare scenario' for privacy," *The Verge*, May 28, 2020, www.theverge.com/2020/5/28/21273388/aclu-clearview-ai-lawsuit-facial-recognition-database-illinois-biometric-laws.

41. Paul Bischoff, "Surveillance camera statistics: Which cities have the most CCTV cameras?," *Comparitech*, August 1, 2019, www.comparitech.com/vpn-privacy/the-worlds-most-surveilled-cities/.

42. "Met Police to deploy facial recognition cameras," *BBC*, January 30, 2020, www.bbc.com/news/uk-51237665.

43. Clare Garvie, Alvaro Bedoya and Jonathan Frankle, "The perpetual line-up: Unregulated police face recognition in America," Georgetown Law Center on Privacy and Technology, October 18, 2016, www.perpetuallineup.org/.

44. "Met Police to deploy facial recognition cameras."

45. London Real, "Jonathan Haidt — Free range kids: How to give your children more freedom (video)," October 27, 2018, www.youtube.com/watch?v=GPTei2sroIk.

46. Isabella Garcia, "Can facial recognition overcome its racial bias?," *Yes! Magazine*, April 16, 2020, www.yesmagazine.org/social-justice/2020/04/16/privacy-facial-recognition/.

47. Sasha Ingber, "Facial recognition software wrongly identifies 28 lawmakers as crime suspects," *NPR*, July 26,

2018, www.npr.org/2018/07/26/632724239/facial-recognition-software-wrongly-identifies-28-lawmakers-as-crime-suspects.
48. Patrick Grother, Mei Ngan and Kayee Hanaoka, "Face Recognition Vendor Test (FRVT) Part 3: Demographic effects," National Institute of Standards and Technology, December 2019, nvlpubs.nist.gov/nistpubs/ir/2019/NIST.IR.8280.pdf.
49. Garcia, "Can facial recognition overcome its racial bias?"
50. Amy Hawkins, "Beijing's big brother tech needs African faces," *Foreign Policy*, July 24, 2018, foreignpolicy.com/2018/07/24/beijings-big-brother-tech-needs-african-faces/.

第8章　AIがはらむリスク

1. "Fake voices 'help cyber-crooks steal cash,'" *BBC News*, July 8, 2019, www.bbc.com/news/technology-48908736.
2. Martin Giles, "The GANfather: The man who's given machines the gift of imagination," *MIT Technology Review*, February 21, 2018, www.technologyreview.com/2018/02/21/145289/the-ganfather-the-man-whos-given-machines-the-gift-of-imagination/.
3. James Vincent, "Watch Jordan Peele use AI to make Barack Obama deliver a PSA about fake news," *The Verge*, April 17, 2018, www.theverge.com/tldr/2018/4/17/17247334/ai-fake-news-video-barack-obama-jordanpeele-buzzfeed.
4. Sensity, "The state of deepfakes 2019: Landscape, threats, and impact," September 2019, sensity.ai/reports/.
5. Ian Sample, "What are deepfakes — and how can you spot them?" *The Guardian*, January 13, 2020, www.theguardian.com/technology/2020/jan/13/what-are-deepfakes-and-how-can-you-spot-them.

6. Lex Fridman, "Ian Goodfellow: Generative Adversarial Networks (GANs)," *Artificial Intelligence Podcast*, episode 19, April 18, 2019, lexfridman.com/ian-goodfellow/. (Video and audio podcast available.)
7. J.J. McCorvey, "This image-authentication startup is combating faux social media accounts, doctored photos, deep fakes, and more," *Fast Company*, February 19, 2019, www.fastcompany.com/90299000/truepic-most-innovative-companies-2019.
8. Ian Goodfellow, Nicolas Papernot, Sandy Huang, et al., "Attacking machine learning with adversarial examples," OpenAI Blog, February 24, 2017, openai.com/blog/adversarial-example-research/.
9. Anant Jain, "Breaking neural networks with adversarial attacks," *Towards Data Science*, February 9, 2019, towardsdatascience.com/breaking-neural-networks-with-adversarial-attacks-f4290a9a45aa.
10. Ibid.
11. *Slaughterbots*, released November 12, 2017, *Space Digital*, www.youtube.com/watch?reload=9&v=9CO6M2HsoIA.
12. Stuart Russell, "Building a lethal autonomous weapon is easier than building a self-driving car. A new treaty is necessary," *The Security Times*, February 2018, www.the-security-times.com/building-a-lethal-autonomous-weapon-is-easier-than-building-a-self-driving-car-a-new-treaty-is-necessary/.
13. Martin Ford, Interview with Stuart Russell, in *Architects of Intelligence: The Truth about AI from the People Building It*, Packt Publishing, 2018, p. 59.
14. "Country views on killer robots," Campaign to Stop Killer Robots, August 21, 2019, www.stopkillerrobots.org/wp-content/uploads/2019/08/KRC_CountryViews21Aug2019.pdf.
15. "Russia, United States attempt to legitimize killer robots," Campaign to Stop Killer Robots, August 22, 2019, www.stopkillerrobots.org/2019/08/russia-united-states-attempt-to-legitimize-killer-robots/.
16. Zachary Kallenborn, "Swarms of mass destruction: The case for declaring armed and fully autonomous

drone swarms as WMD," Modern War Institute, May 28, 2020, mwi.usma.edu/swarms-mass-destruction-case-declaring-armed-fully-autonomous-drone-swarms-wmd/.

17. Kris Osborn, "Here come the Army's new class of 10-ton robots," *National Interest*, May 21, 2020, nationalinterest.org/blog/buzz/here-come-armys-new-class-10-ton-robots-156351.
18. Rachel England, "The US Air Force is preparing a human versus AI dogfight," *Engadget*, June 8, 2020, www.engadget.com/the-air-force-will-pit-an-autonomous-fighter-drone-against-a-pilot-121526011.html.
19. Kris Osborn, "Robot vs. robot war? Now China has semi-autonomous fighting ground robots," *National Interest*, June 15, 2020, nationalinterest.org/blog/buzz/robot-vs-robot-war-now-china-has-semi-autonomous-fighting-ground-robots-162782.
20. Neil Johnson, Guannan Zhao, Eric Hunsader, et al., "Abrupt rise of new machine ecology beyond human response time," *Nature Scientific Reports*, volume 3, article number 2627 (2013), September 11, 2013, www.nature.com/articles/srep02627.
21. Ford, Interview with Stuart Russell, in *Architects of Intelligence*, p. 59.
22. Jeffrey Dastin, "Amazon scraps secret AI recruiting tool that showed bias against women," *Reuters*, October 10, 2018, www.reuters.com/article/us-amazon-com-jobs-automation-insight/amazon-scraps-secret-ai-recruiting-tool-that-showed-bias-against-women-idUSKCN1MK08G.
23. Julia Angwin, Jeff Larson, Surya Mattu and Lauren Kirchner, "Machine bias," *Propublica*, May 23, 2016, www.propublica.org/article/machine-bias-risk-assessments-in-criminal-sentencing.
24. Ibid.
25. Ford, Interview with James Manyika, in *Architects of Intelligence*, p. 279.
26. Ford, Interview with Fei-Fei Li, in *Architects of Intelligence*, p. 157.
27. Stephen Hawking, Stuart Russell, Max Tegmark and Frank Wilczek, "Stephen Hawking: 'Transcendence

looks at the implications of artificial intelligence — but are we taking AI seriously enough?,'" *The Independent*, May 1, 2014, www.independent.co.uk/news/science/stephen-hawking-transcendence-looks-at-the-implications-of-artificial-intelligence-but-are-we-taking-ai-seriously-enough-9313474.html.

28. Nick Bostrom, *Superintelligence: Paths, Dangers, Strategies*, Oxford University Press, 2014, p. vii. (邦題『スーパーインテリジェンス——超絶ＡＩと人類の命運』

29. Matt McFarland, "Elon Musk: 'With artificial intelligence we are summoning the demon,'" *Washington Post*, October 24, 2014, www.washingtonpost.com/news/innovations/wp/2014/10/24/elon-musk-with-artificial-intelligence-we-are-summoning-the-demon/.

30. Sam Harris, "Can we build AI without losing control over it? (video)," TED Talk, June 2016, www.ted.com/talks/sam_harris_can_we_build_ai_without_losing_control_over_it?language=en.

31. Irving John Good, "Speculations concerning the first ultraintelligent machine," *Advanced in Computers*, volume 6, pp. 31-88 (1965), vtechworks.lib.vt.edu/bitstream/handle/10919/89424/TechReport05-3.pdf.

32. Jesselyn Cook, "Hundreds of people share stories about falling down YouTube's recommendation rabbit hole," *Huffington Post*, October 15, 2019, www.huffpost.com/entry/youtube-recommendation-rabbit-hole-mozilla_n_5da5c470e4b08f3654912991.

33. Stuart Russell, *Human Compatible: Artificial Intelligence and the Problem of Control*, Viking, 2019, pp. 173-177.

34. Stuart Russell, "How to stop superhuman A.I. before it stops us," *New York Times*, October 8, 2019, www.nytimes.com/2019/10/08/opinion/artificial-intelligence.html.

35. Ford, Interview with Rodney Brooks, in *Architects of Intelligence*, pp. 440-441.

結論　AIの二つの未来

1. Rebecca Heilweil, "Big tech companies back away from selling facial recognition to police," *Recode*, June 11, 2020, www.vox.com/recode/2020/6/10/21287194/amazon-microsoft-ibm-facial-recognition-moratorium-police.
2. Joseph Zeballos-Roig, "Kamala Harris supports $2,000 monthly stimulus checks to help Americans claw out of pandemic ruin — and she's long backed plans for Democrats to give people more money," *Business Insider*, August 15, 2020, www.businessinsider.com/kamala-harris-biden-monthly-stimulus-checks-economic-policy-support-vice-2020-8.
3. Bob Berwyn, "What does '12 years to act on climate change' (now 11 years) really mean?" *Inside Climate News*, August 27, 2019, insideclimatenews.org/news/27082019/12-years-climate-change-explained-ipcc-science-solutions.
4. Bill Gates, "COVID-19 is awful. Climate change could be worse," *Gates Notes*, August 4, 2020, www.gatesnotes.com/Energy/Climate-and-COVID-19.
5. Bill Gates, "Climate change and the 75% problem," *Gates Notes*, October 17, 2018, www.gatesnotes.com/Energy/My-plan-for-fighting-climate-change.
6. Nicholas Bloom, Charles I. Jones, John Van Reenen and Michael Webb, "Are ideas getting harder to find?" *American Economic Review*, volume 110, issue 4, pp. 1104-1144 (April 2020), www.aeaweb.org/articles?id=10.1257/aer.20180338, p. 1138.
7. Mark Aguiar, Mark Bils, Kerwin Kofi Charles and Erik Hurst, "Leisure luxuries and the labor supply of young men," National Bureau of Economic Research, Working Paper 23552, June 2017, www.nber.org/papers/w23552.

【著者】

マーティン・フォード（Martin Ford）

フューチャリスト

ニューヨーク・タイムズ紙ベストセラー『ロボットの脅威』著者。同書はフィナンシャル・タイムズ紙ベスト・ビジネス・ブック・オブ・ザ・イヤー受賞。シリコンバレーを拠点とするソフトウェア開発会社創業者。人工知能が社会に及ぼす影響に関するTED Talkは300万回以上閲覧されている。ニューヨーク・タイムズ紙、ワシントン・ポスト紙、フォーチュン誌、フォーブス誌、アトランティック誌などに寄稿。カリフォルニア州サニーベールに居住。

【訳者】

松本剛史（まつもと・つよし）

翻訳家

1959年和歌山市生まれ。東京大学文学部社会学科卒。主な訳書に、フォード『ロボットの脅威』、ライアン『パンデミック監視社会』、ダイヤー『米中 世紀の競争』、クーンツ『ミステリアム』など。

AI はすべてを変える

2022 年 6 月 17 日　1 版 1 刷

著　者　マーティン・フォード
訳　者　松本剛史
発行者　國分正哉
発　行　株式会社日経 BP
日本経済新聞出版
発　売　株式会社日経 BP マーケティング
〒 105-8308　東京都港区虎ノ門 4-3-12
ブックデザイン　新井大輔
D T P　キャップス（CAPS）
印刷・製本　三松堂株式会社

本書籍に関するお問い合わせ、ご連絡は下記にて承ります。
https://nkbp.jp/booksQA

Printed in Japan　ISBN978-4-296-11363-7